A Don Guillermo Cano Isaza, director de
El Espectador, en los 10 años de impunidad
de su asesinato.

Fabio Castillo

Fabio Castillo

Los Nuevos Jinetes de la Cocaína

EDITORIAL OVEJA NEGRA

1ª edición, diciembre de 1996

©   Fabio Castillo, 1996
    "El texto, los anexos e ilustraciones de este libro son de exclusiva
    responsabilidad del autor".
©   Editorial La Oveja Negra Ltda., 1996
    Santafé de Bogotá, Colombia

ISBN: 848280-8980

Impreso y encuadernado por
Printer Colombiana S.A.

Printed in Colombia
Impreso en Colombia

«Hay que legalizar la mafia antes de que, por mantener en la clandestinidad esos capitales, sus dueños acaben con nuestras instituciones y nosotros mismos, o las compren y nos compren..., que para el caso es lo mismo»

Ernesto Samper Pizano,
Presidente de Anif
Marzo 18 de 1982

«Si hubo dinero de procedencia ilícita en mi campaña, fue a mis espaldas»

Ernesto Samper Pizano, Presidente de la República de Colombia Julio 27 de 1995

Contenido

Capítulo V

¿Por qué sólo hablan de dólares?

Sheila quiere un palacete en Suiza. El divorcio y el proceso no sirvieron. Cuevas sumergidas. Muerte a Verónica. Comprando bancos con la plata de los obreros. Las pesetas de Falcón. Rayo Latelco. Dos hielos verdes. Tony El Papa. La Dea monta un banco. El crucero delató. Las autopistas también lavan. México vuelve y juega. Solidaria, ¿con quién?

Capítulo VI

La economía de la mentira

Groucho y los economistas. Toros travestidos. Amnistiar para lavar. Chilenos, hoteles y muertos. Todos lavan en los Bonos del Tesoro colombiano. Extinción del dominio, sin necesidad de ley. La lista de Clinton. Nadie ronda a Tecnoquímicas. Panamá, potencia inversora. Zonas francas.

Capítulo VII

La extradición

La bóveda subterránea. Escogiendo comisión. Se inscriben los proyectos. Serpa muestra la intención. Los ministros estaban ocupados. El compañero de Serpa. ¿Entiende alguien de qué hablaban? El diccionario los desnudó. "Una decisión soberana". "Dios y la patria nos perdonen". Un gringo redactó el artículo. El vídeo- casete. US$86.000. A por el procedimiento penal.

Capítulo VIII

Mafia y (más) política

"El historiador". Los archivos minuciosos. El comercio de la política. Nuevas pistas del asesinato de Galán. Una investigación indignante. La pista de Armenia. La pista del Das. La pista de los políticos. 43.250 cheques. La absolución de De Greiff. La caja de Pandora. LTD4. "Sólo nos daban efectivo", dicen los tesoreros. Los que manejaron el dinero. Los condenados y los impunes.

Capítulo IX

La internacionalización del problema

Cada uno por su lado. Un futuro parecido: encefalograma plano. Unos proyectos sin dientes. Condena acá, pero cárcel en el extranjero.

Nota: Se adicionaron 16 páginas sin numeración en papel especial que incluyen fotos, mapas, cuadros, documentos hasta hoy inéditos y la agenda telefónica de Gilberto Rodríguez Orejuela.

Prólogo para un Contexto

La estatua de Simón Bolívar que se erige en el centro de la Plaza de Bolívar de Bogotá fue donada a Colombia por el primer explotador de las minas de esmeraldas de Muzo, José Ignacio París, el hijo de un español que renegó al encargo de Carlos V de cobrar los impuestos del tabaco, se unió a las tropas patriotas con todo su capital, y a la vuelta de pocos años su hijo era uno de los hombres más adinerados de la Nueva Granada.

En ese enorme rectángulo de piedra pulida de la Plaza de Bolívar se localiza el escenario de los centros de poder en Colombia: en el costado sur está el Congreso, enfrentado a la construcción irregular, como en celdas compartimentadas, del Palacio de Justicia. Al occidente una construcción tipo francés, el Palacio Liévano, sede de la alcaldía mayor, y al frente suyo la catedral primada de Colombia y el Palacio Arzobispal.

Salvo la alcaldía, todos los edificios fueron construidos en piedra, pero el constraste no es desagradable. Estas edificaciones le sirven de marco a una pequeña estatua, levantada sobre un pedestal en piedra que forma en conjunto casi una pirámide en cuyo vértice reposa la exquisita estatua en bronce de Tenerani: Simón Bolívar.

Al contrario de trabajos similares europeos, la estatua no es pretenciosa, ni siquiera indolente. Vestido con uniforme militar, el libertador descansa su espada en la mano derecha, pero sin ánimo de envainarla. En la izquierda, recogiendo un pliegue de la capa de exquisita factura, se adivina un legajo de papeles, acaso un pergamino. Se supone que representa la ley, que evite el uso de la espada de la mano derecha.

La estatua fue elaborada por el escultor italiano Pietro Tenerani, por encargo de José Ignacio París, el primer explotador de las minas de esmeraldas de la región boyacense de Muzo, donde desde hace un par de décadas se incubaron los grandes traficantes de esmeraldas, cocaína y últimamente de heroína. Allí se da una especie de bautizo en el inicio de la economía subterránea.

La escultura a que sin excepción los colombianos veneramos, los poetas loan y los novelistas ensalsan, tiene también una historia poco conocida, a la que los académicos tratan de velar y revelar con tenues cortinas de letras que oculta su verdadero origen: la estatua por su donante, se constituye en símbolo de una de las principales características colombianas, la economía subterránea, que convive con nosotros muchos más años de los que nos atrevemos a aceptar o confesar.

El señor París era hijo de un noble español enviado por Carlos V a manejar las rentas del tabaco en la capital del virrenato. Como monárquico que se respete, el 20 de julio se transformó en republicano, donó sus bienes a las tropas libertadoras, y sus cinco hijos engrosaron las filas de los patriotas. A José Ignacio París, el más aguerrido de la familia, «el pacificador» Pablo Morillo lo mantuvo en prisión, y con la victoria en el bolsillo, salió por encargo de Francisco de Paula Santander a ejercer el cargo de contador del Tribunal de Cuentas de la República.

Descrito por los historiadores como un gran visionario, París intentó comprar en 1820 el área de la Real Audiencia y el Palacio de los Virreyes —donde hoy figura el edificio del Congreso— para construir una urbanización. Más tarde invirtió buena parte de su capital en desecar la laguna de Fúquene, con la ilusión de aprovechar el secano para cultivos intensivos, infructuosamente, para fortuna de los ríos que nacen allí y de las generaciones que le seguimos. Tuvo mejor resultado con su iniciativa de crear una empresa que manejara el acueducto en Santafé de Bogotá, y cuando promovió la intensificación de la explotación de las minas de sal de Zipaquirá.

Pero el proyecto de su vida, lo comenzó en 1828, cuando le adjudicaron la explotación de las minas de esmeraldas de Muzo, gracias a las generosas concesiones de terrenos que le hicieron los gobiernos patriotas, y su amigo personal Simón Bolívar.

El gran José Ignacio de Márquez denunciaba en 1832 ante la Convención de la Nueva Granada que se adjudicaron a nacionales y extranjeros «las minas de metales y piedras preciosas», con rendimientos escasos para la Nación, ya que «no hay una base para hacer cargo a los contratistas, pues para saber cuál es el producto neto es necesario estar a su palabra y suponer que son efectivos los gastos que aseguran haber tenido». (Una denuncia que podría repetirse hoy, y no sólo con respecto a las concesiones de explotación de esas piedras preciosas).

José Ignacio París celebró su contrato de explotación de esmeraldas en 1828, y cinco años más tarde el secretario de Hacienda de Santander, Francisco Soto, le fijó un término de quince días para exhibir sus libros de contabilidad a las autoridades, hacer una rendición de cuentas y pagar lo adeudado al fisco nacional (valor no especificado).

Para cumplir tan perentorio plazo, se asegura que París forzó la técnica indígena precolombina, de esperar las lluvias torrenciales de la zona para que desbrozaran el camino de las esmeraldas, y dotado con mangueras de presión barrió la montaña de Piedras Blancas, hasta conseguir lo suficiente para tranquilizar a don Francisco Soto, y emprender un viaje a Europa.

Poco se sabe de la fortuna que amasó el señor José Ignacio París con la concesión de las minas, pero sí consta que en 1842 envió desde Europa dos máquinas de hilar con más de cien cajas de cardas, un prodigio industrial de producción a escala en la época, y contrató dos obreros italianos para entrenar a los operarios. Además donó el monumento funerario de Castillo y Rada, que se conserva en la capilla del Colegio del Rosario; la tumba de Juan José Neira, en el Cementerio Central; la fuente de agua saltante de Funza; las pilas de mármol de la Quinta de Bolívar; dos bustos del Libertador, uno depositado en el Palacio Presidencial y otro en el Banco de la República; y estatuas de Colón, Ezpeleta, Acevedo y Gómez (desaparecida), Mosquera, actualmente en Popayán, y la de Acevedo Tejada, que se encuentra aun en la alcaldía de Bogotá.

En una carta de Simón Bolívar a Santander, de 1825, se lee: «A París que me escriba y me diga cómo está Guatavita, la sal de Zipaquirá y las minas de esmeraldas; dígale que es un tal por cual y es que no me escribe».

La laguna de Guatavita, al parecer originaria de la leyenda de El Dorado, siempre estuvo rodeada de un halo de misterio porque se la creía depositaria de grandes tesoros, que los indígenas lanzaban a su lecho para agradecer a la Naturaleza por el prodigio del agua y la sal.

El 28 de enero de 1830 el Libertador Simón Bolívar le otorgó a París la hoy denominada Quinta de Bolívar, según una escritura de esa época: «Que siendo el Libertador poseedor en propiedad de la Quinta que llamaban de Portocarrero, situada en el Barrio Las Nieves de esta capital, al pie del cerro de Monserrate, junto al río de San Francisco, que sale del Boquerón, la cual hubo por cesión que de ella le hizo la muy ilustre Municipalidad de esta capital, en nombre de todos los ciudadanos de ella, ha dispuesto Su Excelencia por el amor y adhesión que tiene al señor José Ignacio París, de esta ciudad, en cedérsela gratuitamente».

Bolívar, nunca sobrará recordarlo, murió en la más completa miseria y abandonado por todos sus amigos.

En honor a la explotación intensiva de las minas de esmeralda de Muzo, hay una piedra semipreciosa que lleva su nombre, la parisita, que también se conoce como la esmeralda de los tontos.

El 18 de agosto pasado la policía irlandesa allanó el barco sueco Front Guider, que hacía pocas semanas había cargado en Santa Marta 140.000 toneladas de carbón para ser descargado en Irlanda y Noruega, el último puerto de desembarco de los carteles de la droga. En su interior se hallaron 50 kilos de cocaína, pero no tanto el cargamento en sí mismo, —el más voluminoso interceptado en Irlanda—, lo que llamó la atención a las autoridades era un pequeño aparato electrónico que iba en su interior, desconocido para ellos.

Después de un par de días de averiguaciones lograron descubrir que consistía en una especie de localizador llamado «Global Positioning System», recién desclasificado como secreto militar por el Pentágono y que permite a los narcotraficantes lanzar el cargamento al fondo del mar, «grabar» el sitio donde quedó depositado, y regresar después a rescatarlo, con un margen de error no superior a los tres metros.

A unos cuantos kilómetros, en el paraíso fiscal de la Isla del Hombre, se tejía una red de lavado de millones de dólares, por la cual se investiga hoy a la familia Cuevas de Cali, dueños de las casas de cambio posiblemente más mencionadas en la historia del narcotráfico.

Tecnología y paraíso fiscal conforman una compleja mezcla que favorece al narcotráfico, tanto como los procesos de integración que llevan a cabo varios países, y que han dado lugar al nacimiento de la generación de los llamados «narcotraficantes del libre comercio», los nuevos carteles que manipulan las bondades del Nafta —integración comercial de México, Canadá y Estados Unidos—, para introducir cocaína a través de esos dos países en California, Texas y Massachusetts, y con lo cual nació una original especie marina, el «atún blanco», como denominan a la cocaína que introducen los buques atuneros de propiedad de los carteles colombianos.

Una operación que se cumple con la colaboración de «La Federación», como nombran en México a sus carteles, cada vez más importantes en el contrabando de cocaína y la nueva droga que empiezan a controlar, la heroína.

Cuando entra a prensa este libro se desarrollan dos operaciones conjuntas de las policías de la Unión Europea, Papagayo y Puerto, que han permitido la incautación de más de dos toneladas de cocaína y una de marihuana, y que explica en buena parte los motivos de la guerra desatada en las últimas semanas entre el cartel de Cali, el del Norte del Valle, y algunas otras organizaciones que toman posiciones, como las de la Costa Atlántica y Buenaventura.

Con la cúpula del cartel de Cali tras las rejas se esperaría una razonable caída del tráfico de drogas, pero las evidencias en curso demuestran lo contrario: que nadie, ni los presos, está dispuesto a ceder en milímetro en las rutas conquistadas despues de 20 años de consolidación de su empresa criminal.

La historia que narra este libro no es lo sucedido en el mundo del narcotráfico durante los últimos diez años, sino una radiografía, que se espera sea lo más aproximada posible, a la situación actual de ese bajo mundo, para intentar una proyección de lo que podrían ser los próximos años, si no se propicia una auténtica vuelta a la esquina en las políticas que se implementan hasta ahora, y ante la falta de una auténtica decisión política de aplicarlas.

Una visión pesimista del país actual describiría a Colombia como un país que limita al Sur con los cultivos de coca, al Oriente con la guerrilla y los paramilitares, al Occidente con los grandes carteles de la droga, y al Norte con los contrabandistas de salida de droga y de introducción de tabaco y electrodomésticos, y en el centro diversas organizaciones que se disputan el control de todas esas actividades. Pero sería una visión demasiado sencilla, y sobre todo tremendamente injusta con los millones de colombianos que intentan sobrevivir a las grandes desigualdades sociales, a la falta de oportunidades, al desempleo y a unos índices de pobreza absoluta que se amplían sin parecer tener frontera de contención.

Durante el proceso de documentación para este libro entrevisté a un historiador y sociólogo extranjero, conocedor de la realidad colombiana, y sobre todo desprovisto del sentido paternalista que suele adoptar el científico social que se dedica de forma exclusiva a estudiar un país del Tercer Mundo. Al ver la claridad y tino con que analizaba varios de nuestros problemas, se me ocurrió hacerle una pregunta simple y radical: ¿Cuál es en su concepto el problema más grave que afronta Colombia? «La clase política» me respondió en seguida, como si fuera una respuesta muy meditada, que tuviera a flor de labios desde hace meses, a la espera del escenario adecuado donde expresarla.

En verdad, no me costó demasiado trabajo coincidir con él, después de un repaso mental de dos minutos por los demás factores. Se podría alegar que cada país tiene la clase dirigente que escoge, o los políticos por quienes vota, pero en el caso colombiano hay particularidades como el abandono definitivo de una política de reforma agraria, que ha ocasionado la pérdida progresiva de la soberanía alimenticia, acaso el concepto más definitivo en términos de soberanía; unos grupos políticos nacionales y regionales que no temen aceptar dineros de la mafia o los grandes monopolios, para luego dedicarse a legislar en su beneficio sin el menor pudor; un instituto financiado por los trabajadores para crear industria, pero que que en cambio destina sus recursos a reflotar bancos en problemas; una educación obsoleta en los sistemas y las materias de enseñanza, y unas infraestructuras de nivel africano, que no se compadecen con el nivel de impuestos recaudados ni los créditos que se adquieren de la banca internacional. Y así, se termina por concluir que buena parte de los problemas colombianos se originan, y residen, en su clase política.

A los diez años del asesinato impune de Don Guillermo Cano Isaza, el periodista cuya pérdida Colombia nunca debería terminar de lamentar, el país se enfrenta de nuevo a una grave coyuntura política y social, y de la actitud que cada quien tome dependerá el rumbo del país durante los próximos años, porque en las manos de cada colombiano hay mucho más poder del que se suele creer.

Capítulo I

La "Tía"

La operación tenía que cumplirse a toda prisa y sobre todo en silencio, porque el hombre se movilizaba en su propia avioneta, y si se le daba espacio a que sintiera la menor sospecha, se volaba. Desde un hangar de Talleres Ciro, en la zona privada del Aeropuerto Eldorado de Bogotá, un oficial de inteligencia que llevaba custodiando varias horas el terminal se comunicó en clave.

"El personaje acaba de llegar", dijo en su radio.

El capitán de la Policía que recibió la llamada se dirigió en forma veloz a la oficina del fiscal adscrito de la policía secreta, y llenó los seis renglones del formulario de una sola página que le exigen para practicar un allanamiento, lo presentó y en cuestión de minutos le expidieron la autorización.

El once de junio de 1996 un piquete de agentes de la Policía Nacional allanó una vivienda al norte de Bogotá, en la calle 105 con carrera 22, pero no hallaron la menor resistencia, sino que al contrario los invitaron a seguir al comedor.

"Identifíquense todos", dijo el capitán, que como las otras cinco personas que lo acompañaban, todavía portaban en su mano el arma de dotación.

"Luis Enrique Ramírez Murillo, sí, a usted es al que buscamos", le dijo el capitán Moreno López al más obeso de todos, tras devolverle la cédula y mientras empezaba a colocarle las esposas con las manos cruzadas en la espalda.

Sus hombres ocuparon todos los espacios de la casa, y mostraron orgullosos el resultado al capitán: seis revólveres, dos pistolas, una mini Uzi, tres escopetas, cuatro proveedores, 215 proyectiles y 8 pasaportes.

"Pero" dijo un agente secreto con la sonrisa congelada en la cara, "todas están amparadas, tienen permiso en regla y esta gente es del equipo de seguridad de una empresa, una empresa de frutas" remató.

"Eso que lo decidan los fiscales", le respondió el capitán Moreno, "nosotros tenemos es que cumplir con esta orden de captura".

Ramírez Murillo, que entonces empezaría a ser conocido en la prensa como Micky, fue montado en una patrulla, y conducido a los calabozos de la Dijin, la policía secreta. Quedó incomunicado, no se le concedió hacer ninguna llamada.

Una hora más tarde un oficial lo sacaba de la celda, para exhibirlo ante un periodista del diario El Tiempo. "Véalo", le dijo, "ese es Micky, el célebre jefe del Cartel de la Costa".

"Cuál capo ni qué ochovainas" respondió airado Ramírez Murillo. "Yo sí fuí traqueto, pero a mí el gobierno y la Fiscalía me lo perdonaron todo, me dieron mi amnistía, porque yo fui el que les entregué a Pablo Escobar".

Ramírez Murillo acababa de develar un secreto muy bien guardado, que ilustraba otra faceta más de la incoherencia en la lucha contra el narcotráfico en Colombia, y exhibía las consecuencias que tiene para la credibilidad del Estado sentarse en una mesa de negociación con los narcotraficantes y pactar con ellos para conseguir pruebas contra Pablo Escobar Gaviria, el jefe del cartel de Medellín que logró tener en jaque a una sociedad incapaz de reaccionar ni siquiera frente a los más graves ataques del narcoterrorismo.

Pero el gobierno de César Gaviria Trujillo y su fiscal Gustavo De Greiff Restrepo habían estatuido una auténtica mesa del diablo, como se la conoce hoy en los círculos judiciales, para impedir que pasara con Escobar Gaviria lo que antes había ocurrido con José Gonzalo Rodríguez Gacha, su socio del cartel de Medellín: que cuando murió enfrentado al Ejército en una playa de Tolú el 15 de diciembre de 1989, la justicia no había podido consolidar un solo cargo en su contra lo suficientemente sólido para condenarlo.

Luis Enrique Ramírez Murillo laboraba en la organización de los hermanos Moncada Cuartas y Galeano Berrío, que funcionaba como un brazo del cartel de Medellín, con sus rutas concebidas para el tráfico de cocaína y una batería de avionetas que operaban desde la zona del Magdalena Medio, controlada en todo sentido por Escobar, Rodríguez Gacha y los Ochoa. Territorio seguro para ellos, pese a que ya en ese tiempo tenía uno de los mayores índices de concentración de Policía, Ejército y hasta Fuerza Aérea.

La relación directa de Micky Ramírez en 1990 era con Fernando Galeano, a quien le manejaba varias pistas de donde despegaban los aviones para "bombardear" cocaína en Las Bahamas, Puerto Rico y México. Hacia junio o julio del año siguiente Rafael Galeano lo contactó para que averiguara por la suerte de su hermano Fernando, pues había subido a "La Tía", el nombre clave que tenían en el cartel de Medellín para referirse a La Catedral —la cárcel a la que Escobar Gaviria había aceptado entrar el 19 de junio de 1991—, y que nadie había vuelto a saber de él.

Ramírez Murillo localizó un viernes a Otto, uno de los guardaespaldas de Escobar, quien le confirmó que Fernando Galeano permanecía secuestrado y que el capo exigía US$20 millones para liberarlo. Micky pasó la razón a Rafael, quien pidió tiempo hasta el lunes.

El sábado fue secuestrado otro miembro del clan, Mario Galeano, y Rafael logró escapar por centímetros cuando lo querían secuestrar en su apartamento de Medellín. Ese domingo Arete, otro de los guardaespaldas de Escobar, llamó a Micky: "Véngase, que "La Tía" lo quiere ver, porque ya mató a Fernando".

Según su versión, Ramírez Murillo acudió al consejo de Miguel Angel Builes, narcotraficante del cartel, quien no le encontró salida distinta que acudir al llamado de Escobar, quien al menos debería ponerles una cita en su casa a los hombres de Escobar.

Un par de horas después llegó Arete con otros cuatro sicarios, y les dio la razón: "Miguel, Micky, "la tía" les manda decir que lo de Fernando y Quico Moncada fue un golpe económico-militar (sic) porque ya no daban plata para la guerra y querían vivir del balcón, y el único que pelió la no extradición fue el señor". Luego se dirigió a Ramírez Murillo: "váyase para donde la tía".

El propio relato de Micky Ramírez cuando rindió indagatoria ante la Fiscalía el 13 de junio del 96, sobre su encuentro con Escobar es lo suficientemente escalofriante, como para transcribirlo integralmente (para valorar el testimonio hay que tener presente que Pablo Escobar, en teoría, estaba en ese momento en la cárcel):

"*Me subí a un camión de doble fondo y pasamos por toda la guarnición militar (de la cárcel) con cuarenta personas más que iban en ese momento. Allí Pablo me mandó a seguir de una vez. Yo me quedé extrañado de que tanto cariño y tanta amabilidad, y él me dijo que necesitaba hablar con Rafael Galeano para la plata del secuestro de Fernando. Yo le dije que listo, que me lo entregaran vivo, después me dijo que no, que ya los bandidos (sic) lo habían matado, pero que necesitaban la plata por Mario Galeano que ya estaba preso, también me preguntó que a mí qué me parecía la muerte de Fernando, que yo qué opinaba. Le contesté que me dolía en el alma, esto lo hablamos delante de Chopo. Quiero dejar en claro que todos allá estaban con droga, con marihuana, y tenían sus R-15, todos afinados, era un festín completo. Me dijo que por qué me dolía tanto, y le respondí que era la única persona que me había dado la mano y me prestaba la plata para despacharle sus vuelos y comprarme mi avión.*

El me dijo pero ese era un ladrón, que a usted le prestaba la plata al diez por ciento. Le dije sí señor, pero quién perdía más, o él me prestaba dos millones de dólares por ganarse 200.000 y yo respondiéndole nada más que con la lengua, porque él sabía que no tenía ni en qué caerme muerto, o él que por ganarse 200 mil soltaba dos millones.

Entonces a Pablo le dio risa, dijo no hombre usted sí es la embarrada y le dio risa por lo que yo le contesté. Me preguntó usted le debía plata a Fernando, yo le contesté sí señor. Me dijo cuánto, yo le respondí 4 millones 540 mil dólares. El me dijo listo, fue debajo de la almohada y sacó una libretica donde tenía por ahí 80 nombres y miró donde decía Mike, y ahí decía cuatro millones 540 mil. Después comprendí que había amarrado los contadores de Fernando el mismo viernes y sabía exactamente cuánto le debía todo el mundo.

Me dijo lo felicito, usted es la única persona seria de la manada de gente que ha pasado por acá en estos días, porque todo el mundo se roba un millón, millón y medio, y otros decían que no debían nada. Me felicitó y me dijo: usted quiere trabajar conmigo. Yo le dije sí señor, entonces me dijo usted qué hacía con Fernando, yo le respondí que le traía la mercancía, se la despachaba. Según eso le dije que era Superman para que me cogiera cariño porque una cosa es estar aquí y otra cosa era estar allá.

Entonces me dijo dígale a Rafael Galeano, como usted es de confianza de ellos, que todas sus inversiones en narcotráfico como dólares, aviones, rutas, mercancía en Nueva York y en Miami, mercancía en Doradal y en todas partes les queda confiscada por mi organización, y que me mande los veinte millones de dólares que le dije y así pueden seguir viviendo tranquilos con su familia solamente en sus negocios legales y en sus fincas.

Esa tarde me mandó de una vez de La Catedral a buscar a Rafael. Yo estaba tratando de encontrarlo cuando al apartamento me llegó fue la gente de Rafael y me encañonaron y me iban a matar porque creían que yo era cómplice en la muerte de Fernando porque yo había bajado vivo.

Gracias a Dios en ese momento yo ya estaba hablando con Rafael por el celular y por eso no me mataron. Ahí mismo y en ese momento me llamó la muchacha del servicio y nos dijo que la Policía estaba abajo. La gente se atrincheró y llegó a hacerse matar ahí mismo. Yo les dije no hombres, cálmense, eso no es tan grave. Hablemos con la Policía, cuadremos a ver qué es lo que pasa. Bajé con un muchacho de ellos, los otros se quedaron arriba con la metra lista para darse plomo con la policía. Afuera había dos patrullas en moto, yo les dije que ahí no había problema porque ellos preguntaron que una gente armada había subido, yo le dije que eran unos amigos míos del barrio, y se fueron. Yo me monté ahí mismo en mi carro y me fui.

Esa noche hablé dos horas por teléfono con Rafael Galeano y llorando me dijo que le dijera a Pablo que él no estaba en guerra con él, porque Rafael no era narcotraficante, ni lo es ni lo ha sido, que le devolviera a su hermano, que él pagaba la plata que fuera.

Yo subí otra vez el miércoles a la Catedral, entonces Pablo me dijo que él no lo podía devolver vivo, que le dijera a Rafael que él no se lo podía devolver vivo, que lo devolvía pero muerto, y eso porque yo le imploré, le duré llorando hora y media, hasta que Chopo y Arete me dijeron vé, mangochupao nos salió hasta cura. Yo le dije vea señor, usted sabe que yo soy un hombre serio, devuélvame este hombre vivo que yo le prometo y le juro que él no le pelea con ley, porque el miedo de ellos era que Mario le peliara con ley, yo le prometo que ellos se van del país.

Había un muchacho al que le decían Pasarela que era como mano derecha de Pablo y como marica también, lo llamé aparte y le dije Pasarela ayúdeme a que me devuelvan a Mario vivo y yo hago dar cuarenta millones de dólares y otros dos millones son para usted. Entonces Pasarela me dijo es imposible Pablo no le devuelve ni el cadáver. De todas maneras le dije a Pablo, señor devuélvame el cadáver y yo le hago dar los veinte millones. El me dijo no, con el cadáver tenemos que hacer lo que hicimos con el de Fernando, quemarlo, lo incineramos para que no quede huella. Yo le supliqué y le ofrecí los veinte millones de dólares.

Entonces Pablo llamó a Arete y le dijo Rey —así le decía a Arete— entonces para que le entregue el cadáver a Mike, y Rey dijo bueno por la tarde hago la vuelta y lo llamo para decirle dónde se lo dejo.

Entonces Pablo me dijo que siguiera trabajando con José Fernando Posada en el narcotráfico y que cuánto necesitaba, porque yo dije que le debía plata a los pilotos y que a mí no me fiaban porque yo no tenía. Entonces le dijo a José Fernando que me adelantara 150.000 dólares. Me los entregaron envueltos en papel periódico de 1986 y supe que era de Quico Moncada por-

que él empacaba la plata en billetes de cien en papel periódico que nunca sacaba.

Arete me llamó un viernes creo y me dijo qui'ubo mango, y yo le dije qui'ubo llave, me dijo decíle a aquellos que les dejé el encarguito en la represa del Peñol. Entonces llamé a Medellín a un celular de la gente de Rafael Galeano y dije aque ahí estaba el encargo, en un Sprint azul placas tal y tal que está metido en un restaurantico en El Peñol, y que sean serios y se acuerden de la plata. Ahí encontraron el cadáver de Mario y de William Moncada. Ahí los habían dejado muertos, creo que torturados y todo para que cantaran dónde estaban las caletas. Entonces ahí tomé la decisión de no volver a Medellín".

Y en efecto Micky Ramírez no regresó a Medellín, y de alguna manera obtuvo línea directa con el entonces fiscal general Gustavo De Greiff, a quien debió hacer un relato parecido. El ex fiscal hizo entonces un escándalo de prensa sobre los lujos, las visitas y los asesinatos de La Catedral de Escobar, de los que todo el mundo conocía y nadie en el gobierno se atrevía a hablar. Escobar abandonó su prisión en julio del 92.

En noviembre de ese mismo año el gobierno de Gaviria, con la firma de todos sus ministros, expidió el decreto 1833, con las facultades de la recién estrenada conmoción interior, y que en esencia (son sólo dos artículos) consagró una forma de indulto simulado para quien rindiera una declaración que sirviera para incriminar a los autores o partícipes en delitos de narcotráfico. El decreto tenía nombre propio, era una forma adicional de cazar a Escobar.

Micky Ramírez se presentó ante la Fiscalía —según él por su propia convocatoria e incluso previo pago de mucho dinero— con otros once testigos, y todos rindieron un testimonio que el organismo consideró útil para incriminar a Escobar y a sus hombres más cercanos.

Ramírez rindió un testimonio bastante similar al antes transcrito, pero con muchos más detalles, en el que comprometió con asesinatos y narcotráfico a Pablo Escobar, José Fernando Posada Fierro, Carlos Mario Alzate Urquijo, Miguel Ángel Builes, Carlos y Juan Diego Arcila Henao, Mario Chopo, Arete, Comanche, Terry, Carlos Mario, El Canoso, El primo, Leonidas Vargas y Juan Eugenio García.

Los otros testigos fueron tan explícitos como él; Armando Muñoz Azcárate, de Medellín, incriminó a Giovanni Lopera, Sergio Restrepo, El Pájaro, y miembros del Unase en el secuestro de Rafael Sánchez Molina; el asesinato del procurador Carlos Mauro Hoyos, y sobre un oficial del Unase al que pagó 80.000 dólares por el secuestro de Giovanni Lopera Zabala.

Gustavo Tapias Ospina, también de Medellín, quien manejaba la célebre ruta Fania de Escobar en el narcotráfico hacia México, declaró esencialmente sobre las mismas personas, a quienes acompañó en varias ocasiones a La Catedral, donde presenció la orquestación del envío de varios cargamentos de droga, y donde también le ordenaron viajar a México y Aruba para establecer nuevas rutas del narcotráfico.

Eugenio León García Londoño, de Medellín, en declaración con reserva de identidad, dijo que Escobar era el jefe del cartel de Medellín, y que después de la muerte de Gustavo Gaviria, el primo de Escobar, su posición la asumió José Fernando Posada, alias Jaime Eduardo, y que tras el asesinato de los Galeano sus rutas las empezó a manejar Alzate Urquijo, Arete. Dio los nombres de los autores de buena parte de los atentados con dinamita del cartel, y relacionó con el tráfico de cocaína a Carlos Aguilar Gallego, Dairo Ángel Cardozo Metaute, John Jairo Posada Valencia, Diego Londoño White, y Giovanni Lopera Zabala, entre otros.

Benito Antonio Mainieri Medina, de Medellín, confesó que su padre Benito Antonio Mainieri Cano trabajó con Roberto Escobar Gaviria desde julio del 87, cuando le distribuía la cocaína en Miami, en rutas de Cali-Bogotá, y luego hacia Miami por la aerolínea Eastern, o desde Haití. También comprometió a Escobar (Roberto) en su secuestro, ocurrido el primero de octubre de 1991.

Guillermo de Jesús Blandón Correa, de Bogotá, quien había estado preso en Wisconsin, relató que trabajó con los hermanos Escobar desde 1986, que su base era inicialmente Haití y luego la Guajira, donde con Julio Correa, Jorge García, alias el gordo García, con quien negoció 5.000 libras de marihuana, y de un negocio de 280 kilos de cocaína, que iba a transportar en una avioneta de Gabriel Jaime Vélez, con Jorge Robledo como piloto.

Frank Cárdenas Palacio, de Medellín, confesó que él colocaba dinero para que otros transportaran cocaína a través de los carteles de Medellín o la Costa, y dio como nombres específicos los de Salomón Camacho Mora, Mario Castro o Negro mafia, Pedro Nel Restrepo Mendoza y Jorge Arango.

Hernán Emilio Sepúlveda Rodríguez, de Cali, confesó ser cofundador de Aerolíneas Especiales en 1988 con William de Jesús Pérez y Raúl Rubiano Benavides, que era controlada por los Escobar y donde manejaban algunos de sus aviones.

Luis Guillermo Ángel Restrepo, de Medellín, confesó trabajar entre el 86 y el 87 con Escobar en narcotráfico junto con César Cura y Cocodrilo Avendaño, y dio claves sobre varios secuestros, entre ellos los de Alonso Cárdenas, Andrés Pastrana Arango y Hugo Valencia, todos cometidos por Escobar.

Luis Giovanni Caicedo Tascón, de Bogotá, aceptó haberse iniciado en el narcotráfico en el año 70 en México, y que cuando se radicó en Miami conoció a Hermes Tamayo, quien lavaba dinero para el cartel de Cali, y en el 88 en Colombia consiguió una ruta para el chileno, Francisco Marín, para sacar cocaína por una pista de Ciénaga. Luego que compraba cocaína en Cali al químico César Quintero, Gargarín, y que además tenía contacto con quienes fabricaban allí las maletas de doble fondo, y se encargaba de reclutar las mulas en esa ciudad.

Gabriel Puerta Parra, de Medellín, manejó una casa de cambios en Ipiales, donde conoció al chileno Leonardo Lthal (sic) Bahamondes, quien lo enroló en la venta de pasta de coca. Sirvió de intermediario en operaciones de narcotráfico para Rodrigo Villa y Gildardo Rendón, y los hermanos Gabriel y Luis Tabohada.

Pablo Enrique Agredo Moncada, de Bogotá, trabajó con Gerardo Moncada Cuartas, Quico, administrando la empresa Servicios Aéreos de la

Capital, que empleaban para transportar cocaína, y confesó que fue llevado a La Catedral, donde Pablo Escobar le ordenó poner a disposición del cartel todos los aviones de la empresa.

Las doce declaraciones fueron rendidas ante fiscales especiales entre el 22 de febrero y el 27 de mayo del 93. Uno de los testigos, Guillermo Blandón, fue asesinado al poco tiempo.

El 26 de julio del 93 Francisco José Sintura Varela, actuando como Fiscal General encargado, profirió una resolución en virtud de la cual se los indultó a todos los testigos en relación con los hechos confesados, y en todos los casos con una consideración adicional similar a ésta: *"como en la declaración no se precisa si las actividades de narcotráfico se limitan a los años declarados por el declarante, la Fiscalía considera que el beneficio se debe otorgar por hechos confesados hasta la fecha en que (el nombre del declarante) rindió el presente testimonio (febrero a mayo del 93, según quien corresponda), por las conductas a que aluden los artículos 3 y 44 de la Ley 30 de 1986 en cuanto alude a la sustancia cocaína, y el artículo 177 del Código Penal en relación con la conducta de receptación y las demás que pudieren tener relación con los hechos descritos"*.

Amnistía total. El acuerdo celebrado por la Fiscalía fue además aprobado por el procurador, también encargado, Mauricio Echeverry Gutiérrez, según debe constar en un oficio al cual no se pudo tener acceso.

Como además el mismo decreto 1833 del 92 ordena al fiscal que rinda un informe escrito a la Corte Suprema sobre las razones por las cuales se otorgó la inmunidad delictiva, se pidió al presidente de la máxima corporación de justicia una relación "de los informes escritos" rendidos por el Fiscal en esta materia.

El presidente de la Corte, magistrado José Roberto Herrera Vergara, respondió mi solicitud el 6 de septiembre del 96 con certificaciones expedidas por las secretarías General y Penal de la corporación, en las que consta que "no se encontró constancia de recibo de ningún informe escrito rendido por los señores Fiscal o Vicefiscal General de la Nación, relacionados con el otorgamiento del beneficio o la garantía a que hace referencia el Decreto 1833 de 1992".

Cuando Micky Ramírez fue sentado a rendir indagatoria el 13 de junio del 96, la Fiscalía lo inte-

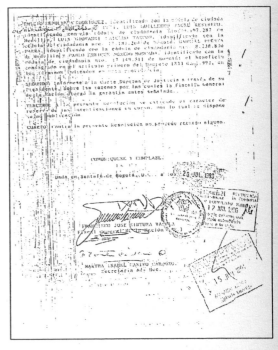

Facsímil de la última página de la Resolución en que Francisco José Sintura amnistió de todo delito a los 12 narcotraficantes que declararon contra Pablo Escobar Gaviria.

rrogó por "hechos no declarados", como su posible participación en el montaje de un laboratorio de procesamiento de cocaína denominado La Revancha, y que habría sido la respuesta de la mafia a la acción del luego asesinado coronel Jaime Ramírez, cuando destruyó los complejos de laboratorios del cartel de Medellín, Tranquilandia y Pascualandia, todavía hoy en día los más grandes que se le hayan incautado a la mafia en Colombia.

Ramírez Murillo negó todos los cargos, y protestó porque con su detención se había hecho público el lugar de su residencia, con el obvio riesgo para toda su familia. Dijo que su considerable fortuna, tres fincas contiguas en el municipio de Zambrano, en Bolívar, El hacha, La esmeralda y Pablo Díaz, donde tiene sembrados centenares de miles de árboles de mango, bajo el control de la sociedad Frutas Tropicales de Colombia, financiada en parte con un crédito de $1.000 millones otorgado por Bancoldex, una institución oficial.

También a través de los controvertidos Talleres Ciro de Carlos Barreto, en Bogotá, tiene una avioneta, asignada en leasing por intermedio de un banco norteamericano a la misma empresa frutera, que maneja su propio departamento de seguridad privada, con licencias para personal armado, asignadas por el Ministerio de Defensa.

Adicionalmente, ganó una licitación pública con el gobierno regional, para construir un acueducto que venderá el agua a los municipios de Carmen de Bolívar, San Jacinto y Zambrano, todos en Bolívar, a través de la sociedad anónima Acueductos Regionales de los Montes de María.

Según Ramírez, su fortuna proviene de los US$4.5 millones que debía a Fernando Galeano, y "que a mí nadie me los pidió". Los muertos no pueden rectificar a nadie. La Fiscalía tampoco lo hizo.

Hoy en día el Micky Ramírez, a quien la policía exhibió por la televisión como "el jefe del cartel de la Costa", y de quien dijo tenía pensado escaparse en uno de los mini submarinos del cartel de Cali —una verdera proeza, pues pesa casi 150 kilos y mide 1.70 metros—, está detenido por un cargo de enriquecimiento ilícito de un centenar de millones de pesos, representado en unos cheques girados a un contrabandista del Sanandresito de Bogotá, Luis Rincón, que todavía no ha podido explicar.

Un informe enviado por la sección de inteligencia de la Policía a los fiscales sin rostro asegura que Micky Ramírez Murillo entregó en Bogotá a Carlos Alberto Henao Arcila, hermano de El Tomate, de la organización de Escobar, a un grupo de sicarios que lo asesinaron, y que transportaría droga en el interior de cargamentos provenientes de su finca Bolívar. Según su indagatoria, los cultivos de sus haciendas sólo empezarán a producir mangos el próximo año.

El de Ramírez Murillo es sólo un ejemplo, aunque bien ilustrativo, de lo que ha sido la política incoherente de los sucesivos gobiernos para enfrentar el cada vez más grave problema del narcotráfico en Colombia, lo que esencialmente ha generado el hecho de que para cada circunstancia se adopta una solución temporal, así a la larga pueda generar otros problemas, o inmunizar a unas personas contra la acción del Estado.

De hecho, como se verá en otros capítulos, algunas de las personas beneficiarias de la inmunidad de la Fiscalía de De Greiff figuran hoy en registros de distintos organismos de seguridad y control del narcotráfico como piezas claves en las organizaciones de los nuevos jinetes de la cocaína, mientras que otros narcotraficantes acogidos a las figuras benignas de la política de sometimiento a la justicia, que implican sustanciales rebajas de penas y multas, continúan dirigiendo operaciones de narcotráfico desde la cárcel. Y ello es posible porque sus estructuras se mantienen incólumes tras la condena, y la justicia se ha mostrado hasta ahora incapaz de realizar una sola investigación como consecuencia de la cual se desvertebre una sola de estas organizaciones en su integridad.

Por lo general en los procesos de sometimiento a la justicia, los pasos judiciales que se dan son esencialmente los mismos: un narcotraficante se entrega y confiesa un número específico de delitos, inculpa como sus socios a un par de narcotraficantes ya muertos, de quienes por lo demás asegura era empleado, y menciona cinco o seis nombres de sus colaboradores más cercanos, con un solo apellido y hasta en ocasiones identificado sólo por un alias, entrega un centenar de kilos de cocaína y algunas armas. La condena, máximo cinco años efectivos de cárcel. Las incapacidad de investigación del aparato judicial hace prácticamente imposible controvertir los cargos que confiesa, y por lo general tampoco se le presentan otros nuevos, si no es mediante la cooperación internacional de algún país extranjero, en especial con los europeos, que acepta suministrar documentos útiles para la acusación.

¿Y qué hace entonces ese gigantesco y oneroso aparato de inteligencia que se multiplica en todas las Fuerzas Armadas?

Una ilustración típica se puede hallar también en el proceso abierto por la Fiscalía contra el Micky Ramírez.

El 14 de julio de 1996 en un oficio proveniente de un organismo cuyo título completo es "Cuerpo Técnico de Investigación - División de Investigación - Sección de Información y Apoyo Operativo - Grupo de análisis" se dice de Luis Enrique Ramírez Murillo, alias Miki o William Ortiz, que "se tiene información sin verificar que es propietario de fincas en la Costa Norte del País (sic), donde posee zoocriaderos, cuyos productos son utilizados para transportar estupefacientes, especialmente en el Departamento de Bolívar". Más rigor se exige a una crónica periodística, que a un escrito oficial de este tipo. Y, queda la duda, ¿qué puede hacer un fiscal con una información de ese tipo?

Demasiada inocencia para enfrentar un fenómeno delictivo como el narcotráfico, que además tiene las características de crimen organizado y transnacional, y cuyas utilidades necesariamente empiezan a ser lavadas en los países consumidores de droga, que son al mismo tiempo los más avanzados en técnicas de transacciones financieras que no implican el movimiento físico de dinero.

Pero claro que es un problema que tiene orígenes muy anteriores al proceso mismo del lavado del dinero, y que el transcurso del tiempo no ha hecho más que complicar. En los años 70 la bonanza económica colombiana se basó en buena medida en la del contrabando de marihuana. Menos de una década más tarde prácticamente las mismas organizaciones descubrieron la cocaína, que ya no implicaba la compra de lentos buques cargueros, que podían ser interceptados en alta mar, sino pequeñas avionetas con una cierta autonomía de vuelo, y un cargamento de sólo centenares de kilos de coca, que les permitiera llevar en su interior una ballena, como llaman en la mafia las gigantescas bolsas plásticas llenas de combustible, que les permita emplear como tanque supletorio en el aire, o con un aterrizaje mínimo. Este sistema se emplea principalmente en el Amazonas brasileño, donde sólo las grandes distancias protegen de la acción de los radares y hace extremadamente difícil pensar siquiera en una acción directa de destrucción de laboratorios por las autoridades.

Desde hace unos cinco años los narcotraficantes colombianos han descubierto la nueva droga, la heroína, cuyo valor triplica el de la cocaína y, de nuevo, es mucho más fácil de transportar. Una mula puede llevar en sus intestinos hasta una libra de cocaína, cuyo costo final podría llegar a los US$20.000, mientras que la misma cantidad en heroína transportada por ese medio podría alcanzar hasta los US$90.000 en los Estados Unidos.

"Cortada" para el consumo en la calle la cocaína puede rentar unos 120.000 dólares, y la heroína supera los US$200.000.

Se cree que la heroína fue introducida en Colombia por los carteles mexicanos, y su contrabando ahora es controlado esencialmente por los carteles del Norte del Valle y de Boyacá. El epicentro de su distribución se halla en la siempre hermética ciudad de Pereira, y en los últimos meses también se ha expandido a su vecina Armenia, como se puede comprobar sencillamente con la ciudad de origen de las mulas que caen en Europa y los Estados Unidos.

La heroína produce mucha más dependencia que drogas como el bazuco, y su grado de tolerancia en el organismo exige una dosis cada vez más frecuente o más alta para repetir la sensación inicial. Su consumo es causa de la mayoría de los casos de atraco callejero en Europa, donde la heroína es más accesible debido a su vecindad con los principales productores asiáticos. También se la considera fuente de la cancelación de proyectos de liberar el consumo de drogas, como los que se ensayaron en Suiza, Holanda y Austria, y que consistieron por lo general en dejar un parque central en una ciudad donde se podía comprar libremente la droga, pero vender seguía siendo delito. La dramática multiplicación de los índices de criminalidad obligó a revocar esa medida. En Colombia todavía no se tienen unos estimativos fiables de su consumo interno, pero cada vez se la menciona más como una droga de distribución en la zona del eje cafetero, donde también se inició el de bazuco hace ya una década. En realidad, para ver una explosión de heroína en las calles sólo ha hecho falta un banquero como el que disparó la cocaína.

En el escenario colombiano el problema del narcotráfico también es complejo. El Palo es una vereda del Cauca, a sólo dos horas de Cali. Se trata de un caserío de cuatro esquinas que confluyen en el parque, que los sábados hace las veces de plaza de mercado. Sus únicas construcciones sólidas son una iglesia cristiana, que casi siempre permanece cerrada o vacía, y otra protestante, donde los concurrentes cantan durante todo el día.

En cada esquina hay la típica tienda de pueblo, con una nevera repleta de cerveza Poker que se ha enfriado durante toda la semana, y unas cuantas sillas que sólo ocupan los borrachos, porque la demás gente, sólo hombres, y buena parte de ellos indígenas, están demasiado atareados con sus botellas de cerveza en la mano como para darse un respiro.

En ese pueblo hay de todo lo que se encontraría en cualquier otro, menos un puesto de policía y menos una avanzada del Ejército. Hace años los echaron de allí.

En El Palo funciona una de las varias "bolsas de la coca" que operan en ese mundo de la provincia colombiana, casi desconocido por completo en las grandes ciudades. Con las primeras horas del día llegan los indígenas y los campesinos con sus corotos, y en alguno de ellos llevan una o dos libras de bazuco, el producto de la semana de trabajo.

"Es que para nosotros es más fácil sacar el bazuco, porque no se necesitan tantos químicos, ni hay peligro de que se pierda", me explica un campesino a quien me le he acercado con mi botella de cerveza en la mano, y un carriel paisa al hombro, donde confío crea que llevo dinero en efectivo.

"La cocaína se amarilla si se pasa un pelo, y eso ya no hay quién patrasié, lo salve, ni lo compre" agrega. Me jura que me puede garantizar, con un vecino suyo, una provisión semanal de 30 kilos. "Muy poco" le respondo con algo de suficiencia, pero más con el ánimo de convencerme a mí mismo de la seguridad con la que habré de entrar a la tienda de la otra esquina, donde se mueve todo.

La tienda está adornada con unos descoloridos afiches que representan motivos del arte japonés, y el viejo tablero patrocinado por Mejor Mejora Mejoral donde está escrito con tiza el valor de la cerveza, lo único que hay para la venta hoy. Todo el mundo habla con todo mundo, cuchichean, y ni me ponen cuidado cuando entro. Debo introducirme en el coro, para enterarme y participar. Están en plena subasta, pero me sorprende al principio que hablen de lo que creo es poco dinero.

"¿Bueno, como está la postura?" pregunto con mi recién estrenada seguridad.

"631 por diez" me responde mi vecino más próximo, que no debe medir más de metro y medio y en cuya boca relucen los dos únicos dientes enchapados en oro que se le aprecian por entre la sonrisa.

631 es, por fin logro enterarme, el precio por gramo de cocaína, que es la unidad de transacción en la "bolsa de El Palo", y diez significa los kilos a que corresponde la cotización. Si se van a comprar más, los $631 bajan, y si menos suben, y en el caso de lograr alguna posibilidad de conseguir la transacción.

"Para esa cantidad vaya a la calle" me dice un despectivo campesino a quien le he hecho postura para cerrar un negocio de comprarle tres kilos de cocaína a la semana.

Ya es el mediodía, el calor en El Palo achicharra la cabeza, y acaba de llegar la chiva que nos puede llevar de regreso a Popayán, así que me voy a recuperar a mi amiga acompañante para dejar en pleno apogeo el Wall Street de los carteles.

Cuando salimos del pueblo, a la izquierda, se alcanzan a ver algunas matas de coca entreveradas con plantas ornamentales, ahí, a la orilla misma de la carretera. Pero lo que más me llama la atención es un sonido cascabeleante, que se repite de forma intermitente. "Están cogiendo hoja, hojas de coca" me aclara mi amiga.

Un par de kilómetros más abajo hay un retén de la Policía, pero no hacen amague siquiera de detenernos.

"El retén es de entrada, no para los que salen" me vuelve a aclarar ella, quien agrega que esa es la protección de los corredores de la bolsa.

"Lo que viste apenas es nada", me dice mi acompañante, que fue juez de instrucción criminal durante seis años en La Hormiga, en el Putumayo, la otra población donde funciona una bolsa similar, y cuyas intimidades conoce a la perfección pues todavía tiene amigos allí.

Según su relato, que me merece toda credibilidad, pues fue ella quien primero me habló de El Palo, a La Hormiga concurren más postores, los cultivadores tradicionales, que por lo general trabajan para algún comprador más o menos fijo, y la guerrilla, que saca a subasta su producción, de pasta y cocaína.

En los últimos meses la oferta se ha multiplicado, pues hace algo más de un año, a finales del 94, el gobierno celebró un acuerdo con los cultivadores del Putumayo, en virtud del cual legalizó en la práctica, como en la dosis personal, "el cultivo personal", hasta dos hectáreas de coca, adicionalmente con el compromiso de que no era susceptible de ser fumigado.

"¿Un acuerdo escrito, blanco sobre negro?" pregunté ahora sí un poco incrédulo.

"Claro, lo firma un señor José Noé Ríos, consejero presidencial para no sé qué cosa, e incluso me ha sido útil, porque como todos los cocaleros tienen su copia, la he presentado en la Fiscalía, y ¿qué me pueden responder? ¿Cómo van a detener a mi cliente?"

El hecho en definitiva consiste en que los campesinos, seguramente por aquello de la economía de escala o la ventaja comparativa, unieron sus dos hectáreas con las del vecino y así, hasta el punto que hoy puedes llegar a cualquier vereda de La Hormiga, y las matas de coca casi que se han comido la carretera.

"Ah, y cuando quieras te cuento lo del mercado de armas de Ipiales, donde en ciertos sitios puedes comprar por catálogo desde una pistola hasta la ametralladora Atlanta que más te interese" dijo con voz apabullada por el calor agobiante de la primera hora de la tarde, y empezó a dormir.

La única conclusión que pude sacar en claro del viaje y la conversación es sorprendente: en Colombia todavía es demasiado fácil ser mafioso.

Hoy en día la cadena del narcotráfico se inicia en las zonas más apartadas del país, en la zona de los laboratorios y los cultivos más grandes, por lo general a las que sólo se puede acceder en lancha, y virtualmente imposible de alcanzar en helicóptero. En esas regiones un kilo de coca puede costar entre $350.000 y $400.000, de los que el cocalero, si es independiente y no jornalero de algún cartel, apenas recibe la tercera parte.

Ya ingresada la cocaína en el círculo del narcotráfico, por ejemplo en sitios de "bolsa" como El Palo o en La Hormiga, el kilo se coloca en torno de los $650.000, donde la diferencia con respecto al precio en sitio de acopio queda en manos del intermediario, y que es propiamente el inicio de una cadena especulativa ajena al campesino, y en la cual su precio se multiplica en cuanto más se acerque al consumidor.

Este también es el punto más vulnerable de la cadena delictiva: a esos pueblos llegan los grandes compradores con bolsas llenas de dinero en efectivo, porque es la única forma de hacer las transacciones, en veredas o pueblos en los que ni siquiera existe una agencia bancaria. No se pueden confundir sin embargo esos intermediarios, que son el escalón entre los productores y los carteles, con los llamados " chichipatos", por lo general intermediarios improvisados, que operan en torno del consumo local de cocaína, no de su contrabando.

Y esos intermediarios se justifican, más ahora que antes, porque las poderosas organizaciones de los carteles de México, que se han convertido en el embudo de una única dirección para la cocaína de los colombianos, y no aceptan introducir cargamentos de cocaína a los Estados Unidos de menos de determinada cantidad de toneladas, con lo cual en muchas ocasiones deben recurrir a los "apuntes" para satisfacer las exigencias de los centroamericanos. Un "apunte" es participar en un embarque de cocaína con una determinada cantidad, que se identifica con un color, una estampa o un código de letras que marque la diferencia.

Cuando el kilo de cocaína está puesto en una importante ciudad colombiana, su valor ya es de US$1.000, y de US$2.000 si la ciudad queda en la Costa Atlántica o Buenaventura, donde se encuentra todo dispuesto para el transporte.

Los puertos internacionales más comunes de arribo de la cocaína en tránsito, en dirección hacia los Estados Unidos, son Guatemala, Haití, Honduras y República Dominicana, donde el mismo kilo cuesta ya US$5.000.

Desde aproximadamente 1993, cuando entraron a jugar fuerte los carteles mexicanos en el tráfico de cocaína, las dos modalidades más frecuentes de trato con ellos consiste en recibir directamente US$7.000 por kilo entregado en la ciudad de puerto mexicano que ellos escojan, y el narcotraficante colombiano sale en ese momento de la operación de contrabando. La otra se conoce como una operación de riesgo compartido.

En este último caso el cartel colombiano por ejemplo entrega diez toneladas de cocaína para que los mexicanos las transporten generalmente camufladas en camiones de carga a los Estados Unidos, donde los colombianos reciben una o dos semanas más tarde cinco toneladas en Texas, California o La Florida. Las cinco restantes, en cualquier caso el 50 por ciento del cargamento, es la participación mexicana en la "joint venture" de la nueva generación de los carteles.

La apertura de fronteras para el transporte, pactada en los acuerdos del Nafta entre Canadá, México y los Estados Unidos, cuenta así con unos beneficiarios insospechados, mientras Canadá es cada vez más destinatario de cargamentos de cocaína por barco, dado que su laxo sistema financiero contribuye con una buena porción del lavado de dinero.

Esa es en esencia la compleja red del tráfico de cocaína, a la que además contribuyen en porción nada despreciable los laboratorios químicos de los Estados Unidos y Europa.

Pese a los convenios internacionales que adoptaron controles sobre el tráfico de los precursores químicos para refinar cocaína, en especial la Convención de Viena de Estupefacientes de 1989, y a que en Colombia virtualmente todos los pasos de un importador regular de esos productos está sometido a licencia de la Dirección Nacional de Estupefacientes, el flujo no disminuye en Colombia.

El que fuera el mayor importador en Colombia de un químico útil como precursor denominado MEK -etil-metil-acetona-, Baz Rezin disminuyó sensiblemente sus importaciones legales en 1989, cuando murió Rodríguez Gacha. Hasta ese momento se rumoreaba en distintos círculos judiciales los vínculos del narcotraficante con la sociedad, a través de testaferros, pese a que su control formal figura a cargo de una fábrica de pinturas.

El MEK se alega sintetiza una cocaína de más baja calidad que el éter o la acetona, pero es más barato y fácil de manipular. Su principal uso industrial se da en la industria de pinturas, y desde entonces Bogotá figura con uno de los mayores porcentajes de concentración de fábricas de pintura por cuadra en Sudamérica.

La acetona proviene en especial de los Estados Unidos, y en su mayoría importado por la Shell, que tiene casi comprometidos los embarques con una fábrica de filtros de cigarrillo en Cali. Nada disparatado, si se recuerda el gigantesco cargamento de bicarbonato de sodio incautado en Colombia a una empresa estatal polaca, y que iba destinado a una sola casa fabricante de crema dental, Colgate, también con sede en Cali, que se preparaba a lanzar una marca especial con ese ingrediente adicional.

Ultimamente el éter proviene en cargamentos de Alemania y Austria, capital, Viena, la sede del pacto anti-narcóticos, que lo embarcan con destino a Colombia en los puertos de Holanda.

En Europa los principales proveedores de Colombia en Hamburgo han sido Trasmarichemie y Jebsen & Jebsen. Su agente importador suele ser Holanda Colombia, controlada por la multinacional holandesa HCI. Con una red de fábricas de pinturas perfectamente establecida para surtir en todo el país, y con estadísticas bien explicativas del fenómeno: en 1989 importó 385 toneladas de MEK, casi 2.000 tres años más tarde, y 4.057 toneladas en el año 93.

Poco importa en ese escenario de juegos de las grandes multinacionales que en Colombia se cancelen cada año entre diez y quince licencias de funcionamiento a otras tantas sociedades que manipulan los químicos, pues de una fábrica en Bosa que no es más que un garaje con algo de adorno y una secretaria mareada por los olores y las operaciones extrañas que se realizan frente a sus ojos, se pasa a otra en Fontibón donde se replica la empresa de fachada, pero ahora con socios diferentes.

Luego interviene el factor adicional del contrabando de los precursores, que entran principalmente por Ecuador y Panamá, mientras Aruba, Haití y Santo Domingo empiezan a ver incrementar sin justificación sus importaciones de productos químicos europeos.

La industria química al fin y al cabo no es tan fácil de retar, pues de los dos centenares de empresas que el gobierno de Bill Clinton incluyó en una lista pública como sujeta al control del cartel de los Rodríguez Orejuela, sólo se notaba ostensiblemente la falta de las relacionadas con el manejo de productos químicos.

Pero después de refinada la cocaína con esos químicos, viene otra dispendiosa labor, la del secado de la droga, que fue la forma habitual de detección de los grandes laboratorios hasta hace un par de años, pues demandaban grandes montajes de motores eléctricos en los campamentos para poner en funcionamiento las bombillas o los hornos microondas que cumplen esa función.

Hasta cuando los químicos de los carteles descubrieron que el cemento cumplía esa misma función, sin necesidad de tanto aparataje. Así, a la bonanza de las fábricas de motores le siguió la de la industria del cemento, que entró en franca disputa con la construcción de vivienda, hasta el punto que en 1994 el "boom" de la construcción se frenó en las principales ciudades porque las fábricas no alcanzaron a suplir la demanda de tan aguerridos competidores en la selva, donde el material habitual de construcción de viviendas es la madera y la caña de bahareque.

Desde este año 96, el cemento fue sometido a control de tráfico, como ya lo estaban desde hacía varios años la gasolina, el éter y la acetona en las "zonas calientes" de laboratorios. Cuando el gobierno adoptó esa medida, con base en un estudio que demostraba la irracionalidad del consumo en las zonas más apartadas del país, alguien comentó entre dientes: "ojalá los narcotraficantes no descubran dentro de poco alguna cualidad de la leche para refinar cocaína, o los pocos que todavía la consumen, si no las vacas, deberán tener licencia".

Todavía hay otro elemento adicional que coadyuva a la multinacional del narcotráfico, sin necesidad de explorar en este capítulo las otras ramas del crimen organizado en Europa y Asia, cada vez más próximas a las latinoamericanas, y es el papel que en su favor juegan la banca y los paraísos fiscales en el lavado del dinero proveniente de la droga.

Cuando las autoridades suizas detuvieron en marzo de 1996 a la colombiana Sheyla Arana de Nassar, no lo hicieron porque un atemorizado banquero de Zurich llamara a la policía debido a las sospechas que le ocasionara la obesa barranquillera de 54 años que desde 1978 viajaba de su país cada tres meses, con la precisión de un relojito, sólo a controlar los saldos de sus cuentas y fideicomisos en el Union Bank, o porque su esposo Toto figurara desde 1989 en una lista de extraditables a los Estados Unidos. Un ejemplo al azar, porque la misma afirmación podría hacerse con respecto a los Cuevas en la banca de la Isla del Hombre en Gran Bretaña, los Rayo en la de Gibraltar, Perafán en los de Aruba, o los Rodríguez Orejuela en Nueva York.

Pecunia non olet, es la divisa que tomaron como propia los banqueros desde cuando la leyeron por primera vez en Vespasiano. El dinero no huele. Y por eso tampoco se interesan por seguir su rastro.

Todos estos son en esencia los lazos que se vinculan, entrelazan y anudan hasta formar la maraña a cuya sombra prolifera y se expande el contrabando y consumo de drogas, y en especial de cocaína, y que diera lugar a la formación de las organizaciones mafiosas más poderosas que ha conocido

Latinoamérica hasta ahora, con la emergencia de los sucesivos carteles de la droga.

Y logran asentar y perpetuar sus nexos sólo gracias a las políticas inconsistentes de los gobiernos comprometidos en luchar contra las mafias, que un día amnistían sus capitales, al siguiente sus penas, y luego sacrifican todo derecho colectivo porque les surgen poderosas organizaciones delictivas con capacidad incluso de rivalizar con el Estado.

Que fue en esencia la estrategia del cartel de Cali.

RUTAS NACIONALES DEL TRAFICO DE COCAINA

Capítulo II

... Y más complicaciones

El punto de quiebre de los traficantes de cocaína se presenta en el momento de escoger e iniciar la exploración de una nueva ruta de envío de la droga. En ese momento son más frágiles a la penetración de agentes encubiertos. El segundo punto débil lo tienen en el manejo del dinero reciclado antes de insertarlo en la economía formal, porque alguien puede rechazarlo y advertir a las autoridades de la operación propuesta. Los dos son los extremos del mismo arco en que se muestra más débil la poderosa maquinaria que despliegan los carteles de la droga, y en ambos se quebró el cartel de los hermanos Rodríguez Orejuela a lo largo de los tres años que duró su desvertebramiento paulatino.

Oriundos del municipio tolimense de Mariquita, una población campesina de clima seco ideal para afrontar problemas derivados de la edad, a cuyo valle fue a morir el conquistador español Gonzalo Jiménez de Quezada, los hermanos Gilberto y Miguel Rodríguez Orejuela montaron un emporio criminal que en 20 años repasó todas las gamas del crimen organizado, desde el secuestro y la falsificación de dólares hasta las más complejas redes para el tráfico de cocaína, en colaboración con las mafias asentadas en Europa y Asia.

La cúpula original del clan, que era como operaba en un principio, la integraban Gilberto Rodríguez Orejuela, José Santacruz Londoño y Hernando Giraldo Soto. El paradero de Giraldo es uno de los mayores misterios, pues si bien su nombre figuró en las principales acusaciones hechas contra el cartel en los años 80, de repente desapareció de las listas que manejaban los organismos de inteligencia, nunca se volvió a saber nada de él, pero tampoco se le volvió a mencionar en ninguna acusación contra el cartel, desde los inicios de los 90.

Santacruz Londoño fue entregado muerto frente a un lujoso hotel de Medellín a los tres meses de haberse escapado de la cárcel de máxima seguridad de Bogotá donde compartía pabellón con los Rodríguez, y si bien la Policía colombiana intentó reclamar la muerte como suya en un principio, la revelación de torturas que se le infligieron antes de ser asesinado a quemarropa, y la forma atroz como fue acribillado su conductor, cuyo cuerpo se halló un par de días más tarde, hicieron desistir al organismo de su sentido protagónico.

Todo parece indicar que Santacruz Londoño fue asesinado por cuenta de la banda paramilitar de los hermanos Castaño, en los inicios de una guerra que la propia mafia decidió abortar (ver capítulo IV).

Mientras el cartel original planeaba la organización de rutas y procesos de reciclado de dinero, Miguel Ángel Rodríguez Orejuela fundaba su propia universidad en Cali, que le otorgaría el grado de abogado en su primera promoción. Todos eran originarios del barrio Obrero de Cali, y también coincidieron en buena parte en el colegio Santa Librada, un semillero, interesante para cualquier estudio sociológico, del que salieron los principales jefes de la mafia y de la guerrilla, pero también conocidos hombres de empresa y generales de la República que hoy combaten la droga. Pero si en ese nivel ya debió haber un primer contacto con futuros guerrilleros y empresarios, los que logró Miguel Rodríguez en la Universidad Santiago de Cali no fueron menos importantes. Desde un principio se revistió de un cierto aire doctoral, al que contribuye su hosco aspecto natural, con las cejas casi siempre fruncidas, incluso para soltar la mayor carcajada, que no es frecuente de todas maneras.

Cuando su hermano Gilberto cayó preso en Madrid en junio de 1984, Miguel tomó las riendas de la organización delictiva, y lo que hasta entonces se había manejado con la discreta jugada del pisa y corre, se convirtió en una gigantesca empresa criminal, que siempre llegaba golpeando duro, haciendo inversiones gigantescas, de manera tal que, como en El Padrino de Puzo, se convertía era una oferta que no se podía rechazar, o se perdería mucho dinero.

Según las personas que los han tratado, mientras Gilberto maneja un bajo perfil, silencioso y calculador frente a cualquier propuesta o argumento que se le esgrime, Miguel es sanguíneo, de reacciones imprevisibles y nada condescendientes. Un compañero suyo de prisión relató, por ejemplo, cómo a su abogado, el ex magistrado Juan Fernández Carrasquilla, a quien llama "el chupasangre", siempre que le planteaba una estrategia en la defensa o le consultaba los términos de un memorial para algún recurso, y todos tenían que serle consultados antes de presentarlos a la Fiscalía, le mandaba callar en tono autoritario y le recordaba que "aquí el abogado soy yo".

El nivel central de la organización de los Rodríguez Orejuela está formado por 75 personas encargadas de controlar desde el procesamiento de la cocaína en laboratorios químicos, hasta el lavado del dinero y la protección legal para toda la infraestructura de la organización, que en total pudo haber llegado a emplear unas cinco mil personas.

En la cúpula aparecen los hermanos Rodríguez Orejuela al mismo nivel con Helmer Herrera Buitrago y José Santacruz Londoño y, a partir de agosto de 1995, cuando su padre Miguel se entregó a la justicia, su hijo William Rodríguez Abadía, quien según una acusación aceptada ya por un Gran Jurado en los Estados Unidos no sólo entró a coordinar las operaciones de tráfico de drogas, sino que desplegó inusitada actividad para intentar asesinar a eventuales testigos de cargo contra su padre y su tío. De hecho, se le acusa de haber ordenado el asesinato, al parecer cometido en una finca de Helmer Pacho Herrera, de la esposa del tesorero del cartel, Guillermo Pallomari, casi al mismo tiempo en que éste se entregaba al Departamento Americano Antidrogas, DEA por sus siglas en inglés.

El cartel tenía diseñado un esquema de sucesión de poderes en caso de la detención o la muerte de alguno de los capos, pero tras la captura de Miguel Rodríguez —la de Gilberto había ocurrido unos meses antes— le siguió casi de inmediato la detención de quien habría de sucederlos, José Estrada Ramírez, así que la organización quedó en manos de William, hoy fugitivo de la justicia norteamericana y apenas indiciado en algunos casos por la colombiana.

El segundo nivel de la organización, si se equipara la estructura con la de otras organizaciones mafiosas tipo La Cosa Nostra sería el de los consejeros, y estaba formado por ocho personas, los abogados que diseñaban las estrategias de cobertura; los contadores o tesoreros centrales del cartel que manejaban el recaudo y asignación del dinero lavado, y los encargados del aparato de seguridad, que no sólo se circunscribía a la protección de los capos, sino también a la interceptación de teléfonos de potenciales enemigos o posibles delatores, y al reclutamiento de asesinos a sueldo para dar muerte a quienes pudieran testificar contra los administradores de las células.

De este nivel hacen parte principalmente los abogados norteamericanos Michael Abbell y William Moran, de conocidas oficinas de abogados en Washington, vinculados desde 1985 a la protección del clan de los Rodríguez en los procesos que se les siguieran en los Estados Unidos a los lugartenientes que cayeran en poder de la justicia para impedir que testificaran en contra de los capos, a cambio del pago de honorarios de los abogados que los defendieran, el pago de una subsistencia mínima en la cárcel y en algunas ocasiones del pago de auxilios a las familias de los detenidos. En enero de 1991 asociaron a su oficina al abogado bogotano Francisco A. Laguna, quien operaba desde Miami.

En este mismo rango se considera que actuaban en la parte colombiana los abogados asociados Gonzalo Paz y Jaime Gil como núcleo central, con el apoyo del ex procurador Guillermo Villa Alzate. Otros abogados estadounidenses que colaboraron con ellos fueron Joel Rosenthal, William Ferguson y Robert Moore.

La parte logística de cobertura la desempeñaban el contador Guillermo Pallomari y el jefe de seguridad Jorge Salcedo, alias Richard, ambos convertidos en testigos de la justicia norteamericana cuando Miguel Rodríguez, por sospechas de su hijo William, ordenó asesinarlos. El nivel de inteligencia en el aparato, o comité de seguridad, seguridad lo maneja Mario del Basto, más conocido como cariñito.

El chileno Guillermo Alejandro Pallomari González, de 47 años, había llegado a Colombia veintidós años antes de entregarse a la DEA, como testigo contra los Rodríguez Orejuela, y en especial contra Miguel, de quien fue su contador principal en unas 40 empresas desde 1990. Su oficina fue allanada por primera vez el 8 de julio de 1994, y con base en los documentos que se encontraron allí prácticamente se inició el proceso 8.000, que investiga a unas 800 personas —políticos, industriales, banqueros, militares, miembros de la Policía Nacional y periodistas, principalmente—, involucradas con el cartel de Cali en recepción de sobornos, enriquecimiento ilícito, testaferrato, o narcotráfico.

Y por último en el segundo nivel se encuentra el abogado Hernán Gutiérrez Rentería, quien tejió una red de empresas de papel para canalizar los dineros lavados del narcotráfico antes de ingresar en el círculo de sus empresas de fachada legal, algunas de las cuales se emplearon en la financiación de la campaña presidencial de Ernesto Samper Pizano en 1994.

Del tercer nivel, según la misma estructura, hacen parte 61 personas que son los administradores de las células encargadas del manejo de los laboratorios de procesamiento de la cocaína, las redes de almacenaje en Colombia, Guatemala, Haití, Brasil, El Salvador, Panamá y México y de distribución en los Estados Unidos, al igual que de las redes de recolección del dinero producto de la venta de la cocaína y su envío a Colombia.

En concepto de los investigadores norteamericanos que le han seguido la pista a los Rodríguez a lo largo de los casi veinte años de carrera delictiva, concibieron una organización similar a la de cualquier multinacional, de estructura verticalmente integrada, por medio de células compartimentadas, cuyos miembros a su vez casi o nada conocen de las otras, lo que les permite mantener un control absoluto de las redes, sin que ello apenas represente peligro personal, pues en últimas no más de diez personas en toda la pirámide tienen contacto o comunicación con los capos.

Las células de quienes reciben la droga se encuentran principalmente en distintos pueblos y ciudades de los estados de la Florida, Texas, Arizona, California y Nueva York. La cocaína no proviene de una sola fuente, sino de al menos ocho grupos (ver capítulo III), que se amparan en los códigos, los contactos y las rutas del cartel, pero aparentemente funcionan de forma independiente. Según los investigadores, la estructura se la podría equiparar con la de las grandes multinacionales, que manejan un nombre, y lo alquilan en franquicia, con todos sus beneficios y a cambio de una participación en las ganancias, o de la obligación de cargar un porcentaje de cocaína exclusivamente para la red de los Rodríguez y su círculo más estrecho.

Un ejemplo típico de esta forma de organización lo constituye la que maneja Helmer Pacho Herrera, quien, aparte de la red de distribución que dirigió para los Rodríguez Orejuela en Nueva York, embarcó a varios de sus hermanos en la administración de células independientes, que a su vez sólo distribuían cocaína de su propiedad en Houston, Miami y Los Ángeles.

En una grabación de hace varios años en poder de las autoridades, Helmer Herrera describe su organización manejada por 70 células diferentes, que trabajan en 52 de sus apartamentos en sólo el área del Estado de Nueva York. Bastante similar es el caso de José Santacruz Londoño, quien controlaba Nueva York, Filadelfia, San Francisco y Houston.

Años más tarde trabajó con la misma estructura Jairo Iván Urdinola Grajales, quien manejaba las operaciones del cartel hace diez años en Miami,

Nueva York, Newark, Houston, Detroit, Chicago y Los Ángeles. La droga sin embargo le era enviada por un grupo aparentemente independiente, que manejaba bodegas en los países intermediarios, Guatemala y México principalmente.

A principios del año 95 les fueron incautados dos aviones jet, uno en Colombia y otro francés en México, en los que manejaban envíos de varias toneladas en cada viaje.

Un veterano narcotraficante peruano escribió un manual para el funcionamiento de las células, una de cuyas copias se descubrió durante un allanamiento en Miami, y en el que aparece un capítulo destinado a fijar el "protocolo y medidas de seguridad y prevención a tomar en cuenta con respecto a los métodos por medio de los cuales se pueden contactar sus agentes en las áreas metropolitanas, cómo recoger el dinero, y cómo transportarlo".

En las comunicaciones se manejan distintas claves, por ejemplo, un 333 quiere decir que José Santacruz Londoño espera una llamada en Cali de quien recibe la nota de bíper. Así como existen múltiples formas de llamar la cocaína en clave, a los capos también se refieren con distintos alias, previendo la interceptación de las llamadas. Miguel Rodríguez, por ejemplo, suele ser referido como Robinson Pineda, Patricia, Patricio, Patty, Pat, Manuel, Manolo, el señor, Mike y Mauro. Los más conocidos de Gilberto Rodríguez son Lucas, Toyota o Nissan. Elmer Herrera Buitrago, Pacho Herrera, doctor Arenas, Quinientos, Chopín o 54. Santacruz Londoño lo llamaban don Chepe, o 07. Para hablar con Luis Alfredo Grajales los nombres usuales son John, John de Lucas, Pepe o Timoteo García. A los abogados William Moran, Charles Oakley; Gonzalo Paz lo llaman William Jo, y a Guillermo Villa Alzate como Villarraga o Juan Carlos, respectivamente.

Cuando se debe iniciar una sociedad de fachada cuyas instalaciones habrán de servir para amparar el almacenamiento de cocaína, los agentes del cartel contratan detectives privados en los Estados Unidos, que investigan la historia financiera del potencial socio, ya que la ausencia de un largo y claramente definido historial serviría para exhibirlo como un eventual agente encubierto de los servicios secretos norteamericanos.

Los abogados tienen y tuvieron distintos papeles en el cartel, especialmente de acuerdo con el grado de confianza y conocimiento que llegaron a manejar de las intimidades del cartel. William Morán, por ejemplo, llegó hasta a tener incidencia indirecta en el asesinato de un médico colombiano residente en Miami, tras revelar a colaboradores de los Rodríguez su verdadero papel de confidente de la policía de la Florida.

La mayoría de los abogados, sin embargo, empezaron a involucrarse en la propia estructura del lavado de dinero a raíz de la paranoia de Miguel Rodríguez por obtener unas declaraciones juramentadas ante notario de todos los presos del cartel en los Estados Unidos, en las que se debía decir que ni lo conocían, ni él estaba involucrado en las operaciones de narcotráfico o lavado de dinero por las que los procesaban.

No es el caso de todos, claro, porque hay otros abogados mucho más comprometidos, ya no sólo en la protección legal del cartel, que es obstrucción a la justicia, sino en sobornos y blanqueo de dinero.

Esa es la red del cartel que se encuentra acusada de haber introducido a lo largo de diez años una cantidad inconmensurable de cocaína por intermedio de unas 67 sociedades instrumentales, pero al menos comprobada con testigos en cuanto a 200 toneladas, o 200.000 kilos, y de haber sacado miles de millones de dólares de los Estados Unidos por diversos procedimientos, el más simple de los cuales ocurrió en noviembre de 1994 , cuando cargaron en un jet 727 cajas repletas de dinero en efectivo que pesaban seis toneladas.

Esa era la estructura del cartel, claro, antes de que cayera Harold Ackerman en Miami, el cerebro de la distribución de la cocaína del cartel en los Estados Unidos, y de que se entregaran a la DEA Guillermo Pallomari y Jorge Salcedo, el tesorero y el jefe de seguridad de la organización de los Rodríguez Orejuela.

El 17 de febrero de 1982 es una fecha de gran importancia en la historia de las mafias colombianas del narcotráfico. Ese día fue liberada Martha Nieves Ochoa, la hermana menor del clan de los Ochoa del cartel de Medellín, de manos del M-19, y se daba paso a una nueva estructura dentro de las organizaciones delictivas. La antioqueña había demostrado que el terror podía vencer cualquier obstáculo, y que ellos eran los más aptos para manejarlo, con la creación del grupo paramilitar Muerte a Secuestradores, MAS, que luego devendría en el grupo terrorista Los Extraditables, que luchó hasta cuando el 19 de junio de 1991 logró que se aprobara en la Asamblea Constituyente la prohibición a las autoridades de extraditar nacionales colombianos acusados de cualquier delito en el extranjero.

Los capos del cartel de Medellín no aceptaron compartir su auge con ninguna otra organización, pese a que todas habían contribuido con dinero y hombres a la creación del MAS, y las operaciones de contrabando conjunto de cocaína entre las distintas organizaciones pasó a la historia. El cartel de Medellín se volvió dueño exclusivo de las rutas que hasta entonces se alquilaban o compartían, y que tenían en Pablo Escobar Gaviria un peaje imposible de eludir.

Ese fue prácticamente el inicio de las dos grandes organizaciones irreconciliables del tráfico de cocaína, los carteles de Cali y Medellín, protagonistas directos e indirectos de buena parte de la historia política, judicial y de relaciones internacionales de Colombia a lo largo de la última década.

Una ruta del narcotráfico consiste esencialmente en tener asegurada la vía de salida en Colombia, un país de tránsito para almacenaje antes del bombardeo a las costas de los Estados Unidos, una clara organización de contacto en México, que constituye el mayor peaje de las organizaciones colombianas en la actual estructura, y los sitios de almacenamiento en los Estados Unidos antes de entregarlos a las organizaciones de infantería, o sea quienes se encargan de distribuirla o vender la cocaína en las calles de las principales ciudades de los Estados Unidos.

Una vez reconocida la ruta, lo más importante es determinar la actividad de comercio exterior, importación o exportación, que va a amparar las frecuentes movilizaciones de carga hasta los Estados Unidos y el regreso por la misma ruta de los dólares que supuestamente pagan la primera operación.

ESTRUCTURA CONOCIDA Y SUJETA A JUICIO EN TRIBUNALES DE LOS ESTADOS UNIDOS DEL CARTEL DE CALI

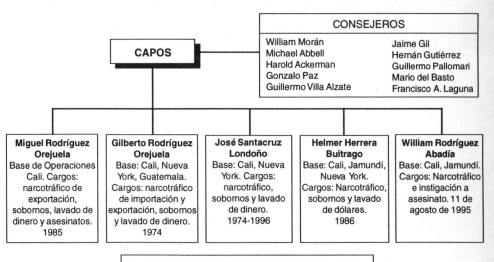

CAPOS

CONSEJEROS

William Morán	Jaime Gil
Michael Abbell	Hernán Gutiérrez
Harold Ackerman	Guillermo Pallomari
Gonzalo Paz	Mario del Basto
Guillermo Villa Alzate	Francisco A. Laguna

Miguel Rodríguez Orejuela	**Gilberto Rodríguez Orejuela**	**José Santacruz Londoño**	**Helmer Herrera Buitrago**	**William Rodríguez Abadía**
Base de Operaciones Cali. Cargos: narcotráfico de exportación, sobornos, lavado de dinero y asesinatos. 1985	Base: Cali, Nueva York, Guatemala. Cargos: narcotráfico de importación y exportación, sobornos y lavado de dinero. 1974	Base: Cali, Nueva York. Cargos: narcotráfico, sobornos y lavado de dinero. 1974-1996	Base: Cali, Jamundí, Nueva York. Cargos: Narcotráfico, sobornos y lavado de dólares. 1986	Base: Cali, Jamundí. Cargos: Narcotráfico e instigación a asesinato. 11 de agosto de 1995

ADMINISTRADORES

Luis Alfredo Grajales	José Piedrahita Ceballos
José Estrada Ramírez	Víctor Patiño Fómeque
Amado Carrillo Fuentes	Luis Santacruz Echeverry

LOS OPERATIVOS

George Morales	Agustín Salcedo	Alberto Mondragón
Alain Milanés	Uriel Contreras	Fernando Flórez
Julio Jo	Julián Murcillo Posada	Jorge Hernán Díaz Murillo
Walter Soto	Salomón Prado	Genaro Angel
Guillermo Villa Alzate	Tulio Murcillo Posada	Gonzalo Soto
Oscar Malerhbe	José Daes	José Cetina
José Luis Medrano	Cristian Daes	Alfredo López Rodríguez
José González Torres	Rodolfo Lorza	Luis Pérez Monterde
Pablo Solórzano	Eddy Martínez	Víctor Hugo Castro
José Luis Pereira Salas	Herb Alberto Ortíz	Ramón Martínez
Armando Morejón	Emiliano Ching	Julio César Rojas Ayala
Samuel Mera	Luis Urbina	José Ramírez Ayala
Guillermo León Restrepo	Jorge Solano Cortés	

LOS SERVICIOS

Sergio Aguilar	Marta Luz Ríos Mera
Jairo Vélez	Henry Gaviria
Francia Saavedra	Jorge Castillo
Víctor Sarmiento	Sonia Domínguez
José Alberto Sánchez	Jesús Zapata
Santiago Piedrahita	Carlos Espinosa
Fernando Arango	Benito Heredia
José Betancourt	José Alberto Sánchez
Rodolfo Collazo	

Esa era la estructura que conocían a la perfección Rodríguez Orejuela y su grupo, y lo más sencillo era replicar las rutas que abrió José Ramón Matta Ballesteros desde el inicio de los 80 para las organizaciones de Pereira, todavía hoy no tocadas. Probablemente las rutas que empleaba Gilberto Rodríguez cuando en los años 70 enviaba directamente los cargamentos de coca desde las pistas y puertos del Perú las consideraban ahora demasiado calientes.

El envío de la droga desde Colombia no les representaba un mayor problema, con el puerto de Buenaventura bajo su control y rutas aéreas a Panamá garantizadas. Así que primero se organizó una estructura de sociedades comercializadoras de productos agrícolas congelados, que recibían la cocaína proveniente de Colombia, la ocultaban en los guacales y los contenedores, que eran tratados especialmente para eludir su descubrimiento a las técnicas más usuales en ese momento, los perros amaestrados para olfatear, y que por lo general era un preparado de distintos tipos de grasa animal, y lo enviaban por avión o barco a la Florida, donde otra sociedad gemela recibía los cargamentos en bodegas contratadas previamente. En ocasiones los embarques se desviaban a última hora a una bodega diferente, como medida de previsión a potenciales controles, o se enviaban embarques paralelos, sólo uno de ellos con cocaína, para intentar justificar de esa manera una posible incautación.

La primera organización que se conoció de este tipo arrancaba de la capital de Honduras, Tegucigalpa, con la Centro Americana Agrícola, y a cuyo cargo se designó a Julio César Rojas Ayala como presidente.

Rojas Ayala actuaba en las empresas de fachada del cartel como una especie de supervisor de la calidad de los productos en los cuales se ocultaba la cocaína, primero en Honduras en la ruta del brócoli, y más tarde en Venezuela cuando se inició la de los postes de concreto, que repetía el procedimiento, y sólo variaba el contenido.

CAA le exportaba vegetales congelados a la firma Valencia Import and Export, registrada en la Florida el 14 de marzo de 1983, donde figuró el español Luis Pérez Monterde como presidente, y a quien le correspondía estar al tanto de las bodegas a donde se dirigía la cocaína.

A los dos meses de funcionamiento del sistema, Gilberto Rodríguez hizo pagos por US$23.000 a dos personas que colaboraron en el manejo de la ruta para enviar cocaína a los Estados Unidos. En agosto de ese año figura el primer pago de Gilberto Rodríguez, US$10.000, a un político colombiano que lo protegía, y cuyo nombre seguramente sólo se conocerá cuando se le haga un juicio a la cúpula del cartel en la Florida.

Esta ruta produjo sus dividendos pronto, pues el 16 de enero del 84 Gilberto Rodríguez transfería US$205.000 a José Ramírez Ayala como participación en las operaciones de contrabando, y al poco tiempo transfería una suma similar, US$255.000, a Julio César Rojas Ayala. El 23 de marzo siguiente les consignaba US$70.000 en las cuentas que cada uno había abierto en el banco del cartel en Panamá, el First Interamericas Bank, y para cuya licencia se habría aportado una carta de presentación de un prominente político colombiano.

Ramírez Ayala, un medio hermano de Rojas Ayala, viajaba periódicamente a Miami y Los Ángeles para instruir a los hombres del cartel en esas ciudades sobre los procedimientos para extraer la cocaína de los guacales donde se la almacenaba antes de exportarlos de Honduras a los Estados Unidos.

El 14 de junio siguiente Pérez Monterde renovó la matrícula de Valencia I&E, e incorporó a Alfredo López Rodríguez en la vicepresidencia de la compañía. López Rodríguez, nicaragüense, figuró como accionista de Puertas de Castilla, otra empresa de los Rodríguez para transportar cocaína, y a mediados de los años 80 era la persona encargada de recibir directamente la droga, para organizar la red de distribución en las bodegas de la organización.

Cinco meses más tarde Gilberto Rodríguez Orejuela era detenido junto a Jorge Luis Ochoa en Madrid, España. En esta ocasión se escuchó por primera vez el nombre del abogado estadounidense Michael Abbell relacionado con el cartel de los Rodríguez. En 1985 se presentó ante el Tribunal Supremo de Madrid donde fue exhibido como un experto internacionalista por el equipo de abogados que luchaban contra la extradición de Gilberto a los Estados Unidos, donde tenía juicios pendientes en Nueva York, California y Luisiana.

Abbell trabajó en el Departamento de Justicia de los Estados Unidos durante 17 años, principalmente en labores relacionadas con la extradición de delincuentes a su país. Quien puede la versa, puede la viceversa, y en efecto logró contrarrestar la solicitud de su gobierno y Gilberto Rodríguez fue enviado a Colombia, donde Abbell de nuevo fue el asesor del equipo de abogados en Cali, durante el remedo de proceso que le adelantó el juez Tobías Iván Posso, y que terminó en una absolución que esencialmente se basó en que los pliegos de cargos aportados por el gobierno norteamericano en el juicio carecían de algún sello de la cancillería.

Abbell, como funcionario del Departamento de Justicia, en 1981, escribió un alegato dirigido al gobierno suizo en el que reclamaba acceso a las cuentas cifradas de José Santacruz Londoño, alegando que ello permitiría descubrir "el lavado de millones de dólares provenientes del tráfico de narcóticos". Nueve años después, como socio de su propia oficina de abogado litigante, alegó ante un tribunal de Nueva York, con documentos contables que él sabía falsos, que los US$12 millones que acababan de congelar al mismo Santacruz Londoño, en realidad pertenecían a la esposa del narcotraficante, y que por tanto deberían liberarse.

Al momento de la captura de Gilberto Rodríguez Orejuela en Madrid se hallaron en su poder reportes contables de los cruces de cocaína con las exportaciones de vegetales de Centroamérica hacia la Florida.

También tenía en su apartamento una pequeña agenda telefónica de 67 páginas, en las que figuraban los teléfonos de tres de los beneficiarios de los pagos de participaciones por el envío de cocaína; una docena de políticos colombianos, entre ellos un teléfono privado de Ernesto Samper Pizano, que no aparecía en el directorio telefónico público; el del ex banquero Jaime Michelsen; los del ex senador Alberto Santofimio y el ex presidente Belisario Betancur, y los de prácticamente todas las empresas que controlaba el cartel de los Rodríguez en ese momento, incluidas Centro Americana Agrícola, Puertas de Castilla, Laboratorios Kressfor y Drogas La Rebaja, el Grupo Radial Colombiano, la Corporación Financiera de Boyacá y el Banco de los

Trabajadores, en Colombia, y el First Interamericas de Panamá, así como varias empresas de asesoría y consultoría.

También figuraban en la agenda los nombres, algunos en clave, de sus principales testaferros, de otros narcotraficantes, como Luis Carlos Molina, o de jugadores de fútbol como Maradona. En ese momento ellos ya controlaban directamente el Club América de fútbol, y al menos otros cuatro indirectamente, mediante el préstamo de jugadores que los equipos no podrían sufragar con sus recursos.

Los nombres que resultaron útiles a las investigadores en ese momento fueron los de José Ramírez, Julio Rojas, Rodolfo Lorza, Luis Pérez, Alfredo López Rodríguez, y las claves que los condujeron a asociarlos con Centro Americana Agrícola y Puertas de Castilla, las dos empresas cuyos productos de exportación a los Estados Unidos servían entonces como fachada para el contrabando de la droga.

Para entonces las operaciones del cartel se habían extendido a Los Ángeles, California, donde Antonio Zambrano se encargaba del manejo de su propia red, ahora bajo la dirección de Miguel Rodríguez Orejuela. Esa función la desempeñó Zambrano por espacio de cuatro años, y sólo volvería a saberse de su suerte cuando trabajó para los Rodríguez en la entrega de cocaína al cartel mexicano de Amado Carrillo Fuentes, con el que entraron en contacto y ahora comparten rutas.

Miguel Rodríguez es probable que confiara en que los organismos que tuvieron acceso a la agenda de su hermano Gilberto no pudieran descifrar los códigos ni identificar a qué país correspondían los teléfonos, así que dispuso que se reanudaran las operaciones de narcotráfico, aunque por ahora con mayor énfasis en la empresa Puertas de Castilla, que creía más segura, por el procedimiento de ensamblar las chapas de madera en torno a las bolsas prensadas de cocaína.

Pérez Monterde, apodado el gallego, alquiló una bodega en el número 5423 de la avenida 72 de Miami para VI&E, y siete meses más tarde, el 7 de agosto de 1986, constituyó la sociedad Valos Woodworking, a cuyo nombre se alquiló otra bodega cercana a la anterior, el número 5417 de la misma avenida 72. A partir de entonces Miguel Rodríguez y José Santacruz enviaron casi 2.000 kilos de cocaína a través de la empresa Xela, de propiedad de Gerardo San Pedro, quien diseñó los nuevos guacales para ocultar la droga, y de VI&E. El encargado de distribuirla en la Florida fue Luis Santacruz Echeverry, un medio hermano de Chepe Santacruz que estuvo preso en los Estados Unidos y logró huir de la cárcel.

Las operaciones se multiplicaron ese año, hasta el punto que en menos de seis meses Miguel Rodríguez envió 9.125 kilos de cocaína a la Florida. Los cargamentos llegaban a Honduras a bordo de barcos que salían de Buenaventura, o de un avión Turboprop, que eran descargados por un grupo de empleados del cartel al mando de Hugo Pereira y Jesús Evora, y llevaban la droga hasta Esquintla, en Guatemala, donde la mezclaban con las cajas de vegetales congelados para ser exportadas a los Estados Unidos.

La cantidad de cocaína con que se bombardeaban las costas de Guatemala y Honduras era tan elevada, que para no despertar más sospechas por el volumen de exportaciones Hugo Pereira le compró por US$400.000 otra empresa a Gerardo San Pedro, Consolidados S.A., que también empezó a ser empleada para ocultar cocaína entre los vegetales que exportaba a Miami.

Nuevos actores del cartel empezaron a figurar en la Florida para recibir otros cargamentos de las mismas compañías de fachada de Honduras y Guatemala.

Walter Soto es uno de los más antiguos asociados de los Rodríguez Orejuela, para quien también trabajaba su padre, Gonzalo Soto. Desde mediados de los años 80 coordinó las operaciones de envío de cocaína a partir de Guatemala, y en los 90 fue encargado, en Colombia, de dirigir las redes que suplían la droga a los carteles mexicanos.

Víctor Hugo Castro trabajaba en el área de Miami, y tenía como misión principal la constitución de sociedades de fachada a cuyo nombre alquilaba o compraba bodegas y vehículos destinados al narcotráfico.

Walter Soto alquiló el 19 de mayo de 1987 una bodega en la calle 87 de Miami, y siete días más tarde registraba la sociedad Vinfe Inc., con dirección comercial en la misma dirección de la bodega. Dos días más tarde el colombiano Víctor Castro alquiló una bodega en la avenida 79 de Miami, y seis días más tarde registraba su propia compañía, Castro Wood Products.

Una semana después el mismo Castro alquilaba una nueva bodega para su empresa, pero en la avenida 72, a pocos metros de las ya existentes para VI&E. A los pocos días Santiago Piedrahíta, quien trabajaba para la organización desde 1985, construyó una pared falsa y varias caletas en la bodega, que servirían para ocultar los centenares de kilos de billetes que empezarían a recibir y las armas que el cartel se disponía a comprar.

El primero de septiembre del 87 VI&E registró como su nuevo presidente a Ramón Martínez, quien ordenó a su agente de aduanas en la Florida, Crowley Caribbean Transport, enviar los cargamentos sucesivos provenientes de Honduras y Guatemala a una sola bodega, la de la avenida 87. Castro, que ya presentía los seguimientos de las autoridades americanas, alquiló un camión, con el que se dedicó a mover los contenedores de vegetales y cocaína de una bodega a otra, para despistar a quienes pudieran registrar los desplazamientos.

Todo fue inútil. El 18 de noviembre Víctor Castro y Walter Soto descubrieron que el camión y el remolque que habían alquilado a la Hertz para transportar los cargamentos tenían adheridos aparatos electrónicos de seguimiento instalados por el FBI.

Ese mismo día llegó otro cargamento de 782 kilos enviado por Miguel Rodríguez, pero no había quien lo recibiera.

El 19 de noviembre los principales hombres de fachada, Alfredo López Rodríguez y Luis Pérez Monterde, huyeron de la Florida con destino a Guatemala. Se incautaron en total 4 toneladas de cocaína, y fueron capturados el español Pérez Monterde, el nicaragüense Alfredo López y el peruano Carlos Florián. La pista se había iniciado en la propia agenda de Gilberto Rodríguez, y su mención de Puertas de Castilla. Dos días más tarde Julio Rojas Ayala y Rodolfo Lorza abandonaban sus fábricas de fachada en Honduras con destino a Costa Rica.

Se acababa de cerrar un primer círculo, pero la estructura del cartel continuaba intacta.

El pánico no se circunscribió a Centroamérica, porque el 23 de enero del 88 Miguel Rodríguez hizo venir a su residencia en Cali a la plana mayor de sus abogados en los Estados Unidos, Michael Abbell y Francisco Laguna, y el consejo legal debió ser tranquilizante, pues un par de meses más tarde enviaba tres toneladas de cocaína a Tarpon Springs, Florida, a través de una nueva sociedad, Gulf Exotic Woods Imports.

La red de los vegetales se reconstituyó luego de una cumbre del cartel en Cali en la que participaron Miguel y Gilberto Rodríguez, Julián Murcillo Posada, José Daes y Pedro Isern. En mayo estaban de nuevo el grupo de Hugo Pereira y Jesús Evora descargando aviones en Esquintla, Guatemala, previo el pago de la cuota de US$400.000 a Gerardo San Pedro, para reanudar la ruta, esta vez oculta la droga en cargamentos de brócoli congelado.

Tras una nueva reunión de Miguel Rodríguez con Abbell y Laguna, Herb Alberto Ortiz y Germán Zamora, con nombres falsos, compraron una compañía importadora de vegetales en la Florida, National Food Distributors. Semanas después Eddy Martínez a nombre de Bargain Auto Sales de Miami, compró un vehículo para un hombre del cartel, Jorge Solano Cortés, bajo un nombre supuesto. Este, identificándose el 5 de septiembre como Lorenzo Lines y en compañía de Germán Zamora, a nombre de International Commerce Supply alquilaron una bodega en la avenida 74 de Miami. Con esa infraestructura Solano inscribió su propia compañía, International Commerce Supply, donde se registró como su presidente pero bajo el nombre de Eugenio Arocho.

Facsímil de la primera orden de captura librada contra los hermanos Rodríguez Orejuela, el 23 de julio de 1987, en el Distrito Louisiana USA.

Los cargamentos se reanudaron, ahora importados por National Food Distributors.

El contrabando de cocaína volvía a operar, pero las cosas en Colombia no marchaban para los Rodríguez en los mejores términos. Y no porque las autoridades estuvieran poniendo especial énfasis en perseguirlos, sino porque Pablo Escobar Gaviria, el jefe del cartel de Medellín, insistía en coronarse como el rey de la cocaína, y quería la cabeza de Helmer Pacho Herrera para su propia colección.

A principios del 89 Mario del Basto, el ex militar encargado desde 1985 de la seguridad y protección de los capos y que, como miembro del comité de seguridad del cartel identificaba informantes y potenciales amenazas a sus jefes, le presentó a Miguel Rodríguez al ex militar Jorge Salcedo, de quien le dijo sería el hombre adecuado en el manejo de la inteligencia para localizar y asesinar a Pablo Escobar.

Unos ocho cargamentos de cocaína alcanzaron a manejarse por esta ruta, pero el 6 de febrero de 1990 Herb Alberto Ortiz fue detenido en los Estados Unidos cuando intentaba exportar un cargamento de calentadores de agua a Cali, en cuyo interior se descubrieron US$1.6 millones. De inmediato Miguel Rodríguez transfirió US$60.000 al abogado William Moran para que representara a su hombre en la Florida.

La captura de Ortiz podía significar graves problemas para los Rodríguez, pues habían tenido contactos personales en torno al manejo de droga. Podía incriminarlos, y por eso la reacción inmediata. Pero ya el 22 de marzo dos nuevos personajes del cartel empezaron a jugar en el escenario de la cocaína.

Eran Julio Jo, también identificado también como Mario Morales, y el definitivo Talón de Aquiles de los Rodríguez, Harold Ackerman, quien junto con Luis Alfredo Grajales llegó a controlar por completo las redes del cartel en los Estados Unidos. Entre 1989 y 1993 actuó como el más importante agente de Gilberto Rodríguez Orejuela en la Florida para la distribución de toneladas de cocaína. Entre el 90 y el 91 tuvo en la Florida como asociado a otro colombiano, Leonardo González.

Ackerman, colombiano de 53 años, llegó a los Estados Unidos en 1984 y utilizó como tapadera un taller de confección de vestidos de cóctel. Al poco tiempo se trasladó de un modesto conjunto de apartamentos del norte de Miami Beach, a una lujosa residencia en un área exclusiva de la misma ciudad, en la que sólo los aparatos de circuito cerrado de televisión y la red de alarmas se estimó costaban US$150.000. Cuando se confiscó su casa, su valor se estimó en unos US$600.000.

Como administrador de las células de almacenaje y distribución de la cocaína, Ackerman llevaba un meticuloso registro de nombres de contactos, salarios de los empleados del cartel de Cali, y del movimiento de dineros hacia los Rodríguez.

Según su propio registro, almacenado en dos computadores personales, durante 18 meses transfirió US$30 millones por diversos sistemas a los Rodríguez Orejuela en Colombia. Para sus transacciones comerciales, la compra de vehículos y la constitución de sociedades solía identificarse con una licencia de conducir, el documento de identificación más común de los Estados Unidos, expedido a nombre de Mario Robertson. Se presentaba en Miami como un hombre de negocios y magníficos contactos, pero en realidad era el máximo representante del cartel en los Estados Unidos, y coordinaba desde el envío y recepción de la droga, hasta cuando los Rodríguez recibían los dólares en Cali.

Akerman alcanzó a trabajar con el clan de los Urdinola Grajales, antes del nacimiento de las organizaciones verticales del cartel del Norte del Valle.

Jo trabajaba desde la empresa Palmetto International Foods, en cuyos vegetales congelados se enviaba la cocaína a Miami. Alquiló también varias bodegas en la Florida, y luego pasó a ocupar la vicepresidencia de Southeast

Agrotrade —que había sido constituida por Julio Jo y Harold Ackerman—, a través de la cual se ingresaron más de 50 toneladas de cocaína entre 1990 y 1992. En marzo de este año envió a Cali 28.6 millones de dólares en armas semiautomáticas y dinero en efectivo, a través de dos de las empresas registradas a su nombre, All Thermo Air y JPS Building Co. A raíz del descubrimiento de un cargamento dirigido a una de sus empresas en la Florida viajó a Cali, donde permaneció hasta cuando se le ordenó desplazarse a Panamá, y allí coordinó el contrabando de cocaína en bolsas de café.

Otro personaje que sale a relucir a continuación es George Morales, uno de los primeros colocadores de la cocaína de los Rodríguez en los Estados Unidos, pero a raíz de su detención viajó a Panamá, donde orquestó la operación con Jo del contrabando de cocaína en contenedores que llevaban empaques de café.

Los dos, Ackerman y Jo, constituyeron la sociedad Southeast Agrotrade a través de la cual se introdujeron a los Estados Unidos toneladas de cocaína durante los 24 meses siguientes.

Pero las cosas no fueron sobre rieles. El 13 de junio de 1990 George Morales cayó en una trampa tendida por un confidente de la DEA, el médico Rafael Lambrano, quien se comprometió a comprarle 20 kilos de cocaína a un muy buen precio, y fue detenido cuando cerraba la negociación. Morales tiene dos primos en el cartel, Jácome y Alain Milanés.

Al día siguiente Morales fue dejado en libertad con fianza de US$50.000, con la intervención del abogado del cartel, William Moran, quien confirmó el papel de informante que desempeñaba Lambrano.

Un par de semanas más tarde Morales se las ingenió para comunicarse con Miguel Rodríguez en Cali, a quien le pidió asesinara a Lambrano y le consiguiera un pasaporte falso para evadir la fianza y viajar a Guatemala. Rodríguez aceptó las dos peticiones, una vez que Moran le confirmó que Lambrano colaboraba con la DEA.

Mientras Miguel Rodríguez decidía la forma de ejecutar el asesinato del testigo, Morales siguió a Lambrano hasta su residencia y dejó los principales datos sobre el informante en poder de George López, un hombre de su confianza.

Morales abandonó los Estados Unidos con un falso pasaporte colombiano a nombre de Eduardo Medina Romero, y se dirigió a Guatemala. A los pocos días regresó a los Estados Unidos, pero fue detenido porque no declaró a la Aduana que tenía en su poder más de US$10.000. "Medina Romero" advirtió por teléfono al abogado Moran de su situación, y éste contactó a otro abogado para que lo representara, sin advertirlo de que se trataba de un nombre falso, y que el real era un fugitivo de la justicia norteamericana.

El nuevo abogado obtuvo la libertad caucionada de "Medina Romero", quien un par de días después consiguió un pasaporte ecuatoriano y voló hacia su presunto país de origen.

En septiembre, Miguel Rodríguez decidió que el crimen del informante lo cometiera alguien de su absoluta confianza, y envió a su propio guardaespaldas, Guillermo León Restrepo, a quien desplazó desde Cali con precisas instrucciones. George López recibió a Restrepo en el aeropuerto de Miami, le entregó la descripción y la dirección de Lambrano, y el primer pago por el asesinato, US$15.000 en efectivo.

Restrepo contrató un grupo de sicarios en Miami, que asesinaron en su presencia a Lambrano el 14 de octubre de 1990. Ese mismo día George López le entregó cien mil dólares adicionales a Restrepo tan pronto Miguel Rodríguez le confirmó que Lambrano había muerto.

Entre los sicarios reclutados en los Estados Unidos por Guillermo León Restrepo para asesinar al médico colombiano Lambrano se encontraba John Harold Mena, otro colombiano que había entrado a los Estados Unidos cuando tenía 17 años como otro de los tantos "espaldas mojadas" que cruzan el Río Grande con la esperanza de un mejor destino. Con apenas centavos en el bolsillo se dedicó a lavar carros y platos en restaurantes de camino, hasta cuando llegó a Nueva York.

Allí conoció a quien habría de ser su novia, una hermana de Guillermo León Restrepo Gaviria, reconocido entonces en los círculos colombianos como un hombre muy cercano a José Santacruz Londoño, quien, como Helmer Pacho Herrera, se inició con el manejo de las redes de distribución de cocaína en Nueva York, principalmente en las zonas de Queens y las zonas hispanas y griegas de Jackson y Washington Heights, donde controlan una colonia gigantesca de distribuidores y vendedores de droga en la calle, principalmente dominicanos, que se llaman a sí mismos "la infantería" de los colombianos.

Mena empezó a trabajar con Guillermo León Restrepo a finales de los 80, sirviendo como correo en el corredor del norte, por donde se transporta la cocaína por rutas previamente exploradas y que se sabe seguras, y que también comprende a las ciudades de Boston y Washington. A finales de septiembre de 1990 Restrepo dijo llamarlo desde Miami, y que lo necesitaba allí con urgencia.

Cuando Mena llegó a Miami se encontró con Restrepo y otras dos personas, también colombianas, quienes ya estaban enteradas de su misión "urgente": el asesinato de una persona que estaba "incomodando a la gente de don Chepe". Si lo mataban, recibiría cada uno un pago de US$20.000.

El seguimiento de Lambrano, cuyas señales había dado George Morales antes de abandonar los Estados Unidos, se inició en la última semana de septiembre, y una vez determinada una rutina, lo esperaron en la noche del 14 de octubre en las afueras del restaurante donde solía ir a cenar con regularidad. Una vez el médico entró, los sicarios le sacaron el aire a las dos llantas traseras de su carro. Cuando Lambrano salió una hora más tarde, y mientras intentaba cambiar una de las llantas, le dispararon varias veces a quemarropa con una pistola con silenciador.

Los sicarios recibieron su dinero, y prácticamente en el mismo instante fueron contratados por el mismo Guillermo León Restrepo para que terminaran otro ajuste de cuentas pendientes desde hacía varios años.

En 1987 Ernesto Forero Orjuela se presentó en Baltimore en la oficina de un agente marítimo mediano, John R. Shotto, y le dijo que tenía a su disposición entre tres y cinco millones de dólares para adquirir un barco, con la condición de que estuviera inscrito y llevara bandera estadounidense. Forero Orjuela, de unos 42 años entonces, estaba señalado como el número diez en la cúpula del cartel de Cali. Su propósito, le dijo a Shotto, era adquirir un barco que le permitiera transportar café colombiano a los Estados Unidos, pero dada su condición de extranjero no podía adquirir uno de bandera norteamericana, como era de su interés.

Shotto aceptó involucrarse en la negociación con Forero Orjuela, y diseñó una infraestructura de tapaderas que le permitieran recibir el dinero y adquirir el barco, sin comprometer su propio capital. Shotto primero creó la empresa Maryland Ship Inc., a través de la cual adquirió la motonave Liberty, de 248 pies. A su vez, Forero creó la sociedad Liberty Shipment Enterprises Inc., con la cual proveyó a la primera con fondos por US$3.6 millones para la compra del barco y su reacondicionamiento. El dinero provenía de las organizaciones de lavadores de dinero del cartel de Cali.

Al año siguiente Forero y Shotto tuvieron una discusión sobre la sociedad, y el colombiano presentó una demanda contra Shotto alegando la propiedad del barco Liberty. El pleito se llevó ante una corte federal en Norfolk, y allí estaban presentes unos agentes federales que estaban más o menos al tanto de la operación, que virtualmente quedó al descubierto en medio de las alegaciones de las partes.

El barco fue incautado, alegándose que se había comprado para contrabandear cocaína, y que el dinero de la operación provenía del cartel de Cali.

Forero abandonó precipitadamente los Estados Unidos, sin esperar al resultado del juicio, y perdiendo por tanto la inversión del cartel de los US$3.6 millones.

Shotto, le dijo Guillermo León Restrepo a Mena, era el objetivo de su próximo trabajo.

Restrepo acompañó a Mena a una operación de seguimiento de Shotto en el Baltimore's Inner Harbour. Después de casi un año de seguimientos, Mena pudo localizar por fin a Shotto, por cuya cabeza Restrepo le había ofrecido US$25.000.

Mena contrató otro sicario, Juan Carlos Velasco, para que le ayudara en la operación de seguimiento, y finalmente el cuatro de septiembre localizaron a Shotto en el parqueadero del Baltimore Warehousing Co. Shotto salió un par de horas después, en compañía del vicepresidente de Hechinger Co., una empresa de almacenamientos con la que Shotto tenía algunos inconvenientes.

Cuando Shotto se dirigía a su vehículo, sobre las seis de la tarde, Mena prendió el suyo y avanzó lentamente para permitirle a Velasco una mejor puntería. Un disparo le alcanzó la cabeza, y Shotto quedó muerto. "El otro también puede irse" le dijo Mena, y Velasco disparó también por la espalda contra Raymond B. Nicholson, el vicepresidente de Hechinger.

Mena pasó entonces a manejar una de las células de Santacruz Londoño en Nueva York, donde en menos de un año ayudó a transportar más de una tonelada de cocaína, y a movilizar una suma cercana a los US$15 millones. Su participación, US$600.000.

Para entonces el nombre de Santacruz Londoño era ya público entre las autoridades encargadas de perseguir al cartel de Cali, y un periodista cubano, Manuel de Dios Unanue, empezó a publicar en su periódico La Prensa informes sobre las capturas de los principales jefes de las organizaciones del cartel de Cali, y a exhibir en público a José Santacruz Londoño como líder del cartel en las operaciones de Nueva York. Un par de libros suyos expusieron además nombres hasta entonces desconocidos de las células de Chepe Santacruz en Queens, el populoso barrio neoyorquino donde habita la mayoría de los colombianos residentes en la Gran Manzana.

Guillermo León Restrepo volvió a presentarse ante Mena, en esta ocasión para asesinar al periodista cubano.

Mena, ahora en mejor posición, contrató a otro sicario. Fue Wilson Alejandro Mejía Vélez, de 17 años, un colombiano que acababa de inmigrar ilegalmente a Nueva York. El 11 de marzo de 1992 Mejía Vélez se le acercó por la espalda al periodista Unanue cuando éste tomaba una copa en un bar gallego en Queens, y le vació dos cargadores de su pistola Baretta en la cabeza.

"El periodista voló al sitio de los descuartizados" dijo Mena un par de horas más tarde en una llamada hecha a la oficina de José Santacruz Londoño en Cali. Al día siguiente en su bíper apareció un mensaje: 333, la clave que le indicaba que tenía línea abierta para hablar con Santacruz en Cali.

En la comunicación recibió autorización de Santacruz para reclamar US$50.000 en un apartamento del Green Village, el barrio bohemio de Manhattan, donde operaba su "caja menor".

Mena fue detenido más tarde, y se convirtió en testigo de la justicia norteamericana contra Santacruz Londoño, Restrepo y Mejía.

Sin saberse todavía hoy cómo, Santacruz se enteró de la colaboración de Mena, contactó a su madre en Colombia, y le hizo la consabida oferta que no se podía rechazar. El Departamento de Justicia sacó a la madre de Mena y a varios de sus familiares del país, pero su padre y una tía declinaron el ofrecimiento y prefirieron quedarse en Colombia. Los dos fueron asesinados.

Después del asesinato de Lambrano, George López presentó a quien vendría a tomar las riendas del cartel en Miami, Harold Ackerman, ante el abogado Moran, recomendándolo como la persona a la cual debía llamar cuando algún miembro de la organización fuera arrestado.

El cartel de Cali no podía volver a arriesgarse a disminuir su actividad porque se "calentara" la ruta del brócoli, así que constituyeron una nueva sociedad, esta vez en San Antonio del Táchira, la ciudad fronteriza con Colombia. Era una fábrica de postes de concreto armado, con el sugestivo nombre de Tranca, en cuyo interior se mimetizaba la cocaína, que se despachaba desde la también fronteriza capital colombiana de Cúcuta. En esta ciudad la persona clave de la organización era Víctor Sarmiento, con residencia en Cúcuta y San Antonio, que se encargaba de obtener pasaportes venezolanos falsos a nombre de los principales gestores de la nueva ruta, así como de hacerlos transitar por la frontera sin problema.

La operación en el Táchira estaba a cargo de Fernando Flórez, Jorge Díaz Murillo, Julio César Rojas Ayala y Herb Ortiz. Por lo menos en una ocasión Internacionales Productos de Asfaltos, recibió pagos de Ackerman.

Ahora los cargamentos de entre 2.500 y 5.000 kilos de cocaína se alternaban por las rutas del brócoli y de los postes de concreto.

Previendo los imparables arroyos de dinero que les habrían de llegar en poco tiempo los representantes del cartel encargaron entre 1989 y 1993 a Harvey David Varela, el reemplazo de Santiago Piedrahíta, de construir caletas en distintas casas y bodegas controladas por la organización para ocultar primero coca y luego los dólares, mientras se organizaban los mecanismos de despacho del dinero a Colombia. Entre las personas encargadas de custodiar el dinero se contaba con Martha Luz Ríos Mera, Rodolfo Collazo, José Betancourt, Armando Morejón y Blas Antonio González.

En Colombia las circunstancias mejoraban sensiblemente para los jefes del cartel de Cali: la Constituyente del 91 había consagrado la prohibición de extraditar a sus nacionales, y conseguido su objetivo, Pablo Escobar había construido su propia cárcel en su pueblo natal, y había ingresado en ella. Dos peligros anulados para los Rodríguez, al menos en el corto plazo, la extradición y el factor de guerra con el cartel de Medellín.

Pero en el plano exterior su situación empeoraba: a un cuñado de José Santacruz Londoño, Heriberto Castro Meza, le acababan de congelar US$65 millones en una operación simultánea en Luxemburgo y los Estados Unidos, y los ingenieros de la arquitectura financiera del grupo, Edgar Alberto García Montilla y José Franklin Jurado Rodríguez, habían sido capturados casi simultáneamente en ellas.

Miguel Rodríguez convocó en Cali a su equipo de abogados que operan en los Estados Unidos. Estaba vez la lista la conformaban Francisco Laguna, Michael Abbell y Donald Ferguson. Abbell consiguió unos honorarios de US$60.000 por representar a Miguel Rodríguez, y otra suma no especificada de manos de José Santacruz por representarlo en la defensa de sus intereses en la congelación de sus 65 millones de dólares, exactamente lo opuesto de lo que había hecho como funcionario público en los Estados Unidos.

Pero entre tanto Miguel Rodríguez contaba con otro seguro: el abogado Guillermo Villa Alzate, entonces procurador delegado en asuntos judiciales, le conseguía a cambio de sobornos los pliegos de acusaciones y las investigaciones iniciadas en su contra en los Estados Unidos, como se descubrió por la interceptación de su teléfono oficial en la Procuraduría, donde se confirmó la existencia de varias llamadas a Miguel Rodríguez y a personas cercanas a su estructura más estrecha.

En ese tiempo, la colaboración entre los gobiernos de Colombia y los Estados Unidos en materia de intercambio de pruebas e informes confidenciales era bastante aceptable.

El intercambio de pruebas, que casi era unilateral de Estados Unidos hacia Colombia, fue gravemente afectado con este incidente, pero luego el vínculo quedó prácticamente roto a raíz de que el Departamento de Justicia informó a la Fiscalía, cuando estaba a cargo de Gustavo de Greiff, de la identidad de unos testigos secretos en los Estados Unidos contra varios narcotraficantes, y a los pocos días las familias de esos testigos recibieron amenazas de muerte.

El 7 de febrero Michael Abbell ordenó a su abogado asociado, el colombiano Francisco Laguna que viajara a Cali para recaudar las pruebas que le sirvieran para justificar una procedencia lícita de los US$65 millones. Un economista contador de Chepe Santacruz falsificó un paquete de recibos y fabricó transacciones falsas, que justificaban ese dinero como proveniente de tres sociedades que controlaba Santacruz, Confecciones Arlington, una fábrica de textiles; Hacienda San Marcos, un hato lechero, y la Finca Alba Luz, un ingenio azucarero.

Cuando Abbell recibió los papeles, los devolvió de inmediato a Laguna a Cali para que le consiguiera unos nuevos documentos "cuya falsedad y enmendaduras no fueran tan obvias". Una semana más tarde a Laguna le entregaron un nuevo paquete de documentos totalmente diferentes a los de la primera ocasión, y Abbell aceptó presentarlos ante jueces de Nueva York y Luxemburgo para intentar la devolución de ese dinero.

En Colombia también es delito la presentación de documentos falsos en un proceso para justificar una reclamación, un fraude procesal. El tribunal de Luxemburgo aceptó los papeles de las "compañías" y ordenó devolver US$36.5 millones a la esposa de Santacruz, quien dijo los obtuvo como producto de su presunto divorcio. Heriberto Castro Meza murió en un enfrentamiento con la policía.

El 28 de marzo del 91 Miguel Rodríguez dio un nuevo paso hacia la expansión del cartel, enviando en esta ocasión a George López para sostener una primera entrevista en Matamoros, México, con Oscar Malerhbe, el compadre, y su socio José Luis Medrano, dos líderes del cartel mexicano del narcotraficante Amado Carrillo Fuentes, a fin de establecer nuevas rutas de contrabando en la frontera con los Estados Unidos. Durante el último quinquenio las rutas más apreciadas por los narcotraficantes colombianos pasan por México, donde la corrupción evidente en la Procuraduría y la Policía locales les aseguran casi virtual impunidad en el tránsito de la droga hacia los Estados Unidos.

Al mismo tiempo, Harvey David Varela siguió construyendo caletas en Longview, Texas, en las casas de Gustavo Naranjo, Aníbal Restrepo y John Thomas Johnson, y en Miami en la de Roberto Ascuntar, quien se convertiría luego en el principal recaudador de la organización en la Florida.

Las bodegas de Southeast Agrotrade empezaron a ser manejadas por Emiliano Ching y Luis Urbina, mientras que Harold Ackerman, Julio Jo y William Santos alquilaban una bodega para la empresa F&V Inc., a donde llegarían los cargamentos de brócoli con la cocaína mimetizada. La operación la completaba Richard Dobal, quien compró un camión a nombre del cubano Sergio Aguilar y Caribbean International Motors, que vendió a continuación a F&V.

Miguel Rodríguez, a su vez, acababa de enviar 8 toneladas de cocaína en los postes venezolanos de Tranca. Un mes más tarde enviaba cinco toneladas hacia Port Everglades en brócoli importado por Southeast Agrotrade y luego 12.5 toneladas a Miami, en postes de Tranca.

Richard Dobal alquiló entonces por lo menos otros tres carros para la organización en la movilización de los cargamentos, pero Miguel Rodríguez entró en sospechas sobre la seguridad de sus cargamentos, casi 30 toneladas de cocaína en tránsito, y ordenó a dos de sus hombres de confianza en Nueva York, Samuel Mera y Daniel Nieto Patiño, que hicieran un seguimiento a distancia de los camiones para establecer si las autoridades los rastreaban. Mera fue el jefe de células de los Rodríguez en Nueva York entre 1989 y 1991. Nieto y su hermano Oscar Rodolfo trabajan actualmente en Nueva York para la organización.

En los primeros días de septiembre del 91 Harold Ackerman se comunicó con Miguel Rodríguez en Cali. Sí, le dijo, al menos el cargamento de 8 toneladas que llegó a Miami de Venezuela era objeto de seguimiento por las autoridades norteamericanas. Rodríguez no confía en nadie distinto a su personal más cercano, así que el 10 de septiembre ordenó a George López que confirmara la presencia de agentes en cercanías al cargamento de postes de concreto armado con cocaína. López confirmó la versión, y en seguida se destruyeron los postes, se recuperó la cocaína, que fue distribuida por entre las distintas bodegas de fachada en cuestión de horas por Jorge Solano Cortez, Alberto Mondragón, Samuel Mera y Daniel Nieto Patiño.

El 25 de septiembre Miguel Rodríguez autorizó pagarle un millón de dólares a Walter Soto, el hombre de las bodegas, por concepto de comisiones en esas operaciones de narcotráfico. Hubo otros pagos menores, y extraños, como la autorización de Rodríguez para que Ackerman pagara una cuenta de US$8.500 de la tarjeta de crédito de su hermano Gilberto, y otro cheque por la misma suma a favor de Industria Productos Asfálticos de Venezuela.

A Varela se le ordenó entonces que viajara a Nueva York, donde construyó dos caletas para ocultar cocaína y dólares, en una casa controlada por Daniel Nieto Patiño, Oscar Rodolfo Nieto y Carlos Torres. Por esa misma época se constituía en la Florida otra empresa de fachada de los Rodríguez, All Thermo Air.

Resuelta la suerte del primer cargamento, Miguel Rodríguez ordenó que se hiciera también una operación de contra-rastreo sobre el cargamento de 12.5 toneladas de cocaína enviada de Venezuela en postes de concreto, que realizaron Jorge Solano Cortez, Alberto Mondragón, Samuel Mera y Daniel Nieto Patiño. Rodríguez sugirió además que, como despiste, enviaran a Gustavo Naranjo en Texas un cargamento de postes que no tuvieran cocaína en su interior.

George López visitó al abogado Moran para advertirle que habían detectado seguimientos a cargamentos del cartel, y que en consecuencia era probable que hubiera detenidos en poco tiempo, para que asumiera su defensa oportuna.

Pero la advertencia no la atendió Miguel Rodríguez, quien continuó, enviando cocaína por las mismas rutas —esta vez 5 toneladas entre el brócoli importado por Southeast Agrotrade—, y Varela construyendo caletas en la casa de Carlos Girón en Miami.

El 11 y el 19 de noviembre Hugo Pereira y Jesús Evora recibieron 200 kilos de cocaína, y al día siguiente transferirían US$2.2 millones a Miguel

Rodríguez, por intermedio de Harold Ackerman, a quien correos de Santacruz Londoño hicieron también entrega de US$4.4 millones.

La coca y los dólares fluían a raudales, pero era obvio que Miguel Rodríguez había forzado demasiado la maquinaria del contrabando, prácticamente todos los miembros de las distintas células tenían a las autoridades norteamericanas tras sus talones, hasta el punto que cuando el 22 de noviembre Alberto Mondragón llegó a una de las bodegas donde almacenaban los postes, apenas alcanzó a dar la vuelta para dirigirse al aeropuerto, y dejar allí abandonado su coche.

Al mismo tiempo, en Texas, Gustavo Naranjo llamaba a Miguel Rodríguez a su teléfono en Cali, el 825317, pero se encontró con un jefe fuera de sí, que veía caer como moscas uno a uno sus hombres más importantes en la Florida. Le impartió instrucciones para que vigilara sus pasos por si lo seguían, y que se anticipara a la llegada de unos postes rellenos de droga.

Al día siguiente Naranjo llamó a Jorge Solano a Miami, para pedirle el favor de que se comunicara con Miguel Rodríguez y le informara que lo estaban vigilando. Fue lo último que hizo antes de caer arrestado en Tyler, Texas, junto con Aníbal Restrepo, de donde fueron trasladados a la cárcel del condado de Smith.

Tres días más tarde Miguel Rodríguez se comunicaba por bíper con Jorge Solano Cortés, pidiéndole que lo llamara al mismo teléfono de Cali. Seguramente fue informado de la suerte de Naranjo, porque Joel Rosenthal viajó a la cárcel de Tyler, y se reunió con Naranjo para advertirle que si llegaba a colaborar con la DEA, él sabía qué le pasaría, y que por lo pronto Rosenthal se encargaría de informar a Rodríguez de que no había colaboración.

A las 8 y 18 de la noche, Rosenthal llamó desde la habitación 7502 del hotel Ramada Inn a Miguel Rodríguez para informarle de su conversación, y obtuvo autorización del narcotraficante para pagar el abogado de Naranjo, a condición de que éste no cooperara con la justicia.

Mientras tanto, desde Miami Julio Jo y William Santos le enviaban tres millones de dólares y armas semiautomáticas a Miguel Rodríguez, por intermedio de la firma Exposal, de Cali, controlada por Julián Murcillo Posada. Al mismo tiempo, Ackerman giraba un millón de dólares a Walter Soto como participación por un embarque de 10 toneladas de cocaína enviado a través de la empresa Frucosa de Guatemala.

Mientras la cocaína de Miami era enviada en camionetas a Nueva York por Samuel Mera, el abogado de los Rodríguez en Cali, Gonzalo Paz, viajó hasta la cárcel de Smith para hacerle una primera intimidación a Naranjo, advertirle del "peligro que le representaría cooperar con la justicia" en contra de Miguel Rodríguez.

El 17 de diciembre del 91, un agente de Helmer Pacho Herrera recibió 600 kilos de cocaína de un correo de Miguel Rodríguez.

A Murcillo Posada se le transfirieron cinco millones de dólares para Miguel Rodríguez, mientras que su hermano Gilberto con sus lugartenientes Julio Jo, José Luis Medrano, Walter Soto, Harold Ackerman y Pedro Isern obtenían falsos pasaportes como ciudadanos guatemaltecos. Para entonces ya habían concluido las negociaciones y alcanzado acuerdos con los mexicanos Malerhbe y Medrano para la utilización de rutas de contrabando de drogas por la frontera de México con los Estados Unidos.

Al finalizar el año, Harold Ackerman remitió un balance de todas las operaciones de tráfico de cocaína y manejo de dólares al contador del cartel, Guillermo Pallomari.

La prueba reina en contra de los Rodríguez y demás miembros de la cúpula del cartel de Cali había llegado por fin a las manos adecuadas.

Al empezar el año 92 las fichas ya estaban dispuestas: más de diez hombres cercanos directos a las órdenes de Miguel Rodríguez estaban en la cárcel, prácticamente toda la organización en Miami, Texas y Nueva York vivía bajo estrecho control de la DEA y el FBI, pero entre tanto en Colombia los Rodríguez tenían una guerra que librar contra Pablo Escobar, comprar armas, pagar informantes y mantener incólume su estructura interna para garantizar el ingreso fluido de los dólares que ahora necesitaban más que nunca. La del ingreso al crimen, es una calle sin salida.

Harold Ackerman en la parte del tráfico de narcóticos era cada vez más una pieza clave en la organización de los Rodríguez, tanto como el equipo de abogados que, por un lado, se encargaban de intimidar a los detenidos para que no comprometieran a sus jefes y, por el otro, les conseguían abogados independientes, en vista de que nombres como Moran o Abbell ya eran directamente relacionados por los jueces como "abogados del negocio".

Según algunas versiones, en las primeras semanas de enero Gilberto Rodríguez Orejuela hizo una de sus pocas salidas del país desde cuando fue extraditado de España a Colombia. En poder de pasaportes guatemaltecos falsos habría viajado con Ackerman, Walter Soto y José Luis Medrano a Centroamérica, muy probablemente a ultimar los detalles de la asociación con los carteles mexicanos.

En los primeros tres meses del 92 Miguel Rodríguez recibió por intermedio de Murcillo Posada en Exposal casi 23 millones de dólares, y el 14 de enero un cargamento de armas semiautomáticas, el segundo en menos de seis meses, y a las que se vendrían a sumar las ametralladoras que para Miguel Rodríguez compró José Daes en la Florida, el hombre que les proveía de armas desde principios de los años 80.

Escobar daba muestras de inconformidad en la cárcel que él mismo se había fabricado, y había emprendido una lucha sin cuartel contra los hombres de todas las organizaciones mafiosas que no querían "compensarlo" por haber enterrado la extradición, que él aseguraba era obra suya. Y en efecto, Escobar huyó de la prisión en julio de ese año en una loca carrera contra la muerte que finalmente se cruzó en su camino el tres de diciembre de 1993.

Buena parte de las rutas que el cartel de Cali había ensayado a lo largo de los últimos cuatro años estaban ya al descubierto, y ese año se inició con una nueva modalidad, la de enviar barcos repletos de cocaína hasta la costa oeste de México, que se suponía podían alcanzar sin mayor tropiezo desde el puerto colombiano de Buenaventura, también sobre el Pacífico.

Los arreglos con el cartel mexicano continuaban su marcha, así que en los primeros días del año se envió el barco Harbour cargado con cuatro toneladas y media de cocaína, a cargo de Carlos Zuluaga, quien tenía la misión de supervigilar el cargamento y asesorar la tripulación en caso de que surgiera algún problema. Y lo hubo, la droga fue incautada y todos los ocupantes del barco fueron enviados a prisión en los Estados Unidos.

William Moran se presentó a la cárcel donde estaba Zuluaga el 16 de enero, se identificó como el abogado personal de Gilberto Rodríguez Orejuela, y le dijo que era enviado por sus amigos de Cali. Le advirtió que él no solía representar ya casos como el suyo pues era identificado como un "abogado de la organización", pero que en su particular circunstancia actuaría como una póliza de seguros de Rodríguez, y en efecto viajó cuatro días más tarde a Cali para enterar a Gilberto Rodríguez sobre la situación de Zuluaga.

Moran regresó a la Florida el 22 de enero, se reunió con Zuluaga para expresarle la preocupación de "sus tipos en Cali", porque no entendían que si se encontró cocaína en el barco, se hubiera considerado su libertad bajo fianza.

Pero entre tanto reposaba demasiada cocaína en las bodegas de varias de las empresas controladas por la organización, así que Sergio Aguilar y Richard Dobal volvieron a iniciar las operaciones de compra y alquiler de vehículos a nombre de empresas de fachada, como ABC Computers Inc., que fueron enviados a Nueva York para la movilización de la cocaína bajo el control de Carlos Torres.

En febrero Harold Ackerman, acaso temiendo ya el principio del fin de su carrera delictual, envió por fax al tesorero Guillermo Pallomari una lista actualizada de todos los contactos del cartel en el área de Miami, identificados con sus códigos secretos, sus teléfonos y claves de los bípers de comunicación.

Fracasada la operación del barco, el cartel inició una nueva estrategia, la exportación de cocaína a los Estados Unidos a través de su primer hombre en el tercer nivel de la organización, José Estrada Ramírez, conocido en Colombia como el médico dada su afición a construir clínicas como mecanismo para lavar dinero —el sistema opera como los hoteles, donde es virtualmente imposible saber cuántos huéspedes hay a diario, así que los libros de contabilidad pueden dar un cupo completo todos los días—, quien desde los inicios del cartel se había encargado del acopio de la cocaína en los mismos laboratorios, para colocarla en las grandes ciudades de Colombia de donde se la despachaba a los países de tránsito o directamente a los Estados Unidos.

Estrada camufló 6.6 toneladas de cocaína en baldosas de cerámica que se embalaron en cajas suministradas por Julián Murcillo, quien se encargó además de despacharlas a las bodegas de Celeste Internacional, en la zona franca de Colón, en Panamá.

La bodega de Celeste Internacional en Panamá era uno de los arquetipos de fachada de los Rodríguez, desde donde se despachaba la cocaína con destino a los Estados Unidos, España e inclusive existió un cargamento de cocaína, coordinado por Iván Ortiz, que iba dirigido a Rusia y cayó en poder de las autoridades en San Petersburgo. En esta bodega se encontró un contrato de la empresa Exposal, varias veces mencionada acá como receptora de millones de dólares en armas y dinero en efectivo, con la empresa de Concesión Salinas del Instituto de Fomento Industrial, IFI, que le garantizaba diez

Facsímil del contrato celebrado por Exposal con Mónica de Greiff como directora encargada de la concesión Salinas.

despachos mensuales de 20.000 toneladas de sal con destino a Venezuela en un buque granelero, entre septiembre del 91 y julio del 92.

Antes de ser encargada de la dirección de la Concesión Salinas del IFI, Mónica De Greiff era la secretaria del Ministerio de Desarrollo, en ese momento a cargo del luego presidente Ernesto Samper Pizano. Cuando se inició la campaña presidencial, Mónica De Greiff era su tesorera, y su padre, Gustavo De Greiff Restrepo era el Fiscal General de la Nación. De Greiff archivó la investigación original por la financiación de la campaña de Samper por parte del cartel de Cali, y dictaminó que el único delito descubierto en la investigación era el de interceptación ilegal de los teléfonos a Alberto Giraldo.

Posteriormente, en una investigación que publiqué en El Espectador, quedó demostrado con escrituras públicas que Gustavo De Greiff Restrepo participó en la venta de una empresa de aviación a Gilberto Rodríguez Orejuela, Aerolíneas El Dorado, y que durante cuatro meses de Greiff fue presidente de la compañía, con Rodríguez como socio mayorista de la empresa. De Greiff, cuando fue nombrado Fiscal General de la Nación, le ocultó al país que había sido socio de Rodríguez Orejuela.

El contrato de la sal, en el que aparece la firma de Mónica De Greiff y Fabio Echeverry Barragan por Exposal, fue hallado por la DEA durante un allanamiento a la bodega Celeste International en Panamá, pese a que, según el IFI nunca se perfeccionó. Las autoridades no pudieron establecer sin embargo si el contrato fue empleado como mampara de operaciones por Exposal o Celeste Internacional. Cualquier polvo blanco queda siempre bien disimulado con la sal, como habitualmente se hace con la harina de pescado peruana.

Miguel Rodríguez, temiendo que la captura del barco Harbour se había generado en el manejo inadecuado de las comunicaciones, envió en marzo a Sergio Aguilar para que comprara en Miami varios teléfonos de clave. Los teléfonos llegaron a la residencia de Miguel Rodríguez, quien los repartió entre los capos de la cúpula, Gilberto Rodríguez, Chepe Santacruz, Helmer Pacho Herrera Buitrago, y otros todavía por identificar.

El 16 de abril siguiente Miguel Rodríguez ordenó despachar el cargamento de 6.6 toneladas de cocaína hacia los Estados Unidos, como importación de brócoli congelado hecha por Southeast Agrotrade en Port Everglades, en la Florida. Cinco tatutos sociales queda así: ARTICULO SEPTIMO. Los socios han pagado en dinero efectivo, en el acto de constitución de la socie dad, la totalidad del capital de la misma. Son actualmente socios de la compañía, las personas que ha continuación se indican, quedando entre ellas divididos los aportes en la siguiente proporción: -

GILBERTO RODRIGUEZ OREJUELA	$ 8'300.000.oo
GUILLERMO BERNAL RUBIO	4'000.000.oo
MARIELLA MONDRAGON DE RODRIGUEZ	2'000.000.oo
JAIME PEREZ LOPEZ	2'000.000.oo
JAIME RODRIGUEZ MONDRAGON	2'000.000.oo
GUSTAVO DE GREIFF RESTREPO	1'500.000.oo
FELIPE SILVA BARRERO	200.000.oo
Total del Capital Social	$ 20'000.000.oo

OCTAVO. El Artículo Trigésimo (30o.) queda reformado así: ARTICULO TRIGESIMO. Para el período que termina en la primera Jun ta de Socios a celebrarse en el año de Mil Novecientos Ochenta y Uno (1.981) se hacen los siguientes nombramientos: - - - - - - -

PRESIDENTE   GUSTAVO DE GREIFF RESTREPO

GERENTE DE OPERACIONES Y SUPLENTE DEL PRESIDENTE

GUILLERMO BERNAL RUBIO

En lo referente a la Junta Directiva se revocan los nombramientos existentes, por cuanto de acuerdo con el Parágrafo Segundo (2o.) del Artículo Décimo Cuarto (14o.) de los estatutos sociales, la Junta de Socios aún no ha decidido delegar parte de sus funciones a una Junta Directiva y por consiguiente no ha dictado la resolución prevenida en dicho Artículo. En consecuencia la Junta de Socios continuará ejerciendo la totalidad de sus funciones en la manera y con las atribuciones de que tratan los estatutos de la sociedad. -

JAIME PEREZ LOPEZ
c.c. No.2'924-626 al
M# 843688 D M#1

GILBERTO RODRIGUEZ OREJUELA
c.c. No.

ALBERTO GIRALDO
c.c. No. 1700002 de Bogota

GUSTAVO DE GREIFF RESTREPO
c.c. No.35833 Bogota
mayor de 50 años

GUILLERMO BERNAL RUBIO
c.c. No 2928935 Bogota
mayor de 50 años

JAIME CORTES CASTRO
NOTARIO VEINTIUNO

Facsímil de la escritura de Gustavo De Greiff socio y Presidente de Líneas Aéreas El Dorado. El mayor accionista era Gilberto Rodríguez Orejuela. También firma Alberto Giraldo.

días más tarde, Emiliano Ching y Luis Urbina cargaron un camión con 1.500 kilos de cocaína que había llevado Blas Antonio González a la bodega de F&V.

El 21 de abril Miguel Rodríguez ordenó un nuevo embarque, esta vez de 10 toneladas de cocaína, vía Celeste International de Panamá, que en ese momento era manejada por Agustín Salcedo.

Pablo Solórzano habló con Harold Ackerman para acordar la forma de importar esa droga a Miami vía Guatemala, pero ambos teléfonos ya estaban interceptados.

En seguida entró una nueva llamada para Ackerman, esta vez de otro de los más importantes hombres de los Rodríguez en los Estados Unidos, Luis Alfredo Grajales, quien le comunicó la detención de uno de sus hombres, Juan José Güel, a cuyo nombre estaba una importante sociedad de fachada de los Rodríguez, y la incautación de 600 kilos de cocaína.

Todavía hubo espacio para una tercera llamada, esta vez de Carlos Torres, quien pedía a gritos nuevos carros y nuevo personal para transportar la cocaína que les habían entregado en Nueva York, porque habían descubierto que la DEA les pisaba los talones.

El 23 de abril Harold Ackerman fue arrestado en compañía de Pedro Pablo Gómez. Inicialmente intentó disculparse alegando que se había visto obligado a cooperar con el tráfico de cocaína, no para el cartel de Cali, sino para una "organización de izquierdas", que supuestamente habría amenazado con asesinar a su familia en Colombia si no colaboraba.

Las grabaciones de conversaciones telefónicas con Miguel Rodríguez en poder de las autoridades norteamericanas lo hicieron desistir de su coartada, y prefirió cooperar con ellas.

Una de las más poderosas empresas criminales puestas a funcionar desde una lujosa residencia de Cali había empezado a crujir.

Uno de los colaboradores de Ackerman, Robert Moore, se comunicó tras su detención con el hijo de Ackerman para que sacara de su casa todo el dinero que tuviera su padre con el objeto de impedir que fuera confiscado, como utilidades provenientes de una empresa criminal.

El pánico se extendió a todas las células de los Rodríguez: Pedro Isern se comunicó con el abogado Moore, le advirtió que él se veía seguido con Ackerman y Walter Soto, pero la única respuesta que recibió fue un "sálvese quien pueda y sepa cómo".

Isern, Sergio Aguilar, Julio Jo y William Santos creyeron que lo más conveniente era desaparecer del área de Miami.

El 24 de abril William Moran, el abogado de Gilberto y Miguel Rodríguez, recibió copias de los testimonios de los detectives que manejaban el caso, y con los que habían conseguido la autorización judicial para interceptar los teléfonos celulares de Harold Ackerman y Carlos Girón, y de los cuales se desprendía la existencia de pruebas que vinculaban a Miguel Rodríguez con el detenido Gustavo Naranjo.

A las dos de la mañana del 25 de abril, Miguel Rodríguez se presentó en la casa del abogado Francisco Laguna en Cali y le ordenó irse a Miami para conocer la situación jurídica de Ackerman y los otros que habían sido arrestados en el marco de la misma operación.

Cuando Laguna llegó al aeropuerto de Miami ya lo estaba esperando el otro abogado, de la organización, Donald Ferguson. Desde allí mismo se puso en contacto con Michael Abbell para informarle que algunos de los asociados más cercanos de Miguel Rodríguez habían sido arrestados, y que se dirigía en ese momento al Metropolitan Correctional Center de Miami para visitar a Ackerman y obtener copias de todos los documentos que se pudieran conseguir en relación con el arresto, para proceder a informar de inmediato a Rodríguez Orejuela.

En la cárcel se encontraba Robert Moore, quien les ofreció copias de los documentos que ya estaban en su poder. Francisco Laguna los recibió, y de inmediato viajó a Cali. William Moran llamó entonces a George López, quien se encontraba en Caracas en la coordinación de la manipulación de los postes de concreto armado donde se camuflaba la cocaína, y le advirtió que no regresara a Miami, porque su nombre figuraba en los papeles relacionados con la detención de Ackerman.

Poco tiempo después llegó a Miami Gonzalo Paz, el otro abogado de los Rodríguez. El pánico de los capos acababa de exponer a prácticamente todos los miembros de la organización ante las grabadoras de las autoridades norteamericanas que originalmente sólo interceptaban unos cuantos teléfonos. Paz llegó el 30 de abril al Metropolitan Correctional Center y cometió el peor error por cuenta del encargo de su patrón: amenazó de muerte a Harold Ackerman, si en cualquier momento se mostraba dispuesto a incriminar a Miguel Rodríguez Orejuela en su testimonio ante las autoridades estadounidenses.

Ackerman es hoy testigo de cargo de la justicia norteamericana contra los principales hombres del cartel. Había trabajado prácticamente con los 74 hombres que conforman la cúpula superior del cartel, incluidos el tesorero Guillermo Pallomari y el jefe de inteligencia de la organización, Jorge Salcedo, hoy también convertidos en testigos contra los Rodríguez acorralados por la orden de matarlos que impartió Miguel Rodríguez.

Al día siguiente de la amenaza, el primero de mayo, casi el cupo completo de un vuelo comercial de ciudad de México a Monterrey iba cargado con los representantes del cartel. Entre ellos destacaban Walter Soto, Oscar Malerhbe, José Luis Medrano y Pedro Isern.

La maquinaria del cartel en la Florida había recibido un duro golpe, pero era necesario volverla a engrasar, y más ahora, cuando se necesitarían más de US$100.000 de honorarios de abogado por cada uno de los detenidos, para que no fueran a dar nombres.

Un par de semanas más tarde se realizaba una cumbre, esta vez en Matamoros, México, para iniciar una nueva etapa en la vida del cartel: la de asociación con los carteles mexicanos, en la que las organizaciones colombianas entregan la cocaína a bordo de aviones o barcos, y a partir de ese momento el riesgo corre a cargo de los carteles mexicanos, que se encargan directamente de transportarlas a los Estados Unidos.

En muchos casos los carteles colombianos ni siquiera pueden recuperar la droga luego de ingresada en los Estados Unidos y entregadas a las células de los mexicanos, así que en ocasiones prefieren venderla de una vez a ellos y salir discretamente del negocio, con menos dinero, pero más seguridad.

En la cumbre participaron Walter Soto, Pablo Solórzano, Oscar Malerhbe, José Luis Medrano, Pedro Isern y otros cuyo nombre no ha trascendido, y que en esencia acordaron los términos de transportar cocaína a través de barcos cargueros desde Colombia hasta Mazatlan, en México, y por tierra desde Matamoros hasta distintas áreas seguras de Texas, en los Estados Unidos.

Mientras se desarrolla esta cumbre, en Cali se llevaba otra, bajo la desencajada figura de Miguel Rodríguez Orejuela.

Allí estaban William Moran, Gonzalo Paz, Sergio Aguilar, Julio Jo, Francisco Laguna, Robert Moore y William Santos. Cada uno pidió y obtuvo su parte. Moran recibió US$100.000 de manos de Miguel Rodríguez para enfrentar el caso de Ackerman. Robert Moore fue el mensajero de otra amenaza de muerte a Ackerman si llegaba a colaborar con la justicia, esta vez extendida a toda su familia. Y William Santos logró el compromiso de Moran de que obtendría las pruebas que lo vincularan con el lavado de dinero hecho durante ese tiempo para Miguel Rodríguez.

Los familiares de todos los otros detenidos, Pedro Pablo Gómez, la esposa de Ackerman, y la de Carlos Girón, recibieron una oferta consistente en que si se comprometían a que sus esposos y familiares no hablaban, Miguel Rodríguez les proveería con un salario de supervivencia por el tiempo de la detención. El 15 de mayo tuvieron una grave discusión con Miguel Rodríguez, a quien le parecieron exagerados los costos de los honorarios y de las mesadas a que lo habían comprometido.

Pero no tenía escapatoria, y giró varios cheques por casi US$100.000.

Algo había que sacar de esta lección, así que Miguel Rodríguez ordenó en primer lugar que uno de sus hombres de más confianza, Raúl Marti, fuera a leer el expediente de la investigación seguida contra Ackerman para descubrir las técnicas y sistemas de investigaciones de la DEA a fin de proteger a la organización de un nuevo golpe similar.

Y de su propia imaginación, Miguel sacó una nueva teoría, que a la larga no sólo significaría el hundimiento del gigantesco aparato que había concebido hasta entonces, sino la exposición de prácticamente todo su equipo de abogados a procesos penales por obstrucción a la justicia. Según el razonamiento que les hizo entonces Miguel Rodríguez, como en su mayoría los procesos en los estados Unidos son verbales, donde lo único válido es el testimonio incriminador, ordenó a sus abogados, y hasta en contra de su criterio, que prepararan falsos testimonios en los que todos y cada uno de los detenidos, y por tanto eventuales testigos en su contra, certificara bajo la gravedad de un juramento autenticado por notario, que él, Miguel Ángel Rodríguez Orejuela, nada tenía que ver con esas operaciones de tráfico de cocaína, y que ni siquiera lo conocían.

El objetivo era obvio: una vez tuviera todas las declaraciones en poder de su equipo de abogados, ya nada lo obligaría a pagar más honorarios ni nuevas mesadas de subsistencia.

El encargado de escribir el modelo de los testimonios fue el mismo William Moran, y el primero de los cuales fue presentado para la firma a

Gustavo Naranjo, el detenido en Texas, y quien había tenido conversaciones telefónicas con el capo en varias ocasiones.

Miguel Rodríguez leyó un par de días más tarde la certificación jurada y no le gustó, porque el que fuera hasta hacía pocas semanas su hombre de confianza, y quien podía llamarlo a un teléfono privado de Cali, decía en la declaración que sí conocía a Miguel Rodríguez, pero que él no había tenido nada que ver con los cargamentos de cocaína. Ni conozco a Miguel Rodríguez, ni he conspirado con él para introducir cocaína a los Estados Unidos, terminó por decir la certificación.

Unos textos similares a estos fueron presentados a Ackerman y todos sus compañeros de sindicación en el proceso, mientras se ordenaba a Isern quedarse en Cali, y a William Santos que saliera de Miami, pues se daba por seguro que sería acusado en el mismo proceso.

En el curso de la semana siguiente todos los presos del cartel recibieron en su celda, remitida por correo a sus abogados, el modelo de declaración para exculpar a Rodríguez. Entre ellas estaban la de Pedro Isern, Gustavo Naranjo, Pedro Pablo Gómez, Carlos Girón, Javier Pérez Velazco, Harold Ackerman, Juan José Güel, Fernando Rodríguez, Richard Carlyle, Ilbanober Ortiz, y Sara y Julio César Vázquez. Todos prefirieron darle largas al asunto antes de firmar.

La recolección de los testimonios exculpatorios en favor de Miguel Rodríguez Orejuela no se circunscribió sólo a los detenidos en los Estados Unidos. A mediados de junio del 93 la policía de El Salvador se incautó de una avioneta en la que se hallaron centenares de kilos de cocaína, y fue detenido su piloto, Luis Fernando Farfán Muñoz, quien originalmente encubrió de forma manifiesta los nombres de las personas que lo habían contratado para hacer el vuelo, Miguel Rodríguez Orejuela y Jesús Amado Sarria Agredo. La presión de las autoridades salvadoreñas sobre Farfán dieron un primer resultado, en el que el piloto decidió incriminar en menor grado a Rodríguez, pero sólo a último momento resolvió mencionar a Chucho Sarria, más conocido como El brujo.

La policía salvadoreña envió su reporte a las autoridades colombianas el 18 de junio del 93, y al poco tiempo el abogado Guillermo Villa Alzate obtenía del Juzgado 11 Civil del Circuito de Cali autorización para recibir testimonio jurado de Luis Fernando Farfán Muñoz, en relación con Miguel Rodríguez Orejuela.

Previo el pago de US$8.000 como viáticos, el ex procurador Villa Alzate viajó en dos ocasiones a San Salvador, y de allí se desplazó a la cárcel de Santa Ana, donde vertió amenazas contra Farfán Muñoz y su familia, si no se retractaba de las afirmaciones hechas contra Miguel Rodríguez, y no cambiaba el nombre de Jesús Amado Sarria por el de Jesús Antonio Sarria, quien resultó ser un indigente a quien para entonces ya la organización había prometido una recompensa económica si aceptaba su responsabiliad como "capo" responsable de ese cargamento.

Villa Alzate viajó en una segunda ocasión con otro abogado, Yuri Eduardo García Vargas, con quien se encuentra en Panamá y de allí se desplazaron a El Salvador. En una declaración rendida ante la Fiscalía, García reconoce los viajes, pero afirma que no estuvo presente en el encuentro de Villa con Farfán en la penitenciaría de Santa Ana.

De alguna manera todavía desconocida Farfán Muñoz regresó a Colombia y recibió amenazas directas de gentes vinculadas con el cartel de Cali, así que en mayo del 96 decidió acogerse al programa de protección de testigos de la Fiscalía colombiana, durante casi una semana rindió una declaración juramentada en la que reveló la estructura del narcotráfico de Chucho Sarria con los Rodríguez, y reveló las amenazas y presiones de que fue objeto por parte del ex procurador Villa Alzate.

Durante un allanamiento del Bloque de Búsqueda de la Policía el 15 de julio de 1995 en la Avenida 3 oeste número 13-86, el edificio Colinas de Santa Rita de Cali, se descubrió un archivo oculto, en cuyo interior estaba toda la infraestructura de empresas de fachada empleada para financiar las elecciones de 1994: las fotocopias de las cédulas de ciudadanía empleadas para la constitución de las sociedades y la apertura de las cuentas corrientes de Distribuidoras Agrícola La Loma, Comercializadora de Productos Agrícolas El Diamante, Comercializadora Agropecuaria La Estrella y Export Café Limitada. Una lista contable con los retiros de dinero de las cuentas de "Carnes" y "Tremi", que son las sociedades Distribuidora de Carnes del pacífico y Constructora Tremi Ltda. Los balances de Asesorías Cosmos Ltda., Distribuidora de Carnes del Pacífico y la constructora Tremi, suscritos por Harold Aguilera, Luis Alberto Amaya y Alba Milena Millán Rubio. Hojas en blanco firmadas por Eduardo Gutiérrez Ardila y Alfredo Perlaza Zúñiga, y por último, la cuenta de honorarios de Guillermo Villa Alzate, por US$7.000, dirigida a Jesús Antonio Sarria, el indigente a quien se intentó hacer pasar por el mafioso Jesús Amado Sarria.

Villa Alzate está detenido por cuenta de la Fiscalía desde el 15 de julio de 1996, por los delitos de concierto para delinquir y obstrucción a la justicia.

Farfán Muñoz es hoy uno de los testigos claves en la Fiscalía de Colombia contra Miguel Rodríguez Orejuela, Jesús Amado Sarria y otros miembros de la misma estructura. Entre las pruebas que aportó a la justicia para respaldar la veracidad de sus afirmaciones, hay un video en el que el propio Sarria ayuda a bombardear cocaína cerca a las costas de Cuba, una de sus rutas más bien amparadas.

Entre tanto en Cali las cosas regresaban a la normalidad. En Venezuela, un industrial llamado Radamés Trujillo les había presentado a los hombres del cartel Julio Jo y George López a otro industrial coterráneo suyo, José Luis Gil, con quien podría arreglarse, les dijo Trujillo, la compra de una comercializadora internacional de café con sede en Panamá, Gilka S.A.

Miguel Rodríguez aprobó la operación tras comprobar que podía empacar cocaína en las bolsas selladas al vacío de 250 gramos de Café Gilka.

Las exportaciones de café se iniciaron con el mejor augurio, bajo los nombres de Taíno Coffee y Food Importers, hasta el punto de que Miguel Rodríguez ordenó a uno de sus hombres, Iván Ortiz, que abriera formas de exportarlo a España y Rusia, para disminuir los índices de almacenamiento

RELACION DE BIENES EMBARGADOS A LOS SARRIA-MONTOYA

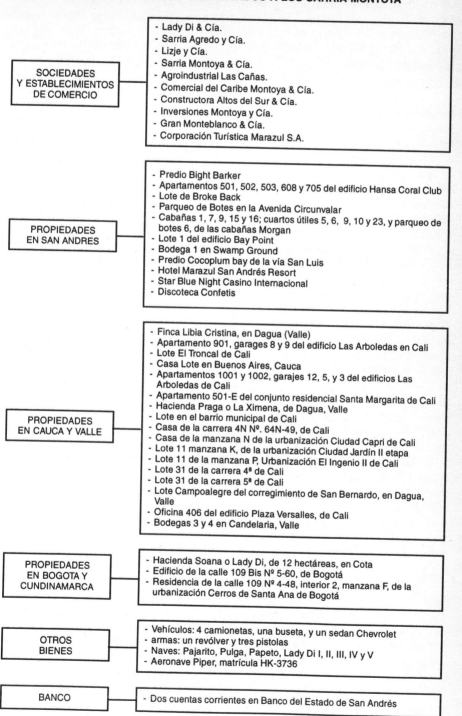

SOCIEDADES Y ESTABLECIMIENTOS DE COMERCIO
- Lady Di & Cía.
- Sarria Agredo y Cía.
- Lizje y Cía.
- Sarria Montoya & Cía.
- Agroindustrial Las Cañas.
- Comercial del Caribe Montoya & Cía.
- Constructora Altos del Sur & Cía.
- Inversiones Montoya y Cía.
- Gran Monteblanco & Cía.
- Corporación Turística Marazul S.A.

PROPIEDADES EN SAN ANDRES
- Predio Bight Barker
- Apartamentos 501, 502, 503, 608 y 705 del edificio Hansa Coral Club
- Lote de Broke Back
- Parqueo de Botes en la Avenida Circunvalar
- Cabañas 1, 7, 9, 15 y 16; cuartos útiles 5, 6, 9, 10 y 23, y parqueo de botes 6, de las cabañas Morgan
- Lote 1 del edificio Bay Point
- Bodega 1 en Swamp Ground
- Predio Cocoplum bay de la vía San Luis
- Hotel Marazul San Andrés Resort
- Star Blue Night Casino Internacional
- Discoteca Confetis

PROPIEDADES EN CAUCA Y VALLE
- Finca Libia Cristina, en Dagua (Valle)
- Apartamento 901, garages 8 y 9 del edificio Las Arboledas en Cali
- Lote El Troncal de Cali
- Casa Lote en Buenos Aires, Cauca
- Apartamentos 1001 y 1002, garajes 12, 5, y 3 del edificios Las Arboledas de Cali
- Apartamento 501-E del conjunto residencial Santa Margarita de Cali
- Hacienda Praga o La Ximena, de Dagua, Valle
- Lote en el barrio municipal de Cali
- Casa de la carrera 4N Nº. 64N-49, de Cali
- Casa de la manzana N de la urbanización Ciudad Capri de Cali
- Lote 11 manzana K, de la urbanización Ciudad Jardín II etapa
- Lote 11 de la manzana P, Urbanización El Ingenio II de Cali
- Lote 31 de la carrera 4ª de Cali
- Lote 31 de la carrera 5ª de Cali
- Lote Campoalegre del corregimiento de San Bernardo, en Dagua, Valle
- Oficina 406 del edificio Plaza Versalles, de Cali
- Bodegas 3 y 4 en Candelaria, Valle

PROPIEDADES EN BOGOTA Y CUNDINAMARCA
- Hacienda Soana o Lady Di, de 12 hectáreas, en Cota
- Edificio de la calle 109 Bis Nº 5-60, de Bogotá
- Residencia de la calle 109 Nº 4-48, interior 2, manzana F, de la urbanización Cerros de Santa Ana de Bogotá

OTROS BIENES
- Vehículos: 4 camionetas, una buseta, y un sedan Chevrolet
- armas: un revólver y tres pistolas
- Naves: Pajarito, Pulga, Papeto, Lady Di I, II, III, IV y V
- Aeronave Piper, matrícula HK-3736

BANCO
- Dos cuentas corrientes en Banco del Estado de San Andrés

59

en Estados Unidos, que podían resultar en una grave pérdida para el cartel en caso de ser incautados. Los vínculos con las mafias italiana y rusa apenas empezaban a florecer, pero más valía tener la droga almacenada en España para cuando se los reclamaran, antes que despertar sospechas por los exagerados cargamentos de "vegetales" que se almacenaban en la Florida.

El primer desembarco dentro de esta nueva estrategia se hizo por cuenta de Raúl Marti en Sevilla, España, en una importación de café a nombre de un distribuidor local contactado por Iván Ortiz, pero Marti fue detenido en la mitad de la operación, al descubrirse la cocaína empacada en las bolsas de Gilka, aparentemente remitidos desde Miami, y café Yari, enviado desde Panamá, pero se le concedió libertad con una fianza de US$75.000.

A Guillermo Pallomari, el tesorero del cartel, por esos días le habían robado de su oficina un computador con importante información de las operaciones en la Florida, y si bien Mario del Basto había localizado a los dos acusados, a quienes asesinaron por orden de Miguel Rodríguez, la sospecha sobre el verdadero beneficiario de la operación del robo no se clarificaba.

Los negocios parecían complicarse de nuevo para los Rodríguez, que en noviembre del 92 habían visto caer buena parte de sus cargamentos propios, pese a lo cual tenían que pagar el millón y medio de dólares que debían al jefe de la organización de transportadores por barco en Buenaventura, Víctor Patiño, y al jefe de los laboratorios en Colombia, José Piedrahíta Ceballos, quien no daba plazos sobre la cocaína entregada. Ambos cargamentos habían sido incautados en las playas mexicanas. En octubre, además, las autoridades se había incautado centenares de kilos de cocaína que el cartel transportaba a México a bordo de una flotilla de barcos, que habían sido interceptados en Mazatlan y Acapulco.

Miguel Rodríguez quiso ensayar una nueva ruta, a la antigua, consistente en llenar un Boeing 727 con cocaína con destino a México, y encargó a otro de sus lugartenientes, Jairo Vélez, para que en diciembre del 93 sobornara al personal del aeropuerto de Palmaseca de Cali a fin de permitir el despegue de los vuelos sin reportarlos.

Rodríguez Orejuela efectuó el contacto adecuado con el mafioso mexicano Amado Carrillo Fuentes, para que recibiera y operara un cargamento de 14 toneladas de cocaína que se enviarían a bordo del avión, y lo transportara de la frontera mexicana a Texas.

La parte colombiana de esta operación estaría dirigida por los más cercanos asociados de Rodríguez, William Santos, el boliviano José Luis Pereira Salas, José González Torres, quienes durante la reunión en que se ultimaron los detalles de la colaboración con los mexicanos se alojaron en una casacaleta de la que sólo tenían conocimiento Miguel Rodríguez y Tulio Murcillo, hermano de Julián, el hombre de Exposal.

La operación, decidieron, se llevaría a cabo el 17 de enero del 94 (el boliviano Pereira Salas fue detenido en México a mediados de octubre del 96, convertido ya en un poderoso capo del narcotráfico pero integrado en la organización de Amado Carrillo Fuentes).

Pero entre tanto Carlos Torres era condenado en un tribunal de la Florida, y los abogados de los Rodríguez en los Estados Unidos optaron por una extraña estrategia, la de aceptar que el compañero de causa de Torres, Javier Pérez Velazco, confesara ser un negociador de la cocaína que le enviaba Miguel Rodríguez Orejuela.

El correo de las cárceles es insuperable, y en poco tiempo todos los presos a quienes se les habían presentado para la firma los falsos testimonios se enteraron de las consecuencias que tuvo para Torres el testimonio absolutorio de Rodríguez, por oposición al de colaboración de Pérez Velazco.

El abogado de Raúl Marti le prohibió entonces al abogado Francisco Laguna acercarse de nuevo a su cliente para proponerle algo relacionado con la firma del testimonio.

Pedro Isern pidió autorización para colaborar con la justicia norteamericana en temas que no vincularan a Miguel Rodríguez. Eso sería, le dijeron los abogados de Rodríguez, "una señal errónea" para Miguel. Y los abogados del cartel cambiaron de estrategia para intentar cerrar el círculo de protección en torno a los jefes en Cali: en adelante sólo pagarían los honorarios de los abogados que antes hubieran trabajado para la organización.

Abbell no quería ver nuevos abogados en torno de los cómplices de Miguel Rodríguez, y rechazó el que había contratado Isern. Luego viajaron a la cárcel donde estaba recluido Marti donde le transmitieron la preocupación del capo por los rumores que había de su cooperación.

Al mismo tiempo el abogado Francisco Laguna se reunió con la mujer de Marti el 9 de abril del 94 y, tan extrañamente como antes habían ordenado que Velazco cooperara, le descubrió el juego de los testimonios: si su esposo, Raúl Marti, firmaba la certificación jurada en favor del jefe del cartel de Cali y la existencia de tal documento llegaba a conocimiento de las autoridades en los Estados Unidos, daría lugar a un nuevo proceso en contra de su esposo, esta vez por obstrucción a la justicia.

Los testimonios, como uno igual enviado a otro procesado, Oscar Rabasa, explicó Laguna a la mujer de Marti, tenían por objeto exhibirse en Colombia para prevenir o contestar cualquier proceso que se le iniciara a Miguel Rodríguez en este país.

Por esa época los miembros de la cúpula del cartel celebraban negociaciones aceleradas con el fiscal Gustavo de Greiff para someterse a la justicia, sobre la base de una adecuación de penas que no les implicara más de cinco años de cárcel. En ese momento se alegó que las negociaciones no prosperaban por obstrucción del gobierno de César Gaviria, pero la verdad era mucho más sencilla: los Rodríguez no podían entregarse mientras no hubieran solucionado el tema de los testigos y los juicios en marcha en los Estados Unidos.

Pero la estrategia ya estaba demasiado adelantada para dar un paso atrás, así que Michael Abbell contrató abogados en Carolina del Sur y Alabama para conseguir autorización judicial a fin de que Javier Pérez y Pedro Pablo Gómez tuvieran que rendir el testimonio en favor de Rodríguez, mientras que George López manifestaba su decisión de separarse de los acuerdos que le habían incumplido, para colaborar con la justicia norteamericana.

López era una pieza clave en la organización de Rodríguez, pero ya en el papel de testigo de cargo se le convertiría en un obstáculo casi insalvable, pues él había servido de testigo en el pago por el asesinato del testigo de la

DEA Lambrano, y había recibido órdenes de Miguel Rodríguez para iniciar los contactos tendientes a asegurar la apertura de nuevas rutas con los carteles mexicanos, y en Caracas había participado en dos operaciones del cartel, los envíos de cocaína en los postes de Tranca y en las bolsas de café Gilka.

William Moran tuvo que viajar a Bogotá el 11 de julio del 94, durante cuatro días.

Por esos mismos días había sido detenido en Cali por la Fiscalía de De Greiff el tesorero del cartel, el chileno Guillermo Pallomari, quien confesó ante los fiscales que Miguel Rodríguez era el propietario y controlaba las cuentas corrientes por las que le preguntaron, y que eran las mismas que habían sido utilizadas para canalizar los dineros con los que se financió la campaña electoral de Samper Pizano y otros senadores y representantes.

Pallomari sin embargo fue dejado en libertad inexplicablemente por la Fiscalía, y a su salida fue recibido por los abogados Jaime Gil y Gonzalo Paz, quienes le advirtieron que tenía que cambiar su declaración, para proteger al jefe del cartel.

La advertencia la repitió el mismo Rodríguez a Pallomari un par de días después o, le amenazó, "él y su familia resultarían lastimados".

Michael Abbell viajó a su oficina en Washington, Ristau & Abbell, donde borró de los computadores todos los archivos de los casos relacionados con Miguel Rodríguez y sus colaboradores.

Laguna hizo lo propio en la oficina del mismo equipo de abogados en Miami.

Entre tanto, Radamés Trujillo, el venezolano que les había presentado al propietario de la fábrica de café a George López y otros asociados del cartel, le anunció a Miguel Rodríguez que viajaría a Cali para aclarar su suerte en el caso, dada la detención y colaboración de López con la justicia, lo que eventualmente lo podría comprometer como asociado del cartel.

Miguel Rodríguez ordenó a sus guardaespaldas asesinar a Trujillo y a todo el que lo acompañara tan pronto arribara a Cali.

Cuando Radamés Trujillo llegó con tres amigos a Cali el 14 de agosto del 94, tres hombres de los Rodríguez, Guillermo León Restrepo, guardaespaldas de Miguel, Henry Gaviria, y Jorge Castillo los condujeron a una hacienda donde supuestamente se llevaría a cabo el encuentro con Miguel Rodríguez. La finca, en las afueras de Cali, era de propiedad de Helmer Pacho Herrera, y allí asesinaron a los cuatro venezolanos.

Miguel Rodríguez estaba dispuesto a no dejar más testigos de sus operaciones de narcotráfico con vida.

El 9 de septiembre las autoridades norteamericanas allanaron la oficina de Ristau & Abbell en Miami, y confiscaron diskettes y documentos de Francisco Laguna, que aun conservaba en sus archivos. En seguida Laguna llamó a Miguel Rodríguez para que cambiara de número y teléfono de fax por los que se comunicaban. Una semana más tarde Laguna se ponía en contacto con el ex procurador Guillermo Villa Alzate para informarle que durante el allanamiento los agentes no incautaron dos testimonios en favor de Miguel Rodríguez. Villa le recomendó que los sacara de la oficina y los escondiera.

Entre tanto, las operaciones de narcotráfico que iniciadas con Amado Carrillo Fuentes empezaban a generar beneficios: uno de los hombres claves en las actividades de Miguel Rodríguez Orejuela en Colombia, Antonio Zambrano —quien conocía los secretos del método utilizado para pagar los sobornos a los constituyentes del 91 y de la financiación de la campaña presidencial de Ernesto Samper—, fue encargado por su jefe de entrar en contacto con el cartel mexicano de Amado Carrillo Fuentes para procurarse el pago de las 10.5 toneladas de cocaína que le había enviado.

De nuevo fue el Boeing 727 el encargado de la misión de transportar, pero esta vez hacia Colombia, y como único cargamento varias cajas que pesaban en conjunto seis toneladas. La única carga que contenía era dólares, millones y millones de dólares en efectivo.

El cartel empezaba el nuevo año en buena situación económica, pero la judicial era cada vez más grave. En concepto de Miguel no convenía reanudar negociaciones de sometimiento a la justicia en Colombia mientras no se recaudaran todas las declaraciones juramentadas que los exculparan, y si bien era cierto que mantenía en lugares seguros a los eventuales testigos de cargo que lograron abandonar los Estados Unidos, la captura de alguno de ellos lo dejaría expuesto, y sin posibilidad de negociar una rebaja de pena por el sometimiento a la justicia.

Miguel Rodríguez se puso en contacto de nuevo con Jorge Salcedo y Guillermo León Restrepo para que localizaran y desaparecieran del mapa al cubano Sergio Aguilar —quien confirmó en una declaración judicial en los Estados Unidos que trabajaba bajo el mando directo de Miguel—, y a William Santos y Jácome Milanés, quienes pertenecían al aparato de lavado de dinero del cartel en la Florida.

Él, entre tanto, volvió a recurrir a quien les proveía habitualmente de documentos falsos, la colombiana Francia Saavedra, llamada por su hermano Gilberto como La Negra, y le dio $3 millones para que le consiguiera un pasaporte con otra identificación, y así logró salir del país hacia Centroamérica para huir de la presión que ejercía en su contra el Bloque de Búsqueda de la Policía colombiana.

También fue dada la orden a César Yusti, un sicario del cartel, para asesinar al tesorero Guillermo Pallomari, de la que se encargaría a Jorge Salcedo, quien a su vez también debería ser luego asesinado por Guillermo León Restrepo.

En medio del pánico de la huida, y la perspectiva de un pronto sometimiento a la justicia sin contratiempos adicionales, no quería dejar una sola prueba andante.

En julio del 95 el abogado Jaime Gil mostró a Salcedo un sitio desde el cual podría vigilar a Pallomari, para establecer la rutina que permitiría asesinarlo.

Nuevamente Mario del Basto, el jefe de inteligencia del comité de seguridad del cartel, se apareció ante Rodríguez para advertirle que uno de sus guardaespaldas, William Ceballos, estaba suministrando información al Ejército sobre el paradero del capo, para cobrar la millonaria recompensa que el gobierno colombiano promulgaba sobre su cabeza. Henry Gaviria, el mismo que participó en el asesinato de Trujillo, asesinó a Ceballos.

MINISTERIO DE GOBERNACION
DIRECCION GENERAL POLICIA NACIONAL

Managua, 08 de Agosto de 1995

INTERPOL
BOGOTA, COLOMBIA

Con fecha 30 de Julio de 1995, fue secuestrada en nuestro país una avioneta tipo Gran Caravan modelo 208, cessna, monomotor, color blanca, matrícula YN-CBV, motor PCE-10314-304400, serie 208B-0341. Producto del secuestro fue asesinado el Piloto de nombre Andrés Narvaez Delgado, apareciendo su cadáver el día 1ero. de Agosto en horas de la madrugada, en la Comarca el Fuyón, municipio de Zipaquirá Dpto. de Cundinamarca.

A la fecha hemos logrado esclarecer la complicidad de dos sujetos Nicaraguenses, siendo éstos:

1.- ROBERTO SALVADOR MAYORGA MARTINEZ, de oficio piloto y quien aparentemente -de acuerdo a versiones de testigos del lugar conocido como San Jorge, Puerto Lacustre del Lago de Nicaragua- abordó una panga que lo condujo a la Isla de Ometepe en donde lo esperaba la Aeronave secuestrada. Adjuntamos fotografía.

2.- JORGE GUERRERO GOMEZ, quién proporcionó su vehículo y retiró cheque de la Compañía de aviación "La Costeña", luego que la misma organización cancelara un vuelo con similares características al recorrido del vuelo planificado para el secuestro. Al momento de su captura le fue ocupado un pasaporte Nicaraguense a su nombre, existiendo en el mismo una visa de entrada sellada por el DAS de Colombia, específicamente de Cali, con fecha de ingreso el día 26 de Diciembre de 1994 y salida el 30 del mismo mes y año. Adjuntamos fotografía, fotocopia de pasaporte.

La documentación referida a la contratación de la aeronave está membretada a nombre de un Organismo no Gubernamental, conocido en la primera solicitud de vuelo charter cancelado, como Asociación Nicaraguense de Organismos No Gubernamentales (AMNG) y la segunda carta, cuando ya se contrata el vuelo, como "Centro de Estudios Biológicos, Amigos de la Naturaleza".

Con fecha 08 de agosto, un confidente de la Policía Nacional nos informa que en Villavicencio, Dpto. de Meta, Llanos orientales, en un Hangar escondido, se encontraba la avioneta Gran Caravan 208A, y que lo estaban pintando el fuselaje en la parte de la identificación de la aeronave.

Según lo referido solicitamos:

a) Verificación de entrada del Sr. Guerrero Gómez en Cali, Colombia.

b) Investigación para la ubicación del Piloto Mayorga Martínez.

c) Verificación de la información sobre la posible ubicación de la avioneta en Villavicencio.

d) Verificación de Nos. telefónicos adjuntos vinculados al Sr. Guerrero Gómez.

e) Posibilidad de análisis comparativos con posibles encartados en la actividad de narcotráfico de los retratos hablados.

Sin otro particular y esperando su pronta respuesta, lo saludo.

Atentamente,

Sub-Comandante Carlos Bendaña
Dirección General Policía Nacional

cc: Expediente
    archivo

Reporte de la policía Nicaragüense sobre el secuestro de la avioneta en que podría haber regresado Miguel Rodríguez antes de su captura en Colombia.

El 28 de julio de 1995 fue denunciada ante la policía nicaragüense la desaparición de un piloto en Managua, Roberto Salvador Mayorga Martínez, y dos días más tarde se declaraba en emergencia una avioneta tipo Gran Caravan modelo 208, contratada por un supuesto organismo no gubernamental Amigos de la Naturaleza, AMIN, para realizar un recorrido sobre los lagos nicaragüenses para realizar una sesión de fotografía ecológica.

El primero de agosto un niño campesino que iba de camino a su escuela en una vereda de Zipaquirá, al norte de Bogotá y a pocos kilómetros del aeropuerto de Guaymaral, donde sólo pueden aterrizar avionetas, descubrió el cadáver de un hombre, que tenía tres disparos en el cuerpo, uno en el corazón, otro en la cien y uno más que prácticamente le deformaron el rostro. Cuando los funcionarios de la Fiscalía de Zipaquirá llegaron a practicar el levantamiento del cadáver, no le encontraron un solo papel de identificación. En sus bolsillos portaba una caja de fósforos de cera elaborados en Costa Rica. Su esposa afirmaría después que no era fumador.

Fidel Castaño, reconocido jefe máximo de los paramilitares en Colombia, del clan de los hermanos Castaño .

Iván Urdinola se prepara para pasar a la historia. Su figura en bronce la encontró el Bloque de Búsqueda de la Policía.

José Ever Rueda Silva, foto de reseña policiva, hermano de Rueda Rocha, acusados de ejecutar el asesinato de Luis Carlos Galán. Después fueron asesinados.

"Rosa de los Vientos" del tamaño de un hombre; los hermanos Vargas adornan la entrada de una de sus fincas, emulando la hacienda Nápoles de Pablo Escobar. La vaca y su ternero en fibra de vidrio, giran indicando la dirección del viento.

ESQUEMA DE LAVADO DE DINEROS
RUTA USA - EUROPA

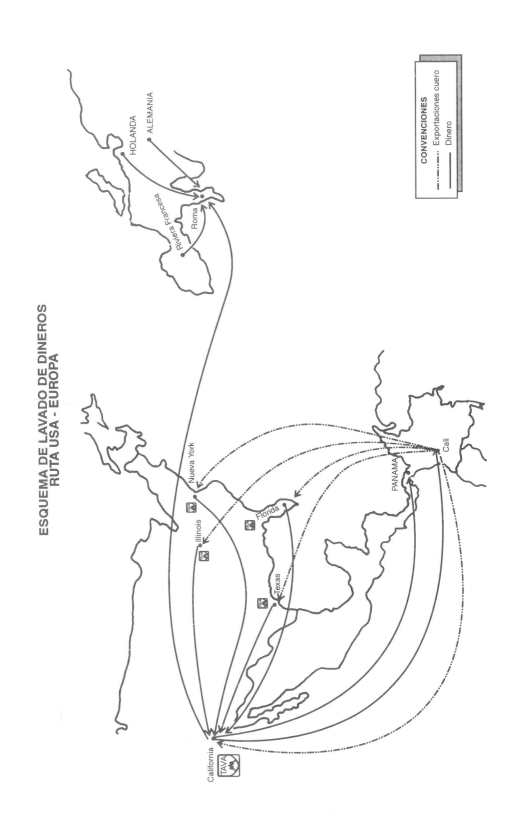

CONVENCIONES

Exportaciones cuero

Dinero

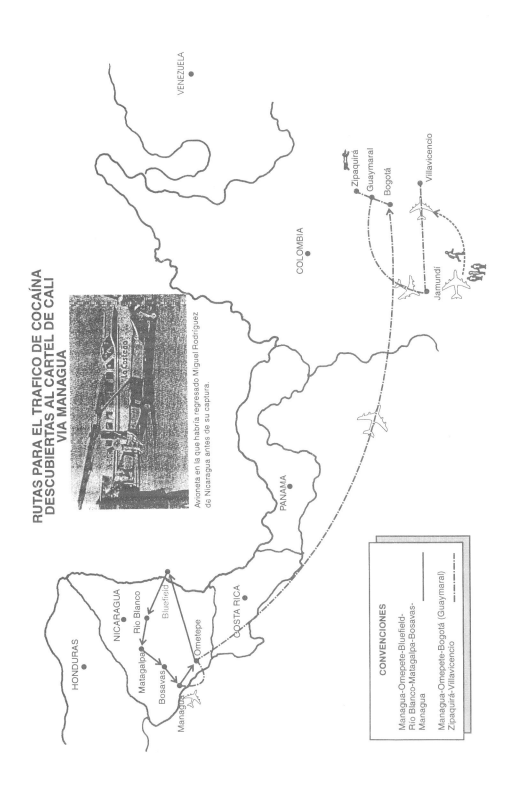

RUTAS PARA EL TRAFICO DE COCAÍNA DESCUBIERTAS AL CARTEL DE CALI VIA MANAGUA

Avioneta en la que habría regresado Miguel Rodríguez de Nicaragua antes de su captura.

HONDURAS

NICARAGUA

Rio Blanco

Matagalpa

Bosavas

Bluefield

Managua

Ometepe

COSTA RICA

PANAMA

COLOMBIA

VENEZUELA

Zipaquirá

Guaymaral

Bogotá

Villavicencio

Jamundí

CONVENCIONES

Managua-Omepete-Bluefield-
Rio Blanco-Matagalpa-Bosavas-
Managua

Managua-Omepete-Bogotá (Guaymaral)
Zipaquirá-Villavicencio

LA AGENDA DE GILBERTO RODRIGUEZ OREJUELA

NAMES AND ADDRESSES — TEL. NO.

FDO. LOZADA DL. 316260
B/quilla 384451 - 346024
Luz Pery 626561
C. Lopez 55 98420
LIBARDO P. 144840
O. Lomardo 630180
Ho. Dydr
Leavel. Lopez
(5591) of. 225-0622
R. 225-4655
EL. 399-110

NAMES AND ADDRESSES — TEL. NO.

Lieman Lopez 3831
Humberto Leonar 141783
ALDO LEONARDO 423390
BA 132235 R. 319626
LAB. KRESSFOR 378403
378199
Sr. R. Lopez 524878
LITO CONDOR 377776
L. Lozano R. 841534
Leonardo Lozano 800066
Oscar Lopez 389818
CALO 872774
LEO R. 373286
of. 622.34
LARA 741814

NAMES AND ADDRESSES — TEL. NO.

G. RODRIGUEZ 465166
182939 R
Cello 81 J-22 360763
O. RENTERIA 394732
Dr. Carlos Rubio
Av. Cuba 30/11 290385
ALEX Ruiz 4472600
CIMAG. Rio BTA
140725-4944
Residencia
364483 364467
69777
560453
L.G. Restrepo 621532
575688

NAMES AND ADDRESSES — TEL. NO.

Rafa. C. of. 499447 125316
R. 361346
RAFA Ramirez 2716266
2983018
Dr. 2583018
H. Roldan
R 731716 of. 181937
2056599
URIEL RAMIREZ 2827050
Ramirez 682853
Jimmy Rodriguez 537111
R. Y. O. R. 565196
581615
Cecilia Rojas 511141
Francy Rojas 393846
G. ROJAS 601205
REYNALDO

NAMES AND ADDRESSES — TEL. NO.

Julio C. Rojas 510216
Jose Ramirez 231170
Vicente Rivera 262
6810631 - 681552
A. RICO PL. 521.06
PL 511 09
JORGE RODRIG. 587437
Cesar Rodriguez 271230
Jose Ramirez 571365
C. Ramirez 584763
DR. RUFFET R 825068
C. RESTREPO
415604 R 318051
R. 436374
RIVERA

Sr. G. RONDEROS BTA 315604
NAMES AND ADDRESSES Pma. 646444

Lilio Rodriguez 2560749
V. Pilla 8601006
MIKE - R. 2313288
BTA 134560
Y. Rivera Pma. 637301
681 5552 (8410) 637383
H. 681-0631 BTA. 748288
Carmito 810445
H. 7023 C.T. 7847
Ernesto 135947 263223
137977 Pla. 135947
Pr-7310
Sr. Roa of 701942
25 2620
IRAN 7.490.0
MOVIL 10.049.0

NAMES AND ADDRESSES — TEL. NO.

TELEX
45632
GIRO 55159
811026
Telecom Bogota
831919
380900
2231
MARIELLA TASCON 631-0187
Jorge Tofiño Suiza 316497

NAMES AND ADDRESSES — TEL. NO.

UNSES R 578313
2578135 826280
377280 of 375948
URTA 617261
Luis Uribe Aorta 331480
274.776
B/q. 477768
Y. VELL BT 353853
Calle 30 601

NAMES AND ADDRESSES — TEL. NO.

Humberto Vega BTA 553948
H. Velez 357732
621722
491226
Vargas Velez 317110
Rodri - Jorge 356178
Dr. 25892
Valleavilla PL 27623

NAMES AND ADDRESSES — TEL. NO.

Jose Luis Velez 230511
DR. VARSILLO 21127
V. VALLS 371-1318
VEGA 358903
of. 840016
J. Villa 562150
MARIO 5603512
EL VIAJANTE 361-5444
RESTAURANTE 261-5441
J. 1819 RV.
H. VARGAS
R. VARGAS
Julian Velas
681223

Pese a que cualquier aeronave en Nicaragua tiene que declararse en emergencia a los 30 minutos de perdido el último contacto, en el caso de la avioneta de matrícula YN-CEV la alarma sólo se produjo seis horas después. La aeronave pertenece a la empresa nicaragüense La Costeña, de propiedad de una familia de cubanos exiliados, los Caballero, a quienes en varias ocasiones se señaló como proveedores de asistencia militar a La Contra nicaragüense, y de vender o alquilar aeronaves a personas vinculadas con el narcotráfico. El libro "Noriega, toda la verdad", del periodista Frederick Kempe, vincula a uno de los Caballero con el tráfico de drogas en Centroamérica.

La coincidencia del muerto aparecido en Zipaquirá y el presunto secuestro de la avioneta en Nicaragua alertó a la Interpol, que en pocas horas confirmó que el cadáver correspondía al del piloto Andrés Avelino Narváez, quien la conducía cuando fue controlada por los dos hombres que la contrataron originalmente, a nombre de los colombianos de nombre Frank Lacayo y Carlos López Baquedano, según ellos por instrucciones de un Marco Antonio Rodríguez, también colombiano.

La aeronave fue llevada hasta el aeropuerto La Paloma, en una isla del lago de Ometepe, en la frontera con Costa Rica. Allí, de acuerdo con la versión de varios campesinos, otros dos hombres llegaron en un bote y abordaron la nave. Uno de ellos era "bajo, blanco, canoso, de aproximadamente 53 años, vestía jeans y usaba anteojos con marco de carey" según un campesino, y "recio, ojos achinados y tiene cara de guardia", según otro.

Cuatro días más tarde se entregó en Cali el piloto nicaragüense desaparecido, Roberto Salvador Mayorga Martínez, al cónsul honorario de Nicaragua en Cali, pidiendo protección porque no le habían pagado los US$20.000 que le habían prometido por el viaje y presuntos agentes del cartel de Cali lo estaban amenazando de muerte en esa ciudad.

La avioneta YN-CEV apareció una semana más tarde en los hangares de Villavicencio de la empresa La Frontera. A esta misma empresa se le había incautado otra aeronave en 1991, HK3539, pero el Tribunal Superior de Barranquilla, con ponencia del magistrado Luis Peñaranda Stegman, ordenó su devolución.

La secretaria de Miguel Rodríguez también llevaba un minucioso registro en su libreta de los "Soplos" sobre los teléfonos que ordenaba intervenir la fiscalía.

Cuando publiqué la historia en El Espectador, con el retrato hablado del misterioso pasajero y la foto tomada al momento de su captura, pocos se atrevieron a expresar dudas sobre de quién se trataba. Por razones todavía no establecidas, Miguel Rodríguez Orejuela aparentemente regresó a Colombia a bordo de la avioneta nicaragüense secuestrada, y se ocultó en un apartamento en Cali que le había alquilado con ese propósito Hernán Gutiérrez, ahora casi su único hombre de cabecera. Tres años antes Gilberto Rodríguez habría cumplido un itinerario similar, pero con objetivos y resultados diferentes.

Los hechos que ocurrieron, tanto en el gobierno como en la mafia, entre el 27 de mayo y el 7 de agosto de 1995 seguramente permanecerán ignorados por buena parte de los colombianos durante varios años, salvo que ocurra algo excepcional que lo devele. Lo cierto es que en el puente de la última semana de mayo hubo una cumbre de los jefes del cartel de Cali y algunos de sus más importantes aliados en un restaurante al extremo norte de Bogotá. El motivo central de la discusión era definir la actitud a tomar frente a la exigencia cada vez más constante de que se sometieran a la justicia, y la enorme presión que ejercía sobre ellos un grupo elite de la Policía, que había integrado su nuevo director, el general Rosso José Serrano Cadena.

La Policía fue seleccionada por el entonces jefe de la DEA en Colombia, Joe Toft, como el organismo que apoyaría el gobierno de los Estados Unidos en la lucha contra el narcotráfico, pues a pesar de los graves problemas que se le reconocían, se la estimaba menos contaminada que cualquier otra institución de las Fuerzas Armadas Colombianas. Un coronel del Ejército que antes desarrolló las mejores y más productivas operaciones de inteligencia sobre el cartel de Cali —entre sus más importantes logros figuró la identificación y localización de Guillermo Pallomari como tesorero de los Rodríguez, al igual que la incautación de varios disketes en su oficina que contenían datos sobre movimientos de dinero y testaferros—, fue desprestigiado por el cartel, con el acucioso apoyo de un noticiero de la televisión, cuando se reveló un video filmado en un motel de Cali a donde fue llevado como gancho por una conocida prostituta al servicio de la organización.

Ese cuerpo élite de la Policía, el Bloque de Búsqueda, logró los mejores salarios y entrenamiento en inteligencia con los servicios secretos norteamericanos. El general Serrano empezó por despedir tres coroneles, 13 tenientes coroneles, 25 mayores y más de 50 agentes a quienes distintos indicios, entre ellos una nómina hallada a Pallomari, señalaba como sobornados por el cartel.

A continuación se inició el desmonte de la principal red de inteligencia del cartel, las empresas de taxi de Cali, cuyos conductores, al menos 1.500 según distintas fuentes, trabajaban con salario de los capos, y que en más de una ocasión llegaron incluso a provocar trancones en la vía a la salida de los camiones de la Policía, para dificultarles cualquier acción sorpresa, o dar tiempo de desaparecer a quienes iban a ser allanados por el bloque. El objetivo siguiente fue la infraestructura de comunicaciones de los Rodríguez, esencialmente una veintena de trabajadores de la empresa de teléfonos de Cali, que controlaba y advertía sobre los teléfonos interceptados o que consideraban "calientes" porque solicitaban un par aislado.

En medio de estos operativos, que permitieron la incautación de centenares de radios, walkies-talkies y toda clase de teléfonos cifrados, lo que más sorprendió a los investigadores, y no sólo a los colombianos, fue el hallazgo de un módem de computador que permitía interceptar cualquier teléfono tan pronto se activara, y conocer las llamadas que se habían hecho a cualquier parte del país. Según se afirmó entonces el aparato, de producción norteamericana, sólo estaba a disposición de gobiernos, y en el caso del confiscado a los Rodríguez figuraba como vendido al de Israel.

Durante un operativo en la sede del equipo de fútbol América, que controla el cartel, fueron detenidos más de veinte guardaespaldas de los Rodríguez, Herrera y Santacruz, incluido el ex mayor del Ejército Luis Mario del Basto, jefe de inteligencia de la organización. Un golpe psicológico, sin duda.

Finalmente el 9 de junio del 95 fue capturado Gilberto José Rodríguez Orejuela, el 4 de julio José Santacruz Londoño y el 6 de agosto lo fue Miguel Ángel Rodríguez Orejuela. El 8 de julio se había entregado Phanor Arizabaleta Arzayús, prófugo de un par de juicios en los Estados Unidos, en uno de ellos con un hermano suyo. Sin embargo su nombre no figura en los últimos cargos hechos al cartel de Cali.

En el mismo periodo se "sometieron" a la justicia el 23 de junio Henry Loaiza y luego Víctor Patiño, según diversas fuentes más movidos por el temor a que los Rodríguez Orejuela ordenaran "sacarlos del camino" como potenciales rivales suyos en la conformación de un nuevo cartel. Loaiza y Patiño son más cercanos al cartel del Norte que a los propios Rodríguez.

Pallomari no aparecía. Su escondite era un misterio. Por tanto se encargó a los abogados del cartel, Jaime Gil y Guillermo Villa Alzate que prepararan una cita con Gladys Patricia Cardona Cáceres, la esposa de Pallomari. Con la disculpa de la entrevista, la seguirían los sicarios del cartel para dar con el paradero de su marido.

Pallomari no apareció, y el seis de agosto de 1995 Miguel Rodríguez era arrestado en el apartamento de una de sus mujeres.

Una de las primeras diligencias a las que se citó a Miguel Rodríguez Orejuela fue a la de una rueda de reconocimiento, en la que dos nicaragüenses, el piloto Roberto Salvador Mayorga Martínez y Jorge Guerrero Gómez, quien había contratado el chárter en Managua, debían identificar si Rodríguez era el mismo misterioso pasajero de la avioneta YN-CEV. Miguel Rodríguez se negó a participar en la diligencia y, de acuerdo con la ley, ese hecho se convierte en un grave indicio en su contra, que prácticamente equivale a aceptar el cargo que se derivaría del reconocimiento por parte de los testigos.

El 7 de agosto William Rodríguez Abadía sostuvo una reunión en la que participaron Jorge Salcedo, César Yusti y otros miembros de las organizaciones sicariales del cartel y les ordenó localizar y asesinar a Gladys Patricia Cardona Cáceres.

Cuatro días más tarde William Rodríguez convocaba una reunión similar, pero en esta ocasión para anunciar que él tomaba el mando de las estruc turas del cartel de Cali, todo esto según testimonios en poder de las agencias antidrogas de los Estados Unidos, de las que hacen parte, al menos, dos testimonios de los presentes en las reuniones.

Cuando William Rodríguez Abadía anunció el inicio de su reinado en la cúpula del cartel —en ese momento el único de los tradicionales que quedaba en libertad era el célebre don Pacho, Helmer Herrera Buitrago—, a la reunión asistió Jorge Salcedo. Este, quien había sido presentado a Miguel Rodríguez por el ex oficial del ejército Mario del Basto como el hombre de inteligencia capaz de dar con Pablo Escobar, llevaba varias semanas planeando con el contador Guillermo Pallomari el abandono de las filas de Rodríguez para irse a la única parte donde podrían escapar a las amenazas de los Rodríguez: como testigos de cargo de la justicia de los Estados Unidos en el programa de protección de testigos, donde les cambian el nombre y les garantizan nueva identidad para iniciar una nueva vida.

William Rodríguez en realidad había sido la persona que provocó la idea de la fuga en Pallomari y Salcedo, pues protestaba permanentemente por el hecho de que el tesorero les reclamara la firma en los recibos del dinero que les giraba por cualquier concepto y que él, William, creía podría convertirse más tarde en su propia fuente de condena por enriquecimiento ilícito, al no poder justificar la procedencia de todos los dineros que ellos mismos aceptaban por escrito haber recibido.

Salcedo y Pallomari, cuando el primero advirtió al contador de la decisión de Miguel Rodríguez de verlo muerto, intercambiaron la información más secreta que guardaban, y de la que tenían vedado hablar: los depósitos que figuraban a su nombre en varios bancos, especialmente en una sucursal del Banco de Colombia de Cali. En total alcanzaban los US$2 millones cada uno. Una suma más que suficiente para iniciar una nueva vida en cualquier pueblo perdido, en la mitad de ninguna parte, en los Estados Unidos o cualquier otro país.

Pallomari tenía las claves para autorizar cualquier operación en los bancos, así que nada hacía prever un problema en los canjes y transferencias de los depósitos a término encomendados a sus nombres.

Pallomari inició los contactos directamente con la DEA en Colombia y en menos de una semana se organizó su salida desde el mismo aeropuerto de Bogotá. Cuando, casi un mes después de ocurrida, se filtró a la prensa la noticia de la salida fraudulenta de Pallomari, pues no se llenó ningún papel de emigración, la cancillería colombiana anunció a la embajada de los Estados Unidos que pensaba enviar una nota de protesta, a lo que un alto funcionario diplomático le replicó con tono cínico que sí era más que justificada la nota, sobre todo en vista de que era tan poco frecuente que del aeropuerto de Bogotá, o de cualesquiera otro del país, despegaran aviones sin el lleno de todos los requisitos. La nota nunca se envió.

Cuando Pallomari no pudo ser localizado, los Rodríguez efectivamente entraron en pánico y ofrecieron una alta suma de dinero por quien les ayudara a localizar a su esposa. La noticia en Cali se regó como pólvora. Y un par de días después fue localizada por la advertencia que les trasmitió una casa de cambios.

	14-ABR-94	Se efectua allanamiento y registro a la empresa TRAVIATUR LTDA, ubicada en la CALLE 2B No No 2B - 86 de propiedad de los hermanos DAVID y MIGUEL ALJURE BARJUN, se incautaron documentos de interes los cuales son sometidos a análisis con el objeto de establecer si existe enrriquecimiento ilícito por actividades de narcotráfico.
45	08-MAR-94	Se efectua allanamiento y registro a la CASA No 43, ubicada en la CALLE PILA RICA, via a PANCE, propiedad de la Señora LILIANA CABRERA SANCHEZ, casada por primera vez con el narcotraficante LUIS ENRIQUE UICYA TOBON, detenido actualmente en la prision de VICENS en ITALIA por delitos relacionados con el trafico de narcóticos, en la diligencia se incautaron los siguientes elementos, puestos a órdenes de la Fiscalia Regional :
		Pistolas Prieto Bereta CAL. 9mm 10
		Proveedores para pistola 9mm 20
		Escopetas varios calibres 14
		Municiones para escopetas, varios calibres 13.200
		Radios de comunicación 10

Facsímil del diario del Bloque de Búsqueda, cuando se inició la persecución al Cartel de Cali.

Gladys Patricia Cardona Cáceres, cuando ya se tenía dispuesto todo el aparato de seguridad para sacarla del país, se dedicó a regatear en varias casas de cambio, y la mayoría de las que funcionan en Cali están bajo el control de los Rodríguez Orejuela o gente de su estructura, para conseguir un mejor precio por la cantidad de pesos que iba a cambiar por dólares. Gladys Patricia fue secuestrada por hombres de los Rodríguez, quienes bajo tortura le sacaron el nombre de los funcionarios de la embajada americana que habían participado en la operación de Pallomari. La confirmación de la muerte de la esposa de Pallomari se tuvo casi en seguida en la embajada, porque a los celulares de los agentes empezaron a hacerse llamadas amenazantes.

En una declaración rendida bajo la gravedad del juramento en algún lugar de los Estados Unidos, ante un equipo colombiano de fiscales sin rostro, Pallomari dio esta versión el 17 de noviembre de 1995: *"Acuso al señor Miguel Rodríguez por el secuestro y asesinato de mi esposa Gladys Patricia Cardona Cáceres y de mi empleado, director de un instituto de educación de propiedad de mi familia, señor Freddy Vivas Yanguas, hecho que ocurrió el día 16 de agosto de 1995. La amenaza contra mi persona y contra mi familia él (Miguel Rodríguez) la realizó en la primera semana de agosto de 1995. Creo que el autor intelectual del asesinato y secuestro de mi esposa Gladys Patricia Cardona Cáceres y del señor Fredy Vivas Yanguas lo realizó José Estrada Ramírez por orden de Miguel Rodríguez Orejuela".*

Salcedo, a quien se acusó erróneamente de haber sido el autor de la delación del sitio donde se ocultaba Miguel Rodríguez, pues la ficha opera en un círculo mucho más estrecho de aquel en que se movía Salcedo, siguió al poco tiempo el camino de Pallomari.

Harold Ackerman, y al menos otras diez personas, sirven hoy como testigos de cargos en los Estados Unidos contra los hermanos Rodríguez Orejuela, William Rodríguez Abadía y más de 70 personas que colaboraron en su empresa criminal.

Cuando a mediados de agosto del 96 un Gran Jurado convocado por el Tribunal del Sur de la Florida, en los Estados Unidos, aceptó las acusaciones basadas en 556 hechos delictuosos imputados al cartel de los Rodríguez Orejuela, en buena parte fuente de los hechos descritos en este capítulo, también se ordenaron numerosas incautaciones de bienes, entre ellas la de todas las acciones, inmuebles, utilidades y existencias de propiedad parcial o total de Miguel y Gilberto Rodríguez Orejuela y William Rodríguez Abadía, y todos sus familiares, en estas sociedades:

Migil S.A., Supertienda La Rebaja, Supermercado Todo en uno, Inversiones Santa, Drogas La Rebaja Principal S.A., Drogas La Rebaja de Cali, Bogotá, Barranquilla, Neiva, Pereira, Pasto, Medellín y Bucaramanga; Drogas Cóndor, Popular de Drogas, Laboratorios Kressfor, Laboratorios Blaimar, Laboratorios Blancofarma, Depósitos Popular de Drogas, Distribuidora Myramírez, Inversiones Camino Real, Inversiones Arbeláez, Inversiones Ara, Export Café Ltda., Distribuidora de Productos Agrícolas El Diamante, Distribuidora Agrícola La Loma, Comercializadora Agrícola La Estrella Ltda., Seguridad Hércules, Litofarallones Ltda., y Representaciones Renzu Ltda.

Todas estas sociedades, efectivamente controladas por el cartel de los Rodríguez, funcionan en Colombia y en algunos casos se les ha cambiado de nombre, o de limitadas se las transformó en anónimas para ocultar sus verdaderos dueños, o se las convirtió en sociedades cooperativas, para hacer aparecer a los empleados como propietarios, por lo que se aventura una batalla diplomática de los Estados Unidos para incautarse de los bienes de los Rodríguez, en cumplimiento de esa decisión judicial.

Pero no fue esa la única decisión del Tribunal, que también ordenó embargar toda cuenta corriente o de ahorros, o cualquier papel financiero a nombre de cualquiera de los 76 miembros reconocidos del cartel, y todos sus familiares, hasta alcanzar la suma de $2.000 millones de dólares que se estimó obtuvieron con el contrabando de las 200 toneladas de cocaína. Adicionalmente se ordenó incautar las siguientes propiedades, en las mismas condiciones:

* Una casa avaluada en US$107.000, localizada en el número 10201 de la calle 89SW de Miami, de propiedad de Julio Jo y Kathryn F. Jo.

* Una casa avaluada en US$110.000, de propiedad de Sergio Aguilar, en el número 14849 de la calle 67SW de Miami.

* Una casa de propiedad de Miguel Rodríguez Orejuela avaluada en US$430.000, ubicada en el número 5757 de la Avenida Collins, unidad 1806, en el Condominio L'Excellence de Miami Beach.

* Una casa avaluada en $142.500, propiedad de Eddy Martínez, en la Avenida 93, número 8195 SW de Miami.

* Una casa de propiedad de Luis Alfredo y Rosario Grajales, avaluada en US$140.000, localizada en el número 212W de la avenida Jonquil, en la ciudad de McAllen, condado Hidalgo, en Texas.

* La casa número 1518W de la calle Flagler, de Miami, estimada en US$135.000, de propiedad de Armando y Georgelina Morejón.

* Una casa localizada en el número 4860SW de la avenida 104 de Cooper City, Florida, avaluada en US$130.000, y que figura a nombre de Luis y Leida Pérez.

* Una casa localizada en el número 5515-19 de la Avenida Hudson, West New York, en New Jersey, avaluada en US$337.000, de propiedad de C. y M. Morejón, familiares de Armando Morejón, y de B. Iacovelli, la novia de Armando.

* Todos los carros que se hallen en el Atlantic South Auto Brokers, la empresa controlada por Eddy Martínez, localizada en el número 4028 NW de la calle 24 de Miami.

* La cuenta 17801113 del Smith Barney de Nuerva York, abierta a nombre de William Moran y Gary Moran, de la firma Moran & Gold P.A.

* La cuenta 74991190 en el Merril Lynch, de Michael Abbell.

* La suma de US$1'281.182 incautada en efectivo.

Con anterioridad se habían incautado entre otras las siguientes propiedades, también de personas cercanas al cartel de los Rodríguez Orejuela:

* La casa número 9897SW 118 Court, de Miami, avaluada en US$96.000, de propiedad de Germán Zamora.

* La casa 8660SW de la avenida 149 de Miami, avaluada en US$55.000, también de propiedad de Germán Zamora.

* La casa número 14253 SW de la calle 51, avaluada en US$120.000, de propiedad de Germán y Blanca L. Zamora, los padres de Germán Zamora.

* La casa de número 4690 W en Hialeah, Florida, estimada en US$120.000, de propiedad de Alain T. y Marta L. Milanés.

* La casa del número 478 de la Línea de la Playa de Miami, propiedad de Hugo Pereira, avaluada en US$1'550.000.

* La casa 555 NE, 28A, de la calle 15 de Miami, de propiedad de Hugo Pereira, avaluada en US$210.000.

* La casa localizada en el númnero 9703 W. Lake Court, en Boca Ratón, Florida, de propiedad de Carlos y María P. Torres, avaluada en US$180.000.

* Una casa localizada en el número 14602 SW de la calle 94 de Miami, propiedad de Roberto y Leticia Ascuntar, avaluada en US$150.000.

* La tercera parte de las acciones en el Casino del Mar, en Isla Margarita, de Venezuela, de propiedad de Hugo Pereira .

* Un barco de 32 pies, FL 4971HJ, modelo 92, de propiedad de Hugo Pereira.

* Un buque remolque, BN957H, de propiedad de Hugo Pereira.

* Un Ferrari 328GTB, modelo 92, de propiedad de Hugo Pereira.

* Un Mercedes Benz de dos puertas, modelo 94, de propiedad de Hugo Pereira.

* Un carro Lexus modelo 93 de propiedad de Alain J y Marta Milanés.

* Un Mercedes Benz modelo 94, de propiedad de Germán Zamora.

* Un Buick cuatro puertas modelo 94, inscrito a nombre de Juan Villa, de propiedad de Roberto Ascuntar.

* Un coche Grand Prix modelo 94 de cuatro puertas, inscrito a nombre de Luis Rodríguez, de propiedad de Roberto Ascuntar.

* Un carro Mitsubishi de 4 puertas, modelo 90, de propiedad de Olvairo Correa.
* La cuenta 26000199125 del Twentieth Century Investors, a nombre de Donald L. Ferguson.

Enero del 96 pareció iniciarse con un buen augurio en la lucha contra el cartel de Cali: con excepción de Helmer Pacho Herrera, la cúpula de la organización de los Rodríguez estaba encarcelada. Desde luego que bajo sus términos, pero al menos sujetos a controles que se les podría imponer en una prisión de relativa seguridad.

Ernesto Samper Pizano afrontaba una de las tantas crisis de credibilidad que padeció bajo los cargos de haber sido financiada su elección con US$6 millones del cartel de Cali, y necesitaba resolver al menos el punto de interlocutor con los Estados Unidos en materia judicial. Decidió cambiar al ministro de Justicia, Néstor Humberto Martínez, por quien fuera su secretario jurídico, Carlos Eduardo Medellín Becerra, hijo del magistrado de la Sala Constitucional de la Corte Suprema de Justicia, Carlos Medellín Forero, asesinado durante la toma guerrillera del Palacio de Justicia, y durante la cual, en el fuego cruzado, murieron todos los magistrados de la Sala Constitucional, que estaban a favor de conservar la extradición de narcotraficantes a los Estados Unidos. Medellín Becerra está casado con una hija del también asesinado director de El Espectador, Don Guillermo Cano Isaza, muerto bajo las balas contratadas de Pablo Escobar Gaviria a través de uno de sus testaferros, Luis Carlos Molina Yepes, probablemente el fugitivo menos buscado de Colombia.

Era el candidato ideal para un menguado Samper Pizano de entonces. Pero alguien más se iba a aprovechar del cambio de ministros de Justicia, a cuyo cargo se encuentra también la administración de las cárceles.

En un diario de Bogotá, en la página 8A, a una columna, apareció el 11 de enero del 96 una breve nota de cinco párrafos, bajo el título Sorprendente actitud del "Loco" Giraldo, que se refería a Alberto Giraldo López, el relacionista público de los Rodríguez, y socio de varias de sus empresas, entre ellas las Líneas Aéreas El Dorado, cuyas acciones compraron al ex fiscal De Greiff Restrepo. La noticia hacía referencia al hecho de que un psiquiatra de la cárcel había tenido que visitar a Giraldo en vista de sus extrañas actuaciones de los últimos días, que la noticia concretaba en una frase que el detenido repetía continuamente: "el sol me avisa que llegó el momento de partir".

Como para no dejar dudas de la afirmación la nota remataba que el psiquiatra había certificado que Giraldo "goza de cabal salud".

Ese mismo día, en algún instante entre las doce y media y las tres de la tarde, José Santacruz Londoño —Chepe o El Estudiante—, se fugó de la cárcel "de alta seguridad" donde lo tenía recluido la justicia. Todas las puertas se le abrieron tan misteriosamente como cuando se le habían cerrado a sus espaldas el 4 de julio de 1995.

Políticamente el golpe de la fuga fue perfecto, porque en ese momento no había ministro a quien responsabilizar de la fuga, pues el uno se estaba yendo desde hacía varios días, y el nuevo apenas se alistaba para posesionarse del cargo. Sí, era la hora adecuada, "llegó el momento de partir", como dijera Giraldo en su clave cifrada, y que hasta ahora es la única pista que siguen los investigadores de la fuga, junto a unos zapatos tenis mojados que abandonó Santacruz en la cárcel.

El ministro Medellín Becerra dijo entonces que si se capturó una vez a Santacruz, no veía por qué no lo podrían volver a hacer. No hubo oportunidad. El cinco de marzo siguiente, a los tres meses de fugado, el cadáver de José Santacruz Londoño apareció baleado junto a un campero negro de placas MLV953, en cercanías al Hotel Intercontinental de Medellín, en la vía Las Palmas. En un principio el gobierno pretendió cobrar como una victoria la muerte de Santacruz, pero cuando la necropsia reveló la existencia de torturas al cuerpo del capo, y varios disparos que no concordaban con la versión original de la Policía, se decidió marginarse de "la buena noticia", como la calificara Samper en una apresurada conferencia de prensa que convocó a las 11 y 30 de la noche del mismo 5 de marzo.

Dos días más tarde también se descubrió un par de kilómetros más adelante, torturado y acribillado a bala, el cuerpo del conductor de Santacruz Londoño.

Era obvio que a alguien no le gustaban las muestras de poder que todavía daban los miembros de la cúpula del cartel de Cali, incluso recluidos en la cárcel.

El 26 de mayo de 1996 un grupo de siete hombres penetró al interior de un restaurante del centro de Cali, a donde acababa de llegar a almorzar William Rodríguez Abadía, y sin esperar un minuto le dispararon a él y a todos sus acompañantes. El día anterior había sido asesinado su jefe de seguridad. Rodríguez Abadía fue cubierto con el cuerpo de Nicol Antonio Parra Toro, su jefe de sicarios, más conocido por el nombre de Nico, quien recibió veinte tiros en todo el cuerpo.

El hijo, de Miguel Rodríguez que llevaba ya diez meses en la cárcel, recibió cuatro tiros.

Veintitrés horas más tarde hablaron por teléfono Miguel Rodríguez Orejuela y Helmer Pacho Herrera, llamada que fue interceptada por las autoridades, y entre las muchas revelaciones que hicieron llamó la atención esta: "pero éstos sí nos salieron peor que Pablo Escobar, pues".

Sí, los nuevos carteles de la cocaína no le quieren dejar espacio al resurgimiento de una maquinaria como la que manejaron los miembros del cartel de Cali.

Ahora ellos quieren ser Los Nuevos Jinetes de la Cocaína.

DEPARTMENT OF THE TREASURY
WASHINGTON, D.C. 20220

OFFICE OF FOREIGN ASSETS CONTROL
Specially Designated Narcotics Traffickers

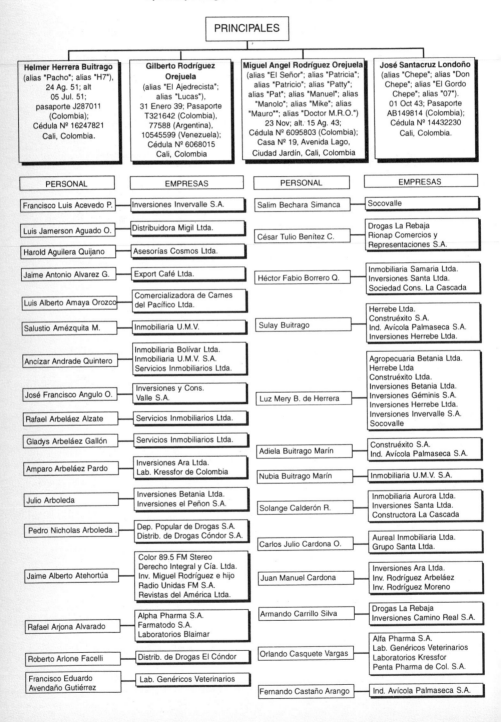

PRINCIPALES

| **Helmer Herrera Buitrago** (alias "Pacho"; alias "H7"), 24 Ag. 51; alt 05 Jul. 51; pasaporte J287011 (Colombia); Cédula Nº 16247821 Cali, Colombia. | **Gilberto Rodríguez Orejuela** (alias "El Ajedrecista"; alias "Lucas"), 31 Enero 39; Pasaporte T321642 (Colombia), 77588 (Argentina), 10545599 (Venezuela); Cédula Nº 6068015 Cali, Colombia | **Miguel Angel Rodríguez Orejuela** (alias "El Señor"; alias "Patricia"; alias "Patricio"; alias "Patty"; alias "Pat"; alias "Manuel"; alias "Manolo"; alias "Mike"; alias "Mauro""; alias "Doctor M.R.O.") 23 Nov; alt. 15 Ag. 43; Cédula Nº 6095803 (Colombia); Casa Nº 19, Avenida Lago, Ciudad Jardín, Cali, Colombia | **José Santacruz Londoño** (alias "Chepe"; alias "Don Chepe"; alias "El Gordo Chepe"; alias "07"). 01 Oct 43; Pasaporte AB149814 (Colombia); Cédula Nº 14432230 Cali, Colombia. |

PERSONAL	EMPRESAS	PERSONAL	EMPRESAS
Francisco Luis Acevedo P.	Inversiones Invervalle S.A.	Salim Bechara Simanca	Socovalle
Luis Jamerson Aguado O.	Distribuidora Migil Ltda.	César Tulio Benítez C.	Drogas La Rebaja Rionap Comercios y Representaciones S.A.
Harold Aguilera Quijano	Asesorías Cosmos Ltda.		
Jaime Antonio Alvarez G.	Export Café Ltda.	Héctor Fabio Borrero Q.	Inmobiliaria Samaria Ltda. Inversiones Santa Ltda. Sociedad Cons. La Cascada
Luis Alberto Amaya Orozco	Comercializadora de Carnes del Pacífico Ltda.		
Salustio Amézquita M.	Inmobiliaria U.M.V.	Sulay Buitrago	Herrebe Ltda. Construéxito S.A. Ind. Avícola Palmaseca S.A. Inversiones Herrebe Ltda.
Ancízar Andrade Quintero	Inmobiliaria Bolívar Ltda. Inmobiliaria U.M.V. S.A. Servicios Inmobiliarios Ltda.		Agropecuaria Betania Ltda. Herrebe Ltda Construéxito Ltda. Inversiones Betania Ltda. Inversiones Géminis S.A. Inversiones Herrebe Ltda. Inversiones Invervalle S.A. Socovalle
José Francisco Angulo O.	Inversiones y Cons. Valle S.A.	Luz Mery B. de Herrera	
Rafael Arbeláez Alzate	Servicios Inmobiliarios Ltda.		
Gladys Arbeláez Gallón	Servicios Inmobiliarios Ltda.	Adiela Buitrago Marín	Construéxito S.A. Ind. Avícola Palmaseca S.A.
Amparo Arbeláez Pardo	Inversiones Ara Ltda. Lab. Kressfor de Colombia	Nubia Buitrago Marín	Inmobiliaria U.M.V. S.A.
Julio Arboleda	Inversiones Betania Ltda. Inversiones el Peñon S.A.	Solange Calderón R.	Inmobiliaria Aurora Ltda. Inversiones Santa Ltda. Constructora La Cascada
Pedro Nicholas Arboleda .	Dep. Popular de Drogas S.A. Distrib. de Drogas Cóndor S.A.	Carlos Julio Cardona O.	Aureal Inmobiliaria Ltda. Grupo Santa Ltda.
Jaime Alberto Atehortúa	Color 89.5 FM Stereo Derecho Integral y Cía. Ltda. Inv. Miguel Rodríguez e hijo Radio Unidas FM S.A. Revistas del América Ltda.	Juan Manuel Cardona	Inversiones Ara Ltda. Inv. Rodríguez Arbeláez Inv. Rodríguez Moreno
Rafael Arjona Alvarado	Alpha Pharma S.A. Farmatodo S.A. Laboratorios Blaimar	Armando Carrillo Silva	Drogas La Rebaja Inversiones Camino Real S.A.
Roberto Arlone Facelli	Distrib. de Drogas El Cóndor	Orlando Casquete Vargas	Alfa Pharma S.A. Lab. Genéricos Veterinarios Laboratorios Kressfor Penta Pharma de Col. S.A.
Francisco Eduardo Avendaño Gutiérrez	Lab. Genéricos Veterinarios	Fernando Castaño Arango	Ind. Avícola Palmaseca S.A.

Nombre	Empresas
Pedro Antonio Chang B.	Distribuidora Migil Ltda. Radio Unidas FM S.A.
Oliverio Abril Cortéz	Constructora Dimisa Ltda. Inversiones Géminis S.A.
Juan Carlos Cuartes M.	Inversiones y Construcciones Valle S.A.
Hugo Carlos Daza Q.	Distribuidora de Drogas Cóndor Distribuidora Myramírez S.A. Lab. Genéricos Veterinarios
Pablo Emilio Daza Rivera	Blanco Pharma S.A. Color 89.5 FM Stereo Drogas La Rebaja Laboratorios Kressfor Rionap Comercio y Representaciones S.A.
Jorge Armando Delgado	Alfa Pharma S.A. Distribuidora Myramírez S.A. Farmatodo S.A.
Alberto Díaz Sánchez	Concretos Cali S.A. Constructora Dimisa Ltda. Inmobiliaria U.M.V. S.A.
Freddy O. Domínguez	Ind. Avícola Palmaseca S.A.
Federico Donneys G.	Distrib. de Drogas Cóndor
Martha L. Echeverry T.	Revista del América Ltda.
Oscar A. Echeverry T.	Color 89.5 FM Stereo
Walter Escobar Buitrago	Inmobiliaria Bolívar Ltda.
Octavio Estrada Uribe	Grupo Santa Ltda. Sociedad Const. La Cascada
Gilmer Antonio Galindo	Construéxito Ltda. Ind. Avícola Palmaseca S.A.
Diana Paola Galindo H.	Agropecuaria y Reforestadora Herrebe Ltda. Construéxito S.A. Ind. Avícola Palmaseca S.A. Inversiones Herrebe Ltda.
Diego Alexander Galindo H	Agrop. y Reforestadora Herrebe Ltda. Construéxito S.A. Ind. Avícola Palmaseca Inversiones Herrebe Ltda.
Elizabeth Gallego Berrío	Concretos Cali S.A.
Rosa Esperanza Gallego	Concretos Cali S.A. Constructora Dimisa Ltda.
Elmo Garcés Vargas	Inversiones Betania Ltda. Inversiones El Peñon S.A. Socovalle
Edgar Alberto García M.	Revista del América Ltda.
Rodrigo Garzón H.	Drogas La Rebaja
Octavio Giraldo Sarria	Inmobiliaria U.M.V. S.A.
Rosa Amelia Giraldo S.	Inmobiliaria U.M.V. S.A.
Julio Humberto Gómez	Lab. Genéricos Veterinarios
Juan Leonardo Garzón Restrepo	Blanco Pharma S.A. Distribuidora Myramírez S.A. Drogas La Rebaja Farmatodo S.A. Lab. Genéricos Veterinarios Laboratorios Kressfor Penta Pharma de Col. S.A. Valores Inmmobiliarios de Occ.
Gilberto Gaviria Posada	Alpa Pharma S.A. Blanco Pharma S.A.
Alfonso Gil Osorio	Dist. de Drogas Cóndor Ltda. Drogas La Rebaja S.A. Distribuidora Migil Ltda. Laboratorios Blaimar Laboratorios Kressfor
Fernando Giraldo A.	Inmobiliaria U.M.V. S.A.
Clara Stella Giraldo J.	Concretos Cali S.A. Constructora Dimisa Ltda.
Jorge Gómez Beltrán	Lab. Genéricos Veterinarios
Olmes de Jesús Gómez	Inversiones Invervalle S.A.
Omaira Gómez Galindo	Constructora Gopeva Ltda.
Luis Fernando Gómez J.	Inmobiliaria U.M.V. S.A.
Diego Fernando Gómez	Constructora Dimisa Ltda.
Ricardo Gómez Mora	Inversiones Geele Ltda. Lab. Genéricos Veterinarios
Manuel Antonio Gómez V.	Ganadera Ltda.
Julio César González R.	Lab. Genéricos Veterinarios
Alvaro Gutiérrez Cerdas	Distr. de Drogas Cóndor Ltda.
Fernando Antonio Gutiérrez Cancino	Drogas La Rebaja S.A. Laboratorios Blaimar Laboratorios Kressfor
Ana María Gutiérrez L.	Laboratorios Kressfor
Juan Pablo Gutiérrez L.	Laboratorios Kressfor
Alberto Henao López	Alfa Pharma S.A.
Hortensia H. de Sánchez	Alfa Pharma S.A.
María Yolanda Henao Vda. de Botero	Alfa Pharma S.A.
Ana María Gutiérrez L.	Inversiones Betania Ltda. Inversiones El Peñón S.A.
Alvaro Herrera Buitrago	Ind. Avícola Palmaseca
Stella Herrera Buitrago	Agropecuaria y Reforestadora Herrebe Ltda. Concretos Cali S.A. Constructora Dimisa Ltda. Ind. Avícola Palmaseca S.A. Inversiones Géminis S.A. Inversiones Herrebe Ltda. Socovalle Ltda.
Gilberto Gaviria Posada	Constructora Dimisa Ltda. Ind. Avícola Palmaseca S.A.

Giselle Herrera Ramírez	Agropecuaria y Reforestadora Herrebe Ltda. Ind. Avícola Palmaseca Inversiones Herrebe Ltda.
Linda Nicolle Herrera R.	Ind. Avícola Palmaseca S.A.
María Cecilia Herrera T.	Lab. Genéricos Veterinarios
Alvaro Holguín Sarria	Distr. de Drogas Cóndor Ltda. Distribuidora Migil Ltda.
Raúl Alberto Ibáñez López	Inmobiliaria U.M.V. S.A.
Jaime Idarraga Ortiz	Distr. de Drogas Cóndor Drogas La Rebaja S.A. Distribuidora Migil Ltda. Laboratorios Blaimar
Patricia Izquierdo Orejuela	Laboratorio Kressfor
Rosalino Izquierdo Q.	Inversiones Invervalle S.A.
José Isidro Jaimes R.	Concretos Cali S.A. Constructora Dimisa Ltda. Inmobiliaria Bolívar S.A. Inmobiliaria U.M.B. S.A. Inversiones Betania Ltda. Inversiones El Peñón S.A. Inversiones Géminis S.A. Socovalle Ltda.
Juan Carlos Larrañaga C.	Inmobiliaria Bolívar Ltda.
Orlando Libreros Díez	Constructora Dimisa Ltda. Ind. Avícola Palmaseca Valle Comunicaciones Ltda.
José Ricardo Linares R.	Construéxito S.A. Inmobiliaria Bolívar S.A. Inversiones Betania Ltda. Inversiones El Peñón S.A. Inversiones Herrebe Ltda. Inversiones Invervalle S.A. Viajes Mercurio Ltda.
Edgar Lindo Hurtado	Inmobiliaria U.M.V. S.A.
Vicente de J. Lopera	Inversiones Invervalle S.A.
Oscar López Valencia	Plásticos Cóndor Ltda.
Zilia Lozano de Gómez	Laboratorios Kressfor
María Gladys Lozano Cancino de Gutiérrez	Laboratorios Kressfor
Jesús A. Lugo Villafane	Concretos Cali S.A. Inversiones Invervalle S.A.
Carlos Julio Marmolejo L.	Agropecuaria Betania Industria Avícola Palmaseca
Hernán Rodrigo Marmolejo	Inversiones Invervalle S.A.
Alberto Márquez Canovas	Inmobiliaria U.M.V. S.A. Servicios Inmobiliarios Ltda.
Hugo Mazuero Erazo	Grupo Santa Ltda. Inversiones Santa Ltda. Sociedad Constructora La Cascada S.A.
Alba Milena Millán Rubio	Constructora Tremi Ltda.
Eduardo Mogollón Rueda	Distr. de Drogas Cóndor

Mariela M. de Rodríguez	Laboratorios Kressfor
Francisco J. Monroy A.	Constructora Dimisa Ltda.
Libardo Montaño Bermúdez	Lab. Genéricos Veterinarios
Mario Fernando Morán G.	Laboratorios Kressfor Penta Pharma de Col. S.A.
Juan Carlos Mosquera	Inmobiliaria U.M.V. S.A.
Adriana del Socorro Muñoz	Inversiones Invervalle
Patricia Izquierdo Orejuela	Laboratorio Kressfor
Joaquín Emilio Muñoz Paz	Constructora Dimisa Ltda. Inmobiliaria U.M.V. S.A. Invervalle S.A.
Juan Carlos Muñoz R.	Distr. de Drogas Cóndor Ltda. Drogas La Rebaja Ltda. Distribuidora Migil Ltda. Laboratorios Blaimar de Colombia S.A. Laboratorios Kressfor
Soraya Muñoz Rodríguez	Distr. de Drogas Cóndor Ltda. Drogas La Rebaja Ltda. Distribuidora Migil Ltda. Laboratorios Blaimar Laboratorios Kressfor
Willington Ortíz Palacios	Creaciones Deportivas Willington Ltda.
María Victoria Osorio C.	Color 89.5 FM Stereo Derecho Integral y Cía. Ltda.
Jorge Iván Osorio Piñeda	Lab. Genéricos Veterinarios
Carlos Augusto Patiño U.	Distribuidora Migil Ltda.
Gonzalo Rodrigo Paz M.	Color 89.5 FM Stereo
Teresa Peláez de Henao	Alfa Pharma S.A.
Carlos Pérez García	Asesorías Cosmos Ltda.
Jaime Diego Pérez Varela	Constructora Gopeva Ltda.
Marco Antonio Pinzón	Distr. de Drogas Cóndor Ltda.
Salomón Prado Cuero	Color 89.5 FM Stereo
Lisímaco Quintero Salazar	Inmobiliaria U.V.M. S.A.
Julio César Ramírez	Radio Unidas FM S.A.
Manuel Hernán Ramírez	Radio Unidas FM S.A.
Delia Nhora Ramírez C.	Agrop. y Reforestadora Herrera Ltda. Construéxito S.A. Ind. Avícola Palmaseca S.A. Inmobiliaria Bolívar S.A. Inversiones Géminis S.A. Inversiones Herrebe Ltda. Inversiones Invervalle S.A. Socovalle Ltda. Viajes Mercurio Ltda.
Gladys Miriam Ramírez L.	Drogas La Rebaja S.A.

Persona	Empresas
Oscar Ramírez M.	Inversiones Ara Ltda. Valores Mobiliarios de Occ. S.A. Rionap Comercio y Representaciones S.A.
William Ramírez V.	Concretos Cali S.A. Inmobiliaria Dimisa Ltda. Inmobiliaria Bolívar S.A. Inversiones Betania Ltda. Inversiones El Peñón S.A. Inversiones Géminis S.A.
Camilo Restrepo Villegas	Plásticos Cóndor Ltda.
Gilma Leonor Ricaurte F.	Lab. Genéricos Veterinarios
Mauricio J. Mosquera R.	Inversiones Géminis S.A.
Diego Rizo	Distribuidora Migil Ltda.
Jorge Luis Rizo M.	Constructora Dimisa Ltda. Ind. Avícola Palmaseca S.A. Servicios Inmobiliarios Ltda.
Manuel Rodríguez	Alpa Pharma S.A. Laboratorios Kressfor
William Rodríguez Abadía	Distr. de Drogas Cóndor Drogas La Rebaja Ltda. Distribuidora Migil Ltda. Inversiones Ara Ltda. Laboratorios Blaimar Laboratorios Kressfor
Carolina Rodríguez A.	Inversiones Ara Ltda.
María F. Rodríguez A.	Drogas La Rebaja S.A.
Humberto Rodríguez M.	Distr. de Drogas Cóndor Drogas La Rebaja Ltda. Distribuidora Migil Ltda. Laboratorios Blaimar Laboratorios Kressfor
Jaime Rodríguez M.	Distr. de Drogas Cóndor Drogas La Rebaja Ltda. Distribuidora Migil Ltda. Laboratorios Blaimar Laboratorios Kressfor
María Alexandra Rodríguez Mondragón	Distr. de Drogas Cóndor Drogas La Rebaja S.A. Laboratorios Blaimar
Juan Pablo Rodríguez M.	Inversiones Rodríguez Moreno
Miguel A. Rodríguez M.	Inversiones Rodríguez Moreno
Stephanie Rodríguez M.	Inversiones Rodríguez Moreno
Amparo Rodríguez Orejuela de Gil	Distr. de Drogas Cóndor Distribuidora Migil Ltda. Laboratorios Blaimar Laboratorios Kressfor
Haydee Rodríguez Orejuela de Muñoz	Distr. de Drogas Cóndor Distribuidora Migil Ltda.
Claudia Pilar Rodríguez	Distr. de Drogas Cóndor Drogas La Rebaja S.A. Distribuidora Migil Ltda. Laboratorios Kressfor
Hernán Rojas Mejía	Color 89.5 FM Stereo
Rosa Rojas Ortiz	Alfa Pharma S.A.
Héctor Emilio Rosales D.	Ind. Avícola Palmaseca S.A. Inmobiliaria Bolívar S.A. Inversiones Géminis S.A.
María Alexandra Rodríguez Mondragón	Blanco Pharma S.A. Farmatodo S.A. Lab. Genéricos Veterinarios Laboratorios Kressfor
Manuel Rodríguez	Alpa Pharma S.A. Laboratorios Kressfor
Carolina Rodríguez A.	Inversiones Ara Ltda.
María Fernanda Rodríguez Arbeláez	Drogas La Rebaja S.A.
Humberto Rodríguez M.	Distr. de Drogas Cóndor Ltda. Drogas La Rebaja Ltda. Distribuidora Migil Ltda. Laboratorios Blaimar Laboratorios Kressfor
Jaime Rodríguez M.	Distr. de Drogas Cóndor Ltda. Drogas La Rebaja Ltda. Distribuidora Migil Ltda. Laboratorios Blaimar Laboratorios Kressfor
Herberth Gonzalo Rueda Fajardo	Lab. Genéricos Veterinarios
Gregorio Rafael Ruiz H.	Comercializadora Orobanca
Jesús María Saavedra R.	Concretos Cali S.A. Constructora Dimisa Ltda. Inmobiliaria U.M.V. S.A.
Nhora Clemencia Salcedo	Inmobiliaria Bolívar S.A.
Jaime Salcedo Ramírez	Inmobiliaria U.M.V. S.A.
Carlos Omar Saldarriaga Acevedo	Radio Unidas FM S.A.
Dora Gladys Sánchez de Valencia	Inmobiliaria U.M.V. S.A.
Ana Milena Santacruz C.	Aureal Inmobiliaria Ltda. Inmobiliaria Samaria Ltda. Inversiones El Paso Ltda. Inversiones Santa Ltda. Samaria Ltda. La Cascada S.A.
Sandra Santacruz Castro	Inmobiliaria Samaria Ltda.
Ramiro Sarria Holguín	Inversiones Ara Ltda. Inv. Miguel Rodríguez e hijo Inv. Rodríguez Arbeláez Inv. Rodríguez Moreno
Alejandro Silva Perdomo	Construvida S.A. Ind. Avícola Palmaseca S.A.
Alfredo Solaque Sánchez	Alfa Pharma S.A. Laboratorios Blaimar Laboratorios Kressfor Penta Pharma de Col. S.A.
Joselín Torres Cortés	Aureal Inmobiliaria Ltda.
Arnulfo Trejos Márquez	Constructora Tremi Ltda.
Luis Humberto Triana T.	Comercializadora de Carnes del Pacífico Ltda.

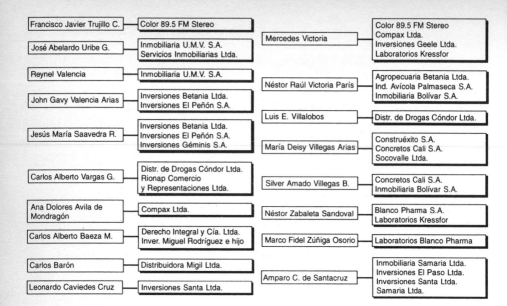

Francisco Javier Trujillo C.	Color 89.5 FM Stereo
José Abelardo Uribe G.	Inmobiliaria U.M.V. S.A. Servicios Inmobiliarias Ltda.
Reynel Valencia	Inmobiliaria U.M.V. S.A.
John Gavy Valencia Arias	Inversiones Betania Ltda. Inversiones El Peñón S.A.
Jesús María Saavedra R.	Inversiones Betania Ltda. Inversiones El Peñón S.A. Inversiones Géminis S.A.
Carlos Alberto Vargas G.	Distr. de Drogas Cóndor Ltda. Rionap Comercio y Representaciones Ltda.
Ana Dolores Avila de Mondragón	Compax Ltda.
Carlos Alberto Baeza M.	Derecho Integral y Cía. Ltda. Inver. Miguel Rodríguez e hijo
Carlos Barón	Distribuidora Migil Ltda.
Leonardo Caviedes Cruz	Inversiones Santa Ltda.

Mercedes Victoria	Color 89.5 FM Stereo Compax Ltda. Inversiones Geele Ltda. Laboratorios Kressfor
Néstor Raúl Victoria París	Agropecuaria Betania Ltda. Ind. Avícola Palmaseca S.A. Inmobiliaria Bolívar S.A.
Luis E. Villalobos	Distr. de Drogas Cóndor Ltda.
María Deisy Villegas Arias	Construéxito S.A. Concretos Cali S.A. Socovalle Ltda.
Silver Amado Villegas B.	Concretos Cali S.A. Inmobiliaria Bolívar S.A.
Néstor Zabaleta Sandoval	Blanco Pharma S.A. Laboratorios Kressfor
Marco Fidel Zúñiga Osorio	Laboratorios Blanco Pharma
Amparo C. de Santacruz	Inmobiliaria Samaria Ltda. Inversiones El Paso Ltda. Inversiones Santa Ltda. Samaria Ltda.

Capítulo III

Los nuevos jinetes

Y en efecto las nuevas organizaciones de traficantes de cocaína, aun todavía bajo el control de los Rodríguez Orejuela, pero que en poco tiempo van a querer liberarse de los peajes, no sólo preparan nuevas formas de organización y distribución de territorios, rutas y fuentes de provisión, sino que esperan concentrarse en el más lucrativo contrabando de heroína.

La dama blanca, como llaman a esta droga en Europa, en efecto genera más utilidades que la propia cocaína, tiene un mercado todavía restringido en México a viejas organizaciones ya detectadas, y sólo le hace falta el financista que, como hace diez años con los entonces incipientes traficantes de cocaína, les aporte el dinero que haga despegar la nueva etapa de los futuros jinetes.

A partir del epicentro de la zona cafetera y el norte del Valle del Cauca la heroína empieza a ser procesada para exportación, luego de recibir la goma en los centros de acopio que manejan especialmente en la zona montañosa del Cauca.

Es ingenuo pensar que si los Rodríguez Orejuela llevaban más de dos años tejiendo de forma paulatina la forma de encarar los eventuales procesos que se les montaran en Colombia y los Estados Unidos, con la recolección de testimonios jurados en falso, o el simple asesinato de posibles testigos, no iban también a prever la sucesión del cartel y su forma de integrarse con las organizaciones que quisieran entrar a participar en la rutas que ahora deben compartir con los carteles mexicanos.

Las principales organizaciones, en efecto, parecen respetar una línea de mando, como se desprende de la estructura más conocida, la del cartel del Norte del Valle, que tiene sede básica en Cartago y Tuluá, pero también en las de Santander, la Costa Atlántica, Buenaventura u Ocaña.

Es el esquema de los nuevos carteles, a los que tendrá que desarticular el Estado antes de alcanzar un poderío similar o superior al de quienes reciben el castigo. Esta es su historia, hasta donde se la conoce hoy.

Las organizaciones mafiosas se constituyen en todo el mundo de acuerdo a unos patrones más o menos universales: en unas ocasiones las aglutina la capacidad de manejar un territorio, o simplemente el hecho de operar en una misma zona, en la que luego no permiten penetre nadie más; en otras el hecho indicador es la familiá, la constitución de una organización mafiosa en torno de un solo clan familiar, del que depende la toma de decisiones y la adopción de estrategias. Estos dos tipos son los más frecuentes, porque los vínculos estrechos que generan se convierten en asociaciones casi imposibles de penetrar en la cúpula, o son virtualmente refractarias al enfrentamiento o la guerra interna.

Hay otras dos formas de asociación en torno de actividades delictivas, como son la integración por actividad delictiva, o sea la unión de distintos grupos, incluso independientes entre sí, pero a quienes los vincula un Don, un padrino quien por lo general es una persona mayor o con bastante experiencia en torno al crimen que genera la asociación, y que se convierte en un factor indispensable para zanjar disputas, evitar guerras, y hasta para resolver la expansión de la organización a otras actividades.

Y por último, la de especialistas, que son las organizaciones que prestan servicios específicos a otras organizaciones más grandes, y en el caso de los carteles de la cocaína, para el transporte, almacenamiento o distribución de la droga, y en los ciclos de lavado del dinero.

Colombia tiene ejemplos de todas ellas.

En la medida en que el Estado toma la iniciativa de perseguir las organizaciones mafiosas, éstas aprenden de las experiencias anteriores, y van tendiendo a la especialización para pretender hacerse menos vulnerables a la ley. La cooperación internacional de países de mayor experiencia en la lucha contra el crimen organizado, como Italia, Gran Bretaña y los Estados Unidos ha sido el factor más útil en la detección de estos fenómenos en Colombia, donde hasta hace una década lo más común era que, como en la política, la organización se aglutinara en torno de un caudillo repentino.

Un ejemplo de la organización en torno al territorio se encuentra en el cartel de la Costa (Atlántica). El núcleo central lo constituyen unas diez familias, que en las décadas de los 70 y los 80 se especializaron en prestarse al transporte de marihuana y cocaína a los carteles del interior y desde hace ya un par de años funciona en buena parte como unidad independiente, aunque sin renunciar a su papel preponderante de apoyo logístico.

Su mayor protección la constituye la infraestructura política en la que se ampara (por lo menos tres de los miembros de su cúpula son congresistas, como se verá más adelante), pero también los altos índices de desempleo y el racismo imperante en las tres grandes ciudades del país, Bogotá, Cali y Medellín, que prácticamente veda a los costeños el ejercicio de las oportunidades de acceso.

Cuentan a su favor con una clara identidad cultural con la costa venezolana y panameña, a donde ya expandieron sus nexos y vínculos de muchos años con las islas caribeñas, especialmente en Aruba, Haití (Fernando Burgos Martínez) y Santo Domingo.

La organización que gira en torno de un núcleo familiar no sólo es la más extendida entre los carteles de la droga colombianos, sino que incluso desde 1991 cuenta con protección constitucional: el artículo 33 de la Constitución adoptada en 1991, y que algunos especialistas aseguran es una norma única en el mundo, consagra como "derecho fundamental" de los colombianos, el no estar obligado a declarar "contra sí mismo o contra su cónyuge, compañero permanente o parientes dentro del cuarto grado de consanguinidad, segundo de afinidad o primero civil". Ese mismo principio de "inmunidad penal" estaba también consagrado en la Constitución del 86.

De los 30 artículos que consagran los derechos fundamentales de los colombianos en el Título II de la Carta Fundamental, diez son dedicados exclusivamente a protecciones en materia penal (Ver capítulo VII), y principalmente en cuanto tiene que ver con verse expuesto a una investigación criminal. Con semejante entramado de garantías, que por lo general se limitan a establecerse en los códigos, para permitir que siempre el derecho personal ceda ante el colectivo o social, es difícil no prever el florecimiento de este tipo de organizaciones familiares.

En su mayoría las estructuras de traficantes de cocaína, antes de erigirse o integrarse en carteles, fueron grupos familiares a los que la expansión forzó a aceptar nuevos miembros, como es el típico caso de los Ochoa Vásquez, Escobar y sus primos, o los Rodríguez Orejuela, y ahora los Henao Montoya.

En lo que respecta a las organizaciones por especialización, se ensaya la compartimentación vertical, o por servicios. Según esta organización, desde la base hasta la cúspide, un solo cartel controla toda la organización de un servicio, transporte, producción, procesamiento en laboratorio, o distribución. Según parece esta nueva forma de contrabando les brinda una mayor versatilidad, y también más opciones de ampliación, porque una sola organización se encarga de conseguir la cocaína o la heroína, y colocarla en un sitio de tranporte, para que la otra organización la reciba y cumpla la parte que le corresponde en la cadena.

Adicionalmente, la forma de operación es similar a la de los mexicanos, es decir, se puede recibir un dinero específico por el cumplimiento de la función hasta ese punto, o se cobra con una parte del cargamento cuando llegue al sitio de destino. Esta última es la forma más frecuente, pero también la que más problemas ha generado, pues si se paga con cocaína a, por ejemplo, el transporte interior en Colombia, pero la cocaína es incautada en los Estados Unidos, el cartel del transporte de todas maneras quiere su dinero, que no acepta perder por un trabajo cumplido.

Esa es en buena parte la explicación de varias de las guerras internas que se viven actualmente en el seno de varias organizaciones de traficantes en el país, y que sólo en lo que va corrido de este año ha dejado más de medio centenar de muertos.

Pero en lo que sí se ha demostrado insuperable el nuevo sistema es en el lavado de dinero, pues logra el objetivo que siempre ha sido la preocupación central de todo mafioso, después de comprarse su primer político y su primer avión: que el dinero no toque la coca, ni viceversa.

En efecto, si la organización por especializaciones deja el lavado de dinero en personas que no tengan relación alguna con el tráfico de la droga, resultará cada vez más difícil vincular a los grandes capos de la coca con el dinero lavado, de donde se corre la expectativa de ver, como con Al Capone, a mafiosos sólo detenidos por enriquecimiento ilícito o evasión de impuestos. La situación es también compleja en los Estados Unidos y en Europa, donde la relación del dinero con la coca es indispensable para permitir su incautación.

Bastó un juego de contabilidad falsificado de varios libros, para que una corte luxemburguesa devolviera más de US$30 millones a la viuda de José Santacruz Londoño, que entonces sólo figura como separada, con el argumento de que el dinero provenía de unas fincas y un ingenio azucarero y lo había recibido como sus ganancias matrimoniales en el juicio de divorcio.

A lo largo de los últimos años han empezado a florecer casos como el de Víctor Patiño Fómeque, en Cali, quien virtualmente controla el puerto de Buenaventura, sobre el Océano Pacífico, y cuya organización está especializada en el transporte de la cocaína por barco en dos modalidades, la primera y más frecuente, en pequeñas embarcaciones que la llevan hasta una nave nodriza que espera en alta mar, a la que se le entrega el cargamento de la droga para ser conducida al destino final. O directamente su transporte, por lo general a México, en grandes embarcaciones que ocultan la droga entre los productos de exportación tradicional de Colombia.

En uno de los cargos citados en el capítulo anterior se pudo apreciar cómo Miguel Rodríguez Orejuela pagó más de un millón de dólares a Patiño por concepto de un embarque de cocaína.

En muchas ocasiones ahora esas nuevas organizaciones se encargan de llamar a otros grupos de traficantes en el interior del país, para que aporten cargamentos de droga a fin de poder cumplir con las cuotas fijadas en México.

La organización de Henry Loaiza, como otro ejemplo, presta los servicios de protección militar a los otros carteles, al que lo contrate, a cambio también de una tarifa que puede ser en participación en un cargamento, o un porcentaje fijo sobre las operaciones del grupo.

La peculiaridad colombiana, que también maneja niveles de hiperrealismo hasta en los bajos fondos del crimen, aportó otra clasificación, la de la guerrilla que secuestra aeronaves o embarcaciones de propiedad de los carteles, en ocasiones hasta con sus tripulantes, saca su propia droga hasta los centros de consumo, más habitualmente en Europa, y luego las devuelve sin necesidad de haber invertido un peso en una de las etapas más costosas del narcotráfico.

En el mundo de los nuevos jinetes de la cocaína también se aprecia básicamente la repetición de los mismos esquemas de organización, aunque dado lo reciente de la caída del cartel de los Rodríguez y el proceso de definición de los distintos grupos, es difícil hacer todavía una previsión de cuál será la estructura del cartel a que se enfrentará el Estado en los próximos años.

De la lectura del capítulo anterior resulta evidente que la capacidad logística del cartel de Cali es total, y que su respuesta en el contrabando de cocaína depende sólo de hallar una actividad que la ampare y justifique la movilización de dinero y mercancías, como la exportación de cerámicas, vía Haití; postes de concreto, por Venezuela; café, por Panamá, o vegetales por Centroamérica.

México ha sido hasta ahora un tema vedado en el tema narcotráfico esencialmente porque Estados Unidos ha puesto demasiado dinero en el proyecto del mercado común del Nafta, como para frenarlo ellos mismos con la denuncia de la intensa actividad que manejan los carteles de ese país. Pero ello es un hecho innegable.

En la actualidad cualquier modalidad de traficar con cocaína hacia los Estados Unidos tiene que tomar en cuenta a los mexicanos, bien sea para asociarse con sus carteles, o lo más frecuente, para servirles de proveedores del polvo blanco, a fin de que ellos mismos se encarguen de la distribución y venta en los Estados Unidos. Es algo similar a lo que ocurre con Europa: después de explorar muchos frentes de contrabando y asociaciones coyunturales con pequeñas organizaciones de Portugal, España y Holanda, la relación con los clanes mafiosos italianos tradicionales, y algunos enclaves importantes suyos en el Reino Unido, parece haberse adoptado como solución. La droga se abandona en paquetes con sofisticados medios de localización, que luego recoge cualquier barco de la gigantesca flota pesquera española, y en especial de las organizaciones gallegas, tradicionales contrabandistas de cigarrillo americano.

Pero desde luego que México será en un futuro muy próximo el actor principal del tráfico de cocaína y heroína hacia los Estados Unidos. Los carteles del inmediato futuro seguramente serán llamados los "nacotraficantes del libre mercado", porque serán protegidos, o al menos actuarán bajo las leyes del libre mercado que ya amparan la movilización de mercancías apenas con controles al amparo de tratados como el de Nafta o la Unión Europea.

Por lo pronto ya se habla de un primer beneficiario, Víctor Patiño Fómeque, conocido internacionalmente como el "Rey del atún blanco", quien cuenta con una gigantesca infraestructura de la que forman parte otros grupos de traficantes menos publicitados, pero igual de efectivos, como el de los Rayo de Buenaventura.

El atún blanco es la especie más apetecida de todos los pescados que llegan a los Estados Unidos: con ese nombre se bautizó a las bolsas de cocaína que transportan las flotillas de atuneros que operan en Colombia, Venezuela, Perú y México, y de las cuales se considera la de Patiño Fómeque como una de las más grandes.

En la actualidad operan en el país unas ocho grandes organizaciones de traficantes de cocaína y heroína, que a lo largo de los últimos dos años también han empezado a exportar marihuana, que se la creía de muy baja rentabilidad desde principios de los años 80, y adicionalmente porque las intensas labores de fumigación y erradicación de las áreas de cultivo había cumplido sus propósitos.

De todas ellas, como ha sido tradicional, las más incólumes a la acción estatal, y hasta internacional, han sido las que funcionan en Pereira y Armenia, y que prácticamente no han tenido variación en los últimos diez años. Junto al tradicional grupo de las familias Piedrahíta y Cárdenas, el varias veces detenido y otras tantas escapado de prisión Carlos Humberto Gómez Zapata, y los grupos de Antonio Correa Molina y Alcides Arévalo.

La rivalidad entre estos dos últimos se ha hecho tan patente, que construyeron uno al frente del otro grandes centros comerciales, que compiten abiertamente por la mayor suntuosidad o el gran boato, especialmente en los fines de semana.

Durante los dos últimos años es cada vez más evidente el auge de la heroína en la zona de control de Pereira, que ahora también es Manizales en el tema del narcotráfico, tras el aparente retiro de Gonzalo Mejía Sanín, el primer "arrepentido" que se acogió a la figura del sometimiento a la justicia. Sin embargo se asegura que las dos grandes organizaciones que controlan su comercio, la de un ex banquero y un industrial, apenas "comparten riesgos" con las mulas que envían al exterior, por un sistema bastante sencillo. El dueño del cargamento arriesga la mitad del valor de la heroína, y quien es escogido para transportarla, debe hacer "vaca" con amigos, familiares y vecinos, para aportar la otra mitad.

Poco que ver ciertamente con la forma de operación del clan de los Urdinola Grajales, que por ahora son todavía los grandes exportadores de heroína a los Estados Unidos.

Pero esas estructuras están absolutamente intocadas, en todas las oficinas de inteligencia hay decenas de reportes sobre estas organizaciones, pero sin que se haya traducido en acciones judiciales todavía.

Cuando los capos del cartel de Cali empezaron a ser detenidos, director y subdirector de la Policía anunciaron que su próximo objetivo sería el cartel de Pereira, pero las acciones se limitaron a unos cuantos allanamientos, especialmente a propiedades de los Sarria, que tienen gran influencia en Armenia, o Cuchilla y Chupeta, que manejan en el tema de droga otras regiones, pero jamás a los capos de la zona. Después se habló de la necesidad de concentrarse en el cartel de la Costa y ahora últimamente en el del Norte del Valle, pero jamás se ha presentado un resultado positivo en esa región.

Algunos afirman, también como hace una década, que la misma estructura de la sociedad cerrada, con grandes cafeteros muy ricos y luego una gran población, muchas veces flotante, que apenas malvive, facilita casi compartimientos estancos, sin comunicación del uno con el otro, y que sería también la base del auge de la guerrilla en la región cafetera.

Sin embargo, después de la Costa Atlántica, la organización que más llama la atención por las muestras de poder que ha dado en los últimos años es la del norte del Valle.

Es poca la información que se posee sobre su origen mismo, pues la atención de agencias nacionales e internacionales antinarcóticos se concentraron primero en las organizaciones de Medellín y Bogotá, después en la de Cali, y poco en esos pequeños grupos que van escalando al amparo de las más poderosas, que primero les prestan su sombrilla y después de determinado tiempo se abren para constituir su propia organización, hasta cuando logran disputar al anterior para ocupar su lugar.

Es el caso de Efraín Hernández Ramírez, don Efra recientemente asesinado, contra quien las autoridades no lograron estructurar un solo proceso por narcotráfico. Hay registros de sus actividades de hace más de 15 años, pero ni siquiera se tenía claridad, hasta hace muy poco gracias a un testigo sin rostro, de si pertenecía o no a la estructura misma del cartel de Cali, pues en unas ocasiones aparecía vinculado con operaciones comerciales con los Rodríguez, especialmente durante la época de incursiones de Gilberto en la industria automotriz, y en otras aparecía en licitaciones públicas haciendo propuestas multimillonarias, y cuya pérdida le podría significar al cartel perder la oportunidad de negocios muy importantes, por lo que se lo presumía entonces de una organización opuesta al cartel de Cali.

Hernández, que durante varios años fue tenido como un hombre de negocios que llegaba a Bogotá a invertir dineros de provincia, hasta cuando sus vínculos con las agrupaciones de narcotraficantes del norte del Valle empezaron a ser más evidentes, en la medida en que más los conocían las autoridades.

Esa notoriedad subió de grado cuando se casó hace varios años con una Señora Ecuador, una dama de la sociedad quiteña a quien había conocido por una de sus empresas farmacéuticas y de venta de carros que operan allí. Cuando ella le pidió el divorcio más tarde, debido a los rumores de sus actividades poco transparentes, Efraín Hernández decidió que se casaría en esa misma ciudad y con una mujer más joven, que resultó ser una reina colombiana, Sandra Murcia.

Efraín Hernández Ramírez se habría retirado hace varios años del tráfico de cocaína propiamente dicho, pero en ese momento dejó una organización compartimentada de doce grupos, que lo reconocen como gran jefe, le pagan un porcentaje de los cargamentos que logran coronar, y a cambio él sirve de árbitro y amable componedor en las disputas que suelen ocurrir en el bajo mundo del narcotráfico.

La progresiva detención de miembros del cartel de Cali, del Norte y de la Costa, lo exhibieron en público en varios documentos, y tuvo que ejercer de padrino, del Don, para intentar apaciguar una guerra entre carteles que lleva ya varios episodios, pero que él había logrado frenar, especialmente por cuenta del ascendiente que tiene entre los distintos grupos del cartel.

Los últimos episodios de la guerra, que se narran en el capítulo siguiente, terminaron con el asesinato del propio Efraín Hernández, quien murió junto a uno de sus más tradicionales colaboradores, Alfredo Haddad Salván, que manejaba una de las redes del capo en Ocaña.

Efraín Hernández Ramírez operaba las principales rutas desde Antioquia, y alcanzó a manejar un auténtico cartel él solo, con bases que trabajaban para él en Norte de Santander, desde donde cubría a Venezuela; Santander, Cartagena, Buenaventura y Ecuador. Se lo considera como el colonizador de la constitución de empresas en esos dos países, Venezuela y Ecuador, que sirvieran de fachada para la exportación de droga.

Después organizó las rutas de México, y consideraba al Oceano Pacífico como la ruta más obvia del narcotráfico, por las facilidades enormes que representan las enormes playas del Chocó y el puerto de Buenaventura.

El asesinato de Efraín Hernández no es más que el inicio de la que será una larga guerra por el control de los carteles.

El grupo de los doce, como se lo conoce más frecuentemente, y que es el cartel del Norte del Valle, tiene a su vez un gran jefe, que sólo atiende a don Efra, y que es Orlando Henao Montoya, cuñado de Iván Urdinola Grajales.

Los brazos operativos, que son los otros once grupos, están formados por un hermano de Orlando, Arcángel de Jesús Henao Montoya, jefe del aparato de seguridad y protección de la familia; Henry Loaiza Ceballos, el Alacrán, que maneja un auténtico ejército a su servicio, para alquiler de protección de laboratorios y embarques; Víctor Patiño Fómeque, el papi , que controla Buenaventura y las flotas de pesqueros; N. Quesada, o Pelusa; Juan Carlos Ramírez Abadía, Chupeta; Arturo de Jesús Herrera Saldaña, alias

Banana; Iván Urdinola Grajales, detenido, pero se tienen informaciones en la Policía de que continúa operando desde la cárcel; Luis Hernando Gómez Bustamante, Rasguño; Carmelo N., un amigo personal de Miguel Rodríguez; N. Cejo, Carlos Alberto Rentería Mantilla, alias Beto, que opera en Tuluá, y Diego León Montoya Sánchez.

De cada estructura de los doce depende una nueva célula, pero hasta el momento sólo se ha podido identificar la que depende de Patiño Fómeque, que es la organización formada por los hermanos Pablo y Ángel Rayo, también de Buenaventura.

Cuando Miguel Rodríguez Orejuela fue capturado el 6 de agosto de 1995 en Cali, se le incautaron dos maletines con documentos, uno de los cuales contiene una lista de Grupos, con una cifra al frente, que se reproduce facsimilarmente en este mismo capítulo. Según Pallomari, se trataría de las listas de los aportes exigidos a otros narcotraficantes para apoyar la campaña presidencial de Ernesto Samper y algunas de las iniciativas legislativas que se conocieron como narcomicos, pues sólo a ellos los beneficiaba. Entre distintos organismos la lista se ha intentado descifrar, y si bien muchas de ellas no coinciden, esta es la descripción que pareció más ajustada a la realidad. La cifra que se coloca al frente correspondería, en esta interpretación, a los aportes, en millones de pesos que habría hecho cada uno:

Grupo Cifuentes: $200. - Hay un Fernando Cifuentes, que puede ser un hijo de Amparo Cifuentes, conocida hace más de una década como la reina de Cali. Esta Amparo fue novia de Gilberto Rodríguez Orejuela, y por eso cree se trataría de un hijastro del capo.

Grupo Salomon, Joel y Carmelo: $200 - Hay varios Salomón en el narcotráfico, uno de ellos capo del cartel de la Costa, probablemente de la antigua organización de los Nader. Pero hay una estructura de los Rodríguez, a cargo de Salomón Prado, Chalo, que está muy cercano de Miguel. De esta organización haría parte ahora Gustavo Tapias.

Grupo Juan Carlos: $200 - Sería Juan Carlos Ramírez Abadía, Chupeta.

Grupo Dr. Patiño: $200 - Sería Víctor Patiño Fómeque, alias El Papi.

Grupo Montoya: $200 - Sería Diego Montoya Sánchez

Grupo Loaiza: $200 - Sería Henry Loaiza Ceballos, El alacrán.

Grupo Piedra: $200 - Serían José Piedrahíta Ceballos, Montañero, cercano en la estructura de los Rodríguez Orejuela, y en la misma estructura estaría José Nelson Urrego Cárdenas. Santiago Piedrahíta (cartel de Pereira). Pero también hay unos hermanos Piedra que funcionan en torno de Alacrán, como testaferros, a los que les hicieron atentados al inicio de la guerra con los Rodríguez.

Grupo 54, Nissan, Toyota y Mauro: $800 - Serían los de la cúpula del cartel de Cali, por sus seudónimos, aunque parece raro que cada grupo ponga el mismo dinero que los demás. La lista la hizo Miguel Rodríguez Orejuela, y no es por eso extraño que su nombre aparezca al final de todos. Grupo 54: Helmer Herrera Buitrago; Nissan sería José Santacruz Londoño, aunque ese mismo alias se lo aplican en ocasiones a Gilberto Rodríguez Orejuela; Toyota sería Gilberto Rodríguez Orejuela, y Mauro, Miguel Rodríguez Orejuela.

Grupo Valencia: $200 - La versión oficial más común se orienta hacia Alberto Valencia, de Cali, de la estructura de los Rodríguez, y no se sabe si vinculado con la empresa Valencia Import Export, involucrada en la investigación desde 1989. Trabajaría con Hermes Humberto Valencia, quien lava gigantescas sumas de dinero desde un círculo de discotecas en varias ciudades del país, las más importantes funcionan en Palmira.

Hasta aquí aparecen las organizaciones que aportan $200 millones, pero curiosamente hacen falta otros grupos incluso más importantes que algunos de los mencionados. La única explicación que sería que aportaron dinero por su propia cuenta a sus candidatos.

Grupo Cejo y Juan Carlos: $100 - Sigifredo Trochez Lemus es el nombre que se citó originalmente en este grupo, pero luego se pudo comprobar que efectivamente hay un Cejo, y que Trochez es su conductor. Podría tratarse de José Alcides Loayza Montoya, primo de El alacrán.

Grupo Hernando: $100 - Hernando Gómez, rasguño.

Grupo Marroquín: $100 - Edgar Marroquín.

Grupo Mocho García: $100 - Jairo García Lozano.

Grupo Maquilón: $50 - Luis Alfredo Maquilón Amaya, cuñado de los Rodríguez, casado con Rafaela Rodríguez Orejuela.

Grupo Tascón: $50 - Sería Giovanni Caicedo Tascón, lavador de dinero, de la estructura vieja de los Rodríguez. Fue "amnistiado" por haber servido de testigo contra Escobar. En el norte del Valle funciona Carlos Tascón, quien controla dos empresas privadas de aeronavegación y una de autobuses, ambas empleadas en el tráfico de cocaína.

Grupo Luis Carlos: $50 - Sería Juan Carlos Ortiz Escobar, cuchilla, pero se alega que sería un aporte de muy poco dinero para el nivel de operaciones que maneja.

Grupo Palmira: $50 - No se tienen nombres concretos, pero se trataría de una organización bajo el control de Arcángel Henao.

Grupo Chespirito: $50 - Se alega es Benito Heredia, un primo de Gonzalo Rodríguez Gacha.

Grupo Rayo: $50 - Pablo y Álvaro Rayo, una organización de Buenaventura integrada en la organización del Papi, o Patiño Fómeque. Su función sería principalmente la de transportadores y contaban con una organización de lavadores de dinero en Nueva York.

Grupo Cuco: $50 - Alvaro Sierra.

Grupo Sánchez Martín: $50 - Orlando Sánchez Cristancho, "overol", a quien se acusa de haber sido el planeador del asesinato de Elizabeth Montoya de Sarria, la monita retrechera, por orden de los Rodríguez y en relación con deudas a su grupo. También hay un José Alberto Sánchez, de la estructura de los Rodríguez, y en ocasiones Walter Soto se hace llamar Carlos Martín, pero no se sabe si están relacionados como dependientes frente a Sánchez Cristancho.

Grupo Guaras: $50 - Serían Leonidas, Hernando y Rodrigo Vargas Cuéllar, propietarios de numerosas fincas en los Llanos Orientales, protegidos de políticos, cercanos a los paramilitares del Llano, al cuidado de los laboratorios. En sus fincas colocan como "rosa de los vientos" una gigantesca vaca con un ternero hechos en fibra de vidrio, que giran con la dirección del viento.

Grupo Toto: $50 - No se tienen nombres.

Grupo Fierro: $50 - No se tienen nombres.

Grupo Ferraro: $50 - No se tienen nombres.

Grupo Hoover: $50 - Hoover Salazar, quien manejó varias redes del narcotráfico en Colombia, y desde hace varios años reside en México, donde sirve de contacto con los carteles del Valle.

Grupo Pelusa: $25 - Sería un esposo de Patricia Quesada, a quien se señala como importantísimo miembro de la mafia, pero no se tienen nombres. Un organismo cree que se puede tratar de Pelusa Ocampo, del viejo cartel de Medellín.

Grupo Cache: $25 - Sería el conformado por Pastor Perafán Homen y Guillermo Ortiz Gaitán, pero también se alega que sería un aporte de muy poco dinero para su importancia en los esquemas de lavado de dinero en que se los empleó. Herb Alberto Ortiz también aparece en la relación.

Grupo 28: $100 - Sería un primo de Gonzalo Rodríguez Gacha, posiblemente Javier, que opera en Medellín con los históricos del cartel de Medellín. Se le llama K28 o H28, al parecer por las claves de comunicaciones por radio. Estaría preso en relación con el asesinato de Luis Carlos Galán, durante un operativo en Puerto Boyacá. Podría ser cercano con Bernardo Arcila, que intentan reconstruir un cartel.

Grupo Beto: $100 - Sería Carlos Alberto Rentería Mantilla, conocido como Beto. Detenido, vinculado a procesos con MRO.

Grupo Quintero y Humberto: $100 - La organización de Alvaro Quintero Tejada.

*Grupo Angel e Italo: $100 - Sería la organización de Alberto Angel (Jaime Angel Montaño), pero hay informaciones opuestas. Sería más fácil creer que éste es el que aparece bajo el nombre JM, que es más bajo (Jaime Angel Montaño, Arcángel de Jesús Henao Montoya y Orlando Henao Montoya). Genaro Angel, el carpintero.

Grupo Solano: $100 - Jorge Solano Cortez, vinculado directamente a la organización de Miguel Rodríguez Orejuela. También se identifica como Jorge Lozano y Jorge Losada.

Grupo Don Chucho: $100 - Jesús Amado Sarria Agredo, alias don Chucho.

Grupo Caracol: $100 - Alberto Orlández Gamboa, alias caracol, del cartel de la Costa. Cuando por primera vez apareció su nombre públicamente, ordenó asesinar a todas las personas que lo habían visto durante los últimos tres años, a fin de proteger su identidad.

Grupo Baena: $50 - Javier Baena Vélez.

Grupo Phanor: $50 - Phanor Arizabaleta Arzayus, es difícil que tenga un tocayo, pero es demasiado poco dinero para su importancia en la organización.

**Grupo JM: $50 - (ver otro asterisco) Jaime Angel Montaño, Arcángel de Jesús Henao Montoya y Orlando Henao Montoya.

Grupo Nasser: $50 - Sería la organización de Julio Nasser David, con sus hijos Nasser Arana. Sheila, la esposa de Julio, entregó toda la red de lavado de dinero que les operó por casi 20 años, y casi US$200 millones, en el proceso que se le siguió en los Estados Unidos luego de ser extraditada de Suiza. Se afirma que pronto regresará a Colombia.

Grupo Colorete: $50 - No se tienen nombres.

Grupo Uribe: $50 - Oscar Uribe.

Casi ninguno de los nombres que aparecen en esta lista de Miguel Rodríguez tiene procesos penales en su contra, aunque figuran con anotaciones de narcotráfico en los archivos de informes confidenciales de los organismos de inteligencia que controlan las operaciones.

De todos ellos, los más mencionados son los hermanos Henao Montoya, por su evidente importancia en el cartel del Norte, y Pastor Perafán, por sus excentricidades y el cálculo para penetrar en los altos círculos políticos de Bogotá.

Cuando se entra a la oficina 403 del Interior 4 de la Hacienda Santa Bárbara, al norte de Bogotá, donde funciona el Consorcio Perafán Hermanos, lo primero que llama la atención es el derroche de secretarias de buen gusto y lo abigarrado de los muebles, que casi se disputan cada centímetro del mármol del piso de la recepción.

Lo cual es poco si, tras una enorme puerta de madera labrada, se accede a la oficina de juntas: al fondo, presidiendo la mesa ovalada, hay dos enormes cuadros, a lado y lado de su silla, a su flanco izquierdo el libertador Simón Bolívar, y al derecho el emperador Napoleón Bonaparte. En el centro, apenas el espacio suficiente para que tome asiento Pastor Perafán Homen.

Un artificio que no es gratuito, porque todos sus empleados, incluidos los tres periodistas que le manejan el ego con la misma habilidad que las relaciones públicas, lo llaman El Señor Presidente. Y algo reciben a cambio, porque el jefe de los comunicadores es conocido entre la batería de secretarias como el ministro de Comunicaciones.

Todo un gobierno que ha debido entrar a la sombra desde cuando la Fiscalía General de la Nación libró orden de captura contra Perafán Homen, y que seguramente se podrá hacer efectiva si los dos ex generales que manejan su equipo de seguridad, uno de la Policía y otro del Ejército, resuelven tomar partido por el país antes que por su nuevo patrón.

Aunque de pronto tampoco sea suficiente, pues Perafán prácticamente tiene en su nómina a 10 congresistas, entre ellos dos senadores y, la que parece ser su debilidad, un par de ex ministros de Desarrollo, sin distingo de filiación política, de quienes seguramente intentará servirse para buscar la protección política que ahora tanto necesita.

¿Y de dónde surgió este hombre de 1.65 metros de estatura, boca pequeña, cabello castaño liso corto, frente amplia, cejas separadas escasas, ojos iris castaño oscuro, de piel color trigueño oscuro y contextura gruesa, según la descripción oficial, que tiene al Ministro del Interior Horacio Serpa y al contralor David Turbay absolviendo interrogatorios de la Fiscalía y a otros cuatro congresistas bordando la captura?

Nadie se atreve a hablar con seguridad, porque de la Registraduría Nacional del Estado Civil desapareció su tarjeta decadactilar, y en la ficha alfabética sólo aparece un Pastor Perafán Homen, nacido el 11 de diciembre de 1946 en Rosas, Cauca, donde fue protegido de una familia Dorado. El mismo que como sargento viceprimero dirigió el Laboratorio de Idiomas del Ejército, hasta 1979.

Pastor Perafán no era un hombre de debates. Eso lo tenía bien claro desde los quince años, cuando decidió abandonar su familia, de pobres campesinos olvidados en lo más profundo de la quebrada provincia del Cauca, en el municipio de Rosas, donde aún todavía no se ha graduado el primer estudiante, porque la escuela no alcanzó a ser inaugurada cuando ya los políticos de la región habían hecho trasladar a los maestros, sus cuotas burocráticas, y se habían apropiado de los pupitres y hasta los tableros que no alcanzaron a ser desembalados cuando ya retomaban un nuevo rumbo, hacia Velchite, donde los conservadores en el gobierno necesitaban todavía más obras que mostrar para consolidarse frente a las próximas elecciones.

La escuela todavía existe allí en el centro de Rosas, aunque debería decirse mejor que se presiente entre los cuatro muñones de paredes construidas en tierra pisada, carcomidos por la lengüevaca y el pasto que toma proporciones de árbol en una de sus esquinas.

De ahí salió Pastor Perafán dispuesto a conquistar el mundo, empezando por hacerse adoptar por la familia de los panaderos del pueblo, que siempre terminan por quedarse con las fincas por cuenta de las semanas de panes vendidos al fiado. Ya en el centro social del pueblo descubrió que los honores se ofrecían de oficio a las tres autoridades del pueblo, el juez, el cura y el jefe de policía, y que de los tres, para el único que no se requería estudios era para ser policía. Perafán entró al Ejército, aprendió a chapucear el jai, jauaryu, y a las pocas años ya era el instructor de toda la oficialidad.

La forma más fácil de conocer un narcotraficante es desde el Ejército, a donde llegan a reclamar sus paz y salvos para el porte de armas, las oficinas de seguridad privada, los coches blindados o las estaciones de radiocomunicaciones. Y Perafán empezó por conocer desde los incipientes narcotraficantes, que eran los contrabandistas de licores y de cigarrillos. Y con ellos diseñó sus primeras operaciones, que consistían en introducir desde Centroamérica armas, licores y cigarrillos, en los mismos barcos en que salía marihuana y cocaína.

Eran los años 70, cuando para toda Colombia el narcotráfico sólo estaba asociado con unos costeños bochincheros, dilapidadores y vengativos. Nadie miraba hacia el interior, porque allí los capos eran un par de banqueros, algunos industriales nacientes, las mejores familias que podían ir y regresar de los Estados Unidos o de Europa sin despertar sospecha alguna.

Así que cuando Pastor Perafán se retiró del ejército, con un grado menos al debido pero con $20.000 millones en sus cuentas, pasó a ejercer de lavador oficial de los carteles, protegido con el espíritu de cuerpo del Ejército y unos aceptables nexos políticos en ciernes.

Su fachada como importador de güisqui le brindó cierto nivel, hasta que en 1986 fue sindicado por la justicia costarricense de haber montado un laboratorio de cocaína en San Isidro del General. Casi al mismo tiempo que las autoridades panameñas lo vincularon con el decomiso de 1.059 libras de cocaína. En las dos operaciones fueron capturados hombres de su confianza, y contratados por alguna de sus empresas en Colombia, como luego también lo serían en Madrid, Roma y Moscú.

Pero como siempre, las sindicaciones de Interpol no alcanzaron a impedir que Pastor Perafán montara en Colombia su propio emporio económico, que va desde la explotación hotelera hasta salones de belleza y diseño, pasando por su participación en una mina sudafricana y en un oleoducto en el ex territorio soviético, los que visita en su propio jet. Claro, eso cuando le apetece abandonar su casa blindada construida dos kilómetros al sur del hotel de su propiedad, el Chinauta Resort, a continuación del Estadero Casablanca, cerca de Fusagasugá, a dos horas de Bogotá.

En sociedad con sus hijos (9) Perafán Zapata, Perafán Cardona, Perafán Cuervo, Perafán Mosquera y Perafán Alzate, el hoy prófugo Pastor Perafán constituyó un bloque de doce sociedades en Colombia, cuyos activos declarados superan los $20.000 millones, y de los cuales el más conocido es el Colombian Hotels-Chinauta Resort de Fusagasugá, una pretendida operación de lavado de dinero que debió mantener en su poder, pues invirtió en la construcción más dinero de lo que podría pagar por ella cualquier cadena internacional, como era su objetivo. Un caso bastante similar al que experimentarían luego otros narcotraficantes del Valle, como Nelson Urrego y Jesús Sarria con sus esperpénticos hoteles de la isla de San Andrés.

Pero si Colombian Hotels es la más conocida de sus empresas —en un volante publicitario anuncia desarrollos similares en Bogotá, Barú "y en otros lugares a lo largo de América"—, no es ciertamente la mayor contratista con el Estado. Ese título lo lleva la firma Inversísmica, que realiza estudios de consultoría en sísmica para las grandes empresas petroleras. La firma (antes Ecosísmica) se montó con un equipo adquirido a la firma Sercel S.A. de Houston, en los Estados Unidos, y en menos de cuatro años había logrado adjudicaciones de contratos en la empresa estatal Ecopetrol por más de $6.000 millones, en operaciones de exploración en Guatiquía (160 kilómetros), Guaviare (200 kms), Calarma-Cucuana (180 Kms), El Difícil (200 Kms), La Cira (80 Kms) y Medina (120 Kms).

El valor por kilómetro explorado osciló entre los US$7.000 y los US$16.000. También se menciona el nombre de esta sociedad en las exploraciones que generaron el conflicto étnico con los cabildos Oriwoc, por la forma como se intentaron desconocer derechos a los indígenas de la comunidad U'wa.

Las otras sociedades más significativas del Consorcio Perafán son Maderas San Luis, A.T.J. Construcciones, Imagen y Sonido, Inversiones Ganadecol, Compañía Colombiana Exportadora de Café, Coexcafé; Inversiones Perafán e hijos Ltda., Siderúrgica Zipaquirá Ltda., Importaciones y Exportaciones Colombo-Brazileras Ltda., Ultrasmar de Colombia... en fin. Las que consideró suficientes para postularse en la última licitación de televisión, con la esperanza de quedarse con alguno de los noticieros abiertos a la nueva información. A la que poco se ocupa en destacar las actividades de la mafia, y en cambio avizora enemigos de su soberanía en todo lado.

Pese a que quienes lo rodean habitualmente son periodistas, sus preferencias no son sin embargo los medios de comunicación —de los cuales se afirma, todavía sin pruebas en la Fiscalía, que participa en al menos tres distintos—, sino las reinas de belleza.

En más de un reinado de belleza se le ha visto alquilar hasta un piso completo de un importante hotel de Cartagena, para celebrar apuestas sobre quién será la reina en esa ocasión.

Casi siempre va sobre seguro en ganar las apuestas a sus invitados, que en alguna ocasión llegaron al centenar de millones. Y no era para menos. Algunas de ellas eran patrocinadas por él mismo, vía su cuñado, el diseñador de modas Carlos Zapata, quien encabezó la más ambiciosa operación adelantada por acercarse al entonces presidente Gaviria, y penetrar su círculo.

Relación de las cuentas de Perafán halladas por la fiscalía. A un lado su tarjeta de presentación. ¿Cuántos millones lavó Perafán en esos Bancos?

La única duda que surge entonces es si ni con cuñado diseñador se mejora la estética de las oficinas de Perafán, ¿en qué se gastan la plata?

Otro miembro de las Fuerzas Armadas, pero esta vez de la Policía, que llegó a ser uno de los hombres más ricos dentro de la mafia es Jesús Amado Sarria Agredo, un hombre que manejó siempre un perfil bajo en sus relaciones personales, pero cuya mujer, Elizabeth Montoya, era una apasionada de los caballos y de la política, y entre los dos la mataron.

Donde Sarria sí era muy conocido era en el mundo de la Policía, pero no tanto según parece por sus actividades relacionadas con el narcotráfico, sino por las campañas periódicas de asistencia social que organizaba en compañía de su mujer, en favor de la institución a la que había pertenecido, y en la que montó una infraestructura de protección personal y de negocios.

Sarria Agredo, con una vida casi paralela con la de Pastor Perafán, en cuanto a sus orígenes y la forma de desenvolvimiento de su actividad criminal, aspecto que de por sí sólo justifica un libro, había nacido en septiembre de 1952 en Buenos Aires, Cauca. Se trasladó después a Cundinamarca, posiblemente a Sibaté, un pequeño poblado a hora y media de Bogotá, conocido por ser el pueblo de los locos.

Según su propia versión rendida ante la Fiscalía, fue agente raso de la Policía hasta cuando un traslado le cambió su vida: en 1978 fue asignado a la Isla Prisión de La Gorgona, en el pacífico, y allí un día excavando para pasar el tiempo, halló una gigantesca mina de esmeraldas, de donde proviene su riqueza.

El argumento lo empleó Sarria para eludir el cargo de enriquecimiento ilícito que le formuló la Fiscalía, pero sin mayor fortuna.

Chucho Sarria, como es más conocido, se relacionó con Elizabeth Montoya, oriunda de Armenia, en un viaje de ésta a Colombia, a donde había regresado luego de una serie de problemas judiciales a que se vio abocada como consecuencia de sus actividades de lavado de dinero en varios estados de los Estados Unidos.

La primera identificación de ambos provino de su afición por la santería cubana, y en especial una forma de "adivinación del futuro", el lanzamiento de los caracoles, una práctica muy extendida en la isla caribeña. La idea consiste en lanzar tres caracoles en la misma forma en la que se haría con los dados o las tabas. La posición en que queden las ranuras de los caracoles, la dirección y la cercanía de unos con otros define la "lectura" del futuro.

Pero los caracoles se pueden lanzar por una o por otra persona cercana, sobre cuyas actividades se tenga algún conocimiento, para hacerles la pregunta que corresponda. Y esa fue la primera perdición de "los santeros", como llamaban al matrimonio Sarria Montoya. Hacia finales de los años 80 Elizabeth y Chucho lanzaron los caracoles por uno de los hombres más cercanos de Miguel Rodríguez, que controlaba las rutas centroamericanas del cartel. Los Sarria ordenaron matar al lugarteniente de Rodríguez.

La cercanía de ambos impidió que el incidente diera base a una guerra entre las dos facciones, pero sí hubo lugar a un juicio. Miguel Rodríguez preguntó a Sarria el motivo por el cual había asesinado a su hombre, y cuando respondió que los caracoles le habían advertido que éste representaba un peligro grave para su futuro, Rodríguez montó en ira, se preguntó si los caracoles lo advertían sobre él, también lo matarían los Sarria.

Pero Chucho Sarria era un hombre demasiado importante en la organización, así que acordaron una sanción intermedia: los Sarria abandonarían Cali, y su centro de operaciones sería Bogotá.

El nombre de los Sarria no aparecía mencionado en prácticamente ningún archivo oficial, hasta cuando sus relaciones con los políticos empezaron a llamar la atención. Elizabeth en especial era una liberal convencida, que vivía ofreciendo respaldo económico a quien lo quisiera aceptar. Manejaba además un importante círculo social del que hacían parte las esposas de la alta oficialidad, que necesariamente los tuvo que poner en contacto con su paisano de Rosas, Pastor Perafán.

Pero Sarria era integral a las líneas del cartel de Cali, como se pudo descubrir el 15 de junio de 1993, cuando una avioneta repleta de cocaína cayó en Santa Ana, en El Salvador, y fueron detenidos sus dos ocupantes, entre ellos Luis Fernando Farfán Muñoz, quien fue llevado a la prisión.

Farfán reveló a las autoridades que el cargamento de cocaína era de propiedad de "Jesús A. Sarria", del cartel de Cali. En el proceso de colaboración en que se encuentran las policías latinoamericanas desde hace un par de años para intentar erradicar el contrabando de cocaína, la policía salvadoreña envió un completo reporte sobre las circunstancias en que había caído el cargamento, y se mencionaba como propietario a Jesús A. Sarria.

En esa misma época Miguel Rodríguez desplegaba a todos sus abogados en los Estados Unidos para recaudar testimonios jurados de todos los asociados del cartel que estuvieran detenidos, y creyó que lo mismo debería hacerse con Farfán Muñoz. Rodríguez encargó a su abogado, Guillermo Villa Alzate, para que se encargara de conseguir la declaración, pues en la Fiscalía Regional de Cali se acababa de iniciar una investigación penal contra Sarria, que eventualmente lo podría tocar a él.

Villa se presentó al tradicional Juzgado Once Civil del Circuito de Cali para que le autorizara la práctica de unas pruebas anticipadas, y con ella en el bolsillo viajó a San Salvador, para conseguir la declaración de Farfán, que esencialmente tenía que decir que Miguel Rodríguez no tenía nada que ver con el cargamento de cocaína incautado, y que Jesús A. Sarria se llamaba Jesús Antonio Sarria.

Según Farfán, Villa lo amenazó si llegaba a pronunciar el nombre de Rodríguez y, en cambio, prometió que a cambio de su silencio recibiría protección del cartel, que alquilaría algún apartamento de los centenares que le manejaba una conocida agencia inmobiliaria de Cali, que administra la mayoría de los inmuebles del cartel, en una inteligente operación de lavado de dinero que se explica en otro capítulo.

Farfán también dijo que Villa Alzate le había presentado como amenaza un itinerario de algunos de los miembros de su familia, que llevaría la firma de Miguel Rodríguez. Le quedó vetado mencionar ante la Policía los nombres de los hermanos Rodríguez Orejuela, Chucho Sarria, Juan Manuel Posada y Pacho Herrera.

Villa regresó a Colombia, y presentó una cuenta de honorarios de US$7.000 a un Jesús Antonio Sarria. Esa cuenta se halló entre los papeles incautados a una de las oficinas de Miguel Rodríguez Orejuela, donde también aparecieron una demanda ante la Corte Constitucional contra el artículo de la ley que creó el delito de enriquecimiento ilícito, y fotocopia íntegra de la investigación preliminar que adelantaba en ese momento la Fiscalía Regional de Cali contra Sarria.

El proceso contra Sarria fue trasladado a Bogotá.

Una rápida investigación de la Fiscalía permitió establecer que Jesús Antonio Sarria era un drogadicto repudiado por su familia, al que habían ofrecido dinero a cambio de aceptar que era el mismo a quien Farfán mencionaba en su declaración. Seguramente como había ya sucedido en otras ocasiones en que se habían empleado nombres similares, tan pronto Jesús Antonio declarara en el juzgado, sería asesinado.

La operación de encubrimiento de Sarria estaba al descubierto, al igual que su relación con Miguel Rodríguez.

Pero la Fiscalía también descubrió en Cali a Luis Fernando Farfán Muñoz, quien acababa de regresar de Centroamérica. Cuando fue llamado a declarar para que explicara la incriminación de Jesús Antonio y no la de Jesús Amado Sarria, las circunstancias eran las más propicias para la justicia: Miguel Rodríguez se había retractado de pagar el apartamento que el cartel le había asignado, y de los pagos periódicos no se había dado muestra alguna. Farfán propuso colaborar con la justicia y convertirse en testigo contra quienes habían tenido participación en el embarque, a condición de que entrara al programa de protección, que implica cambiarlo de identidad e instalarlo en alguna parte donde no se tuvieran referencias suyas.

El mismo Farfán propuso a la Fiscalía que le permitieran quedarse en la ciudad un par de semanas más, para intentar conseguir nuevos elementos de incriminación. Entre el 23 y el 28 de mayo del 96 Farfán hizo su primera declaración como testigo secreto. Pero la periodista Julia Navarrete, una hábil reportera de El Espectador que maneja muy buenas fuentes judiciales, se enteró del testimonio y publicó algunos pormenores que para Sarria y los Rodríguez confirmarían la existencia del testigo secreto.

Sarria, en conversaciones interceptadas por las autoridades, había confesado a varios amigos suyos de la certeza de que la justicia no tendría opción diferente a dejarlo en libertad, y convalidar con ello la legalidad de todos sus bienes, estimados hoy en más de $40.000 millones. La aparición del testigo no podía significarle cosa distinta a que tendría que comparecer en juicio.

Ya instalado en un lugar seguro Farfán Muñoz rindió un testimonio que duró hasta el 17 de julio: había conocido a los Sarria en un lujoso apartamento de la isla de San Andrés, que en realidad eran dos unidos. Los esposos Sarria mantenían allí dos pistolas, y en la misma isla en un hangar privado varios aviones de propiedad de Sarria, con los que traficaba cocaína por una ruta que implicaba a Cuba. Para demostrarlo, Farfán entregó a la Fiscalía la copia de un video que había encontrado en el mismo hangar, y en el que se ve al propio Sarria con otras personas "bombardeando" cocaína en las playas de Cuba, sin ninguna obstrucción de las autoridades. El bombardeo, como ya se ha relatado, es el lanzamiento al mar de las bolsas de cocaína embaladas en impermeables, donde pequeños botes las recogen para almacenarlas y luego hacerlas llegar a su destino.

En la película se pueden también ver tres avionetas, con su matrícula, HK-3221P, HK-3240W y HK-3275P, según Farfán todas de propiedad de Sarria y empleadas para el transporte de cocaína. Resalta la importancia de Sarria en el tráfico de drogas, y en ese sentido cuenta que Sarria financia otros traficantes, les presta dinero para la compra y embarque de droga, y a cambio recibe unos intereses más un porcentaje sobre el valor final de la cocaína que ayudó a transportar. Esto es lo que hizo, por ejemplo, con José Nelson Urrego Cárdenas.

Farfán Muñoz relató otras intimidades de las operaciones de narcotráfico: que si un cargamento de cocaína de su organización es incautado en los Estados Unidos, la única forma de eludir el pago es con la presentación de un indictmen o pliego de cargos penales relacionados con esa incautación. Farfán fue testigo del envío de 800 kilos de cocaína en la ruta que ahora se frecuenta por el cartel, que se inicia en Brasil y termina en México.

Como visitas frecuentes en las reuniones de Sarria mencionó a los ex congresistas del Tolima y Nariño, Alberto Santofimio Botero y Samuel Escrucería Manzi, el primero condenado por enriquecimiento ilícito y el segundo por narcotráfico. También mencionó a Nelson Urrego, Walter Franco y al coronel de la Policía Osorio, quien acompañó como jefe de seguridad a Ernesto Samper en la campaña presidencial, y luego fue su edecán en el Palacio de Nariño, hasta cuando fue detenido.

Farfán presenció una reunión entre los Sarria y el arquitecto Juan Carlos Gaviria, en la que discutieron por inversiones conjuntas que hicieron en la isla de San Andrés, en la construcción de un conjunto de cabañas. Juan Carlos Gaviria fue secuestrado en extrañas circunstancias y liberado gracias a las gestiones de su hermano, el ex presidente y secretario general de la OEA, César Gaviria Trujillo.

También aseguró que la última campaña presidencial había recibido dinero del cartel del Norte del Valle, pues Elizabeth Montoya de Sarria hizo una colecta de dinero entre ellos para donar a la candidatura de Samper Pizano, y en concreto menciona como aportantes, aparte de los mismos esposos Sarria, a los narcotraficantes Juan Diego Montoya, alias Rasguño; Juan Carlos Ramírez Abadía, Chupeta; Juan Carlos Ortiz Escobar, Cuchilla; Phanor Arizabaleta, del cartel de Cali, a quien apodan El viejo; Henry Loaiza, el Alacrán; José Nelson Urrego Cárdenas, y otro a quien sólo puede identificar como Marulo.

A lo largo de la declaración Farfán menciona a Walter Franco, quien habría sido una pieza clave en el esclarecimiento de los hechos que rodearon los vínculos del Cartel con la carrera política de Samper Pizano.

El detallado testimonio de Farfán permitió hacer más de 30 allanamientos a residencias y oficinas de los Sarria, y permitió reconstruir una telaraña de empresas de carácter familiar, controladas desde Inversiones Montoya & Cía, sociedad en comandita; Lizje & Cia, Sociedad en Comandita; Sarria Agredo Y Cía, sociedad en comandita, y de la cual dependían Lady Di & Cía Ltda., Compañía Minera Jasa Internacional Ltda., Sarria Montoya y Cía Ltda., Agroindustriales Las Cañas Ltda., Promotora Empresarial S.A., Sociedad Constructora Altos del Sur & Cía Ltda., y Empresa de Comercio Exterior & Cía Ltda.

A partir de esas sociedades que se entrecruzan y se aportan capitales o créditos, Sarria trasladó el dinero procedente del narcotráfico a otras sociedades de las que sus socios eran su cónyuge, Elizabeth Montoya, y sus hijos Stephanie Inés, Andrew Steve y Lizje Inés. Las transferencias de capital entre sociedades sumaron $455.3 millones, y otros $273.5 millones llegaron directamente a las empresas constituidas a nombre de los hijos.

Los bienes detectados hasta ahora en cabeza del matrimonio Sarria Montoya, representado en hoteles, fincas, vehículos y caballos tienen un avalúo oficial de $1.600 millones, que corresponde a menos del diez por ciento de su valor comercial.

Sarria fue acusado de enriquecimiento ilícito proveniente del narcotráfico el 4 de septiembre del 96, y todas sus propiedades, al igual que las que figuraban a nombre de su esposa, así ya hubiera muerto, y de sus hijos fueron confiscadas.

Esa es la historia de los pobres del Cartel, a cuyo amparo han crecido otras organizaciones que se conocen como los yuppies de la coca, como el caso de Juan Carlos Ramírez Abadía, Chupeta, y Juan Carlos Ortiz Escobar, Cuchilla, y de quienes se dice pueden tener más dinero que los propios Rodríguez Orejuela.

Ramírez Abadía, de 33 años, y oriundo de Bogotá, a quien apodan Chupeta porque se inició desde muy joven en el narcotráfico, figura en algunos documentos como integrante de las organizaciones de los Rodríguez Orejuela, hasta cuando se formó el grupo de Efraín Hernández que dio origen al cartel del Norte del Valle. Otros en cambio lo colocan como un diestro domador de caballos, que se inició en el entorno de Iván Urdinola Grajales, que aparece desde hace varios años como su más importante contacto. Su casa en el barrio Ciudad Jardín, al sur de Cali, era conocida como el centro de convenciones, no sólo por sus impresionantes dimensiones, sino porque se lo consideraba un "terreno neutral" donde se celebraban las más importantes reuniones de todos los integrantes del cartel.

Al mismo tiempo que estructuraba sus cadenas de rutas para el tráfico de cocaína, erigió un verdadero emporio de empresas, como su propio taxi aéreo de helicópteros, una cadena de droguerías que se inicia en Pereira, y varias constructoras que todavía funcionan en Bogotá. Su base de operaciones giraba entre Cartagena y la isla de San Andrés, donde maneja gran cantidad de inmuebles que figuran a nombre de sus padres. Con estudios universitarios, su entorno más cercano está formado por un grupo de ocho abogados y nueve contadores, que se encargan de diseñarle las operaciones de lavado de dinero y la red de empresas de papel que emplea para esos fines. Con una organización de estructura vertical que integran alrededor de cien personas, desde asociados hasta testaferros, su fortuna se calcula en varios millones de dólares.

Para el contrabando de droga Chupeta utiliza los sistemas tradicionales de empacarla entre tablones de madera, que exporta desde Bogotá y Buenaventura, o envía por tierra a sus asociados en Norte de Santander.

Se entregó a la Fiscalía General el 15 de marzo, bajo protección de la Policía Nacional, y está recluido en una cárcel de Palmira. En sus negociaciones ofreció entregar unos $6.000 millones, en buena parte representados en fincas y bonos oficiales de la República de Colombia adquiridos en el exterior, y que le sirvieron como a muchos otros narcotraficantes para lavar dinero.

Algunas fuentes consideran a Chupeta como un asociado de su tocayo Juan Carlos Ortiz Escobar, apodado Cuchilla desde sus épocas iniciales de sicario al servicio de los Rodríguez Orejuela, cuando gustaba emplear una cuchilla picadora de los ingenios de caña de azúcar para desaparecer los cadáveres de sus víctimas. Se cree fue el destinatario de uno de los teléfonos codificados que trajo Miguel Rodríguez de Miami, aunque algunas fuentes aseguran que su propósito era crear un cartel del Centro, que operara autónomo de los Rodríguez y los Henao.

Su centro de operaciones se halla entre el norte del Valle, Tolima y Risaralda, donde mantiene una poderosa red para el contrabando de heroína. Desde el año 92 se asegura asumió el control de los cultivos de amapola, y a continuación montó sus propios laboratorios y una cadena de mulas para el contrabando de heroína a partir de Pereira. Su asociado inicial fue Diego León Montoya Sánchez, conocido como don Diego, y quien maneja ahora su propia organización.

Ortiz Escobar ya había estado preso en septiembre de 1994, sin conocimiento de la prensa, pero fue liberado cinco meses más tarde por el Juzgado 61 penal municipal de Bogotá, que le concedió un recurso de hábeas corpus.

Su rompimiento con la estructura de los Rodríguez aparentemente se produjo como consecuencia del asesinato de José Javier Santacruz Dueñas. Otra investigación también lo vincula con el asesinato del teniente Ricardo Andrés Peterson, por el que está preso Iván Urdinola Grajales.

Otro proceso lo vincula con el descuartizamiento del sacerdote de Trujillo, Valle, Tiberio de Jesús Fernández, cuyo cuerpo fue terriblemente mutilado con una motosierra.

Cuchilla Ortiz se entregó a la justicia el 29 de marzo pasado, y en las negociaciones de penas con la Fiscalía se ha comprometido a entregar varias fincas, apartamentos en Cartagena, Barranquilla y San Andrés, avaluadas en más de $20.000 millones, que equivale a un porcentaje irrisorio de su fortuna. Entre tanto, la Fiscalía busca desde hace meses un búnker donde se asegura Ortiz Escobar mantiene millones de dólares en efectivo.

Detras de este y otros personajes del cartel siempre gravita otro no menos famoso, y también detenido, Iván Urdinola Grajales, estructural en la organización del cartel del Norte del Valle, y quien presenta una de las estructuras de cobertura más amplias de cuantas se conocen.

Su emporio, de décadas, se basa en la cocaína y últimamente en la heroína, con una infraestructura de por lo menos 12 organizaciones, que cumplen todas las etapas del narcotráfico, como en los carteles tradicionales.

Urdinola Grajales, cercano al del también famoso clan de los Grajales, fue capturado en su finca La Porcelana el 26 de abril del 92, cerca del municipio de Zarzal, en el Valle, y desde entonces ha protagonizado varios escándalos por los lujos que lo rodean, la infraestructura de comunicaciones que monta en torno de la prisión donde lo trasladen y como se apoya en recursos como la tutela para silenciar a los periodistas cuando hacen reportes sobre su vida. De una conversación suya proviene el mote de Umedex a alguien relacionado con la Fiscalía anterior, y que aseguró eran las siglas que debían pagar para arreglar sus problemas judiciales: un millón de dólares en el exterior.

Casado con Lorena Henao Montoya, hermana de Orlando y Arcángel, los jefes operativo y militar del cartel del Norte, es una de las fichas claves en el nuevo ajedrez del narcotráfico.

Cuando fue detenido, la prensa relacionó su nombre con el asesinato de 30 personas, pero el juez 12 Penal del Circuito de Cali, Iván Morales Ortiz, aceptó una tutela presentada por uno de sus abogados, y prohibió a la prensa volver a referirse al caso. Un par de semanas después el Tribunal de Cali revocó esa tutela, y ordenó investigar al juez Morales.

La prensa estaba al tanto de quién era Urdinola, porque un abogado, Duvardo Piedrahíta Cardona, se había presentado en varios medios contando la historia de Urdinola, que había asesinado a su hermano, y que ya le habían hecho cuatro atentados, porque denunciaba en qué fincas Urdinola tenía sus laboratorios de cocaína y heroína. Los hermanos de Iván, Julio Fabio y Alberto, también funcionaban en la misma organización. El abogado fue asesinado en Bogotá el 4 de diciembre del 90, pero nunca se pudo demostrar una relación entre Urdinola y el atentado a Piedrahíta.

Urdinola siempre había tenido suerte con la (in)justicia, pues su primera captura se había producido el 8 de enero del 84, relacionado con la muerte del sargento de la policía Oscar Moreno, sin que al parecer se le pudiera comprobar ningún nexo. Tal vez desde esa época tenía enmarcada en su finca una reproducción facsimilar, a gran tamaño, de una frase de El Padrino de Puzo: **"Siempre se necesita un buen juez"**.

Al momento de su detención en el 92 en la finca La Porcelana, también se había capturado a otros miembros del cartel del Norte, que según parece recobraron pronto su libertad: en la finca Milán, a Octavio Pabón Cortés, que queda al frente a la base militar de Tesorito, y a corta distancia, en la hacienda El Vergel, Hernando Gómez, más conocido como Rasguño.

Urdinola tenía entonces fincas en Zarzal, Trujillo, Roldanillo, Buga y Cartago, las áreas centrales de operación del cartel del Norte.

Un mes después de detenido, el 11 mayo del 92 fue cambiado de La Picota a la cárcel La Modelo, sin autorización del juez. La responsabilidad la asumió el director de Prisiones, Hernando Navas Rubio, quien dijo que para mayor seguridad del capo "yo mismo lo trasladé en mi carro". Según Navas, se rumoreaba un plan para rescatar a Urdinola, por el que se ofrecían $800 millones, si fructificaba. La Picota es la cárcel de mayor seguridad en el país.

La prensa estaba casi amarrada para hablar de Urdinola, pero una corte de la Florida aceptó unos cargos contra Urdinola, que lo acusaban de dirigir una operación de tráfico de cocaína que manejó 30 millones de dólares entre octubre del 89 y enero del 91, con células montadas en Chicago, Los Ángeles, New Yok, Houston, en asocio con Hernando Ángel Wagner, Bomba; Sergio Arriasga y Santiago Contreras; César Fernando Velásquez, en Miami, Jorge Palacios Gallego, en el proceso de lavado. También se mencionaba a uno de sus más importantes aliados en el blanqueo en Colombia, Santiago Cárdenas, y sus asociados, Jorge Rojas, Luis Carlos Gómez, e Ignacio Guzmán, padre e hijo.

El 10 de agosto del 92 fue capturado en Cali su hermano Alberto, quien portaba armas junto con Enrique Villota Escobar, Antonio José López y Carlos López. Según se supo luego fue dejado en libertad porque las armas que él llevaba estaban amparadas con salvoconducto, aunque no algunas de sus acompañantes.

Pero Iván Urdinola quería salir pronto de la cárcel, así que pidió audiencia de sentencia anticipada, rebaja de penas por confesión, y "delató" a su socio, Angel Wagner, quien se entregó al poco tiempo a la justicia. En audiencia especial con el entonces vicefiscal, Sintura, le pidió 17 años y medio de cárcel, que, con las rebajas del Código de Procedimiento Penal, se redujeron a 4 años y siete meses. Además ordenó devolver todos los bienes incautados a Urdinola, y declaró como "poseedores de buena fe" a quienes se habían presentado a reclamar varios carros que se incautaron cuando se detuvo a Urdinola. Sintura ordenó consultar al Tribunal Nacional su decisión, que rechazó el acuerdo indignado, por la baja pena acordada y porque, dijo, se partió de los mínimos para fijar la pena y se concedió lo máximo de los beneficios, revocó la devolución de bienes, y ordenó investigar a Sintura y a quienes participaron en la negociación.

Tal vez en vista de lo fácil que resultaba negociar con la justicia, Julio Fabio Urdinola Grajales se sometió a la justicia en la finca La Graciosa, de Sevilla, y dijo haber participado en algunas operaciones de narcotráfico, pero siempre cayeron en poder de las autoridades, en Colombia o Estados Unidos.

El 19 de junio del 93 la policía descubrió frente a la Cárcel Modelo una casa con un revólver, un fax y munición, que se pensó era un centro de comunicaciones de Urdinola.

Angel Wagner se entregó entonces a la justicia, pidió también sentencia anticipada, y para ganar aun más beneficios, delató una caleta en la cual se encontraron armas y cocaína, mientras que la propia Procuraduría solicitaba la revocatoria de la orden de captura contra Urdinola en el proceso por el asesinato de 30 personas en Trujillo, alegando que no habían conseguido pruebas contra el narcotraficante.

Iván Urdinola pidió entonces que se le reconociera como trabajo en la cárcel que había pasado horas y horas en la cocina, y que además trapeaba los pasillos. Con ese reconocimiento, pidió su libertad. Un juez de Bogotá la decretó, pero tuvo que retractarse ante la presión de la Fiscalía, y finalmente fue mantenido en la cárcel.

Un primo suyo, Héctor Jairo Urdinola Perea, fue capturado por esos días con 90 kilos de cocaína, en una farmacia de su propiedad, en Roldanillo, Valle.

El primero de diciembre Iván Urdinola fre trasladado a la prisión de Palmira, en el Valle, por orden del juez Franco Rengifo, quien aceptó una tutela de los hijos de Urdinola, que querían tener a su padre cerca. El Tribunal de Bogotá revocó la medida un mes más tarde y Urdinola regresó a La Picota.

Pero por fin el buen juez le tocó a Urdinola: el 23 de diciembre se reabrió una investigación en la Fiscalía por el asesinato de un ex-teniente de la Armada, Ricardo Petersson, y el seis de enero se le dictaba auto de detención a Urdinola por el delito de homicidio, secuestro, tortura y conformación de banda de sicarios. Más de 30 años de cárcel, en caso de ser declarado culpable.

Ricardo Petersson era un teniente de la Armada, que había recibido entrenamiento en los Estados Unidos. En junio del 90 se retiró de la Armada para trabajar con su amigo Jorge Rojas, sin saber entonces que era el jefe de una organización de seguridad de Urdinola. Petersson regreso a Bogotá, y comentó a su padre, otro oficial retirado de la Armada, que no trabajaría más con Rojas. Pero el 9 agosto Petersson recibió una llamada de Rojas, que lo invitaba a Cartago, y decidió viajar. Diez días mas tarde unos pescadores de

Beltrán encontraron su cadáver terriblemente mutilado en el río Cauca. Guillermo Peterson, el padre, pidió colaboración en la investigación a la Fiscalía, sin conseguir respaldo alguno, así que se dedicó a practicar sus propias pesquisas, hasta cuando un sujeto apodado León se comunicó con él, y le dijo que serviría de testigo, porque había estado presente en La Porcelana, cuando Iván Urdinola llamó a Jorge Rodríguez Orejuela, hermano de los capos, para que contratara 8 personas para secuestrar a su hijo. La razón, explicó, era que Petersson había flirteado con Lorena, la esposa de Urdinola. Ya con la nueva Fiscalía se conformó un equipo de investigadores, que confirmaron la versión de León, y terminó con la providencia del 6 de enero, que dicta detención a Urdinola por esos delitos.

Una investigación administrativa en las loterías pondría luego al descubierto una lista de mil personas, que durante los últimos años se habían ganado más de dos veces el premio gordo de alguna de las loterías que funcionan en el país. Un hijo de Iván Urdinola figuraba en la lista. Se había ganado un "gordo" de la Lotería de Bogotá, de $200 millones. Un cheque por $132.8 millones, después de impuestos, apareció efectivamente girado a nombre de Lorena Henao Montoya. El billete, demostró la investigación por enriquecimiento ilícito que se lleva en la actualidad, en realidad había sido vendido por un agente en La Dorada, Caldas, a seis personas diferentes.

El 23 de agosto del 95 la Policía descubrió frente a la Cárcel Modelo otra residencia, en la que se encontraron 40 cajas de whisky, 20 de aguardiente, otras de Champagne y comida enlatada importada, varios teléfonos celulares y dos faxes.

El 24 de agosto la Fiscalía le formuló resolución acusatoria por el crimen de Petersson, y está pendiente en estas semanas la definición de sentencia, y ese mismo día fue trasladado a La Picota.

Los Urdinola controlan una gran cadena de almacenes, que tienen sede prácticamente en todas las ciudades del Valle.

El 16 de abril del 96, durante un allanamiento a una de las propiedades de Pastor Perafán, se encontró una sociedad, HR Inversiones, en la que participan Perafán y Urdinola, quien era representado en la sociedad por su mujer Lorena. El objeto de la sociedad es la compra y exportación de equinos. Si ya no pueden enviar mulas al exterior, se contentarán por ahora con exportar caballos.

En el Valle del Cauca en efecto se mencionan muchos más nombres, pero pocos tan publicitados y tan poco investigados como el clan de los Grajales. Involucrados en por lo menos cuatro investigaciones diferentes, siempre aparece una de las más importantes empresas de la familia, Consorcio Agroindustrial Grajales, en La Unión, Valle, involucrada en el contrabando de cocaína.

En Italia tienen pendiente un juicio, pero los voceros de la familia aseguran que se trató de otro narcotraficante, Orlando Cediel Ospina Vargas, que empleó la cédula de ciudadanía de uno de los Grajales para identificarse cuando fue detenido. Para un cargamento de dos toneladas de cocaína que se encontró años atrás en un embarque de concentrado de maracuyá todavía no tienen respuesta.

Y seguramente tampoco existe en relación con un indictment que los espera desde hace varios años en La Florida, donde se les hace un seguimiento que se inicia en 1985 y concluye diez años más tarde con distintas operaciones de narcotráfico.

Pero en Colombia han resultado intocables, pues manejan un gran almacén por departamentos con sucursales en varias ciudades, al que a raíz de las sanciones de la denominada Lista de Clinton acaban de cambiar el nombre; la mayor productora de vinos del país, una comercializadora de carbón y participación en la recién privatizada Zona Franca de Palmira.

Según los cargos más concretos que obran en contra de la familia, de la organización harían parte Raúl Grajales Lemos y Luis, Nancy, César, Eduardo y José Augusto Grajales Posso, y los vinculan con por lo menos diez cargamentos de cocaína incautados en todo mundo, siempre por el mismo sistema: oculta o suspendida en barriles de 55 galones que contienen pulpa de frutas como maracuyá, guayaba y lulo.

El primer cargamento de droga fue descubierto en Miami en una empresa de propiedad de la familia, donde se hallaron 235 kilos de cocaína.

En febrero de 1990 la DEA descubrió en Estados Unidos un cargamento de características similares en un municipio cercano a Miami, pero lo incautado fueron 660 kilos. Esto era apenas parte de una operación mucho más grande, en la que también se hallaron cargamentos en Venezuela y España, que contenían dos toneladas y media de cocaína.

Un mes más tarde la operación se desarrollaba en Holanda, donde se incautaron 2.9 toneladas de cocaína en Holanda, y casi al mismo tiempo un cargamento de 1.2 toneladas de cocaína de nuevo en Venezuela, cuando un envío de pulpa de guayaba se iba a exportar a Miami.

Desde hace varios años han empezado a colocar buena parte de sus propiedades en cabeza de los abuelos, contra quienes no existen expedientes en ningún país.

La fábrica de pulpa fue adquirida finalmente por el Grupo Santodomingo, en lo que sin duda constituye una gran e inteligente operación de lavado de dinero y de imagen, sólo comparable si acaso a cuando otros grupos económicos, de Sarmiento Angulo y Ardila Lulle, adquirieron Conconcreto, la sociedad constructora que fuera de Pablo Escobar Gaviria, en cabeza de los Londoño White.

Un exportador tradicional de pulpa de frutas, que fue sacado del mercado por la competencia de los Grajales, comentó que los precios de compra y venta de la fruta son tas desproporcionadamente altos para la compra y bajos para la exportación, que sólo con el tipo de cargamento que se los ha hallado se pueden entender sus operaciones como rentables. Se menciona incluso el caso de una conocida firma comercializadora de pulpa norteamericana que en el único país latinoamericano donde no pudo operar es Colombia.

La familia Grajales ha vivido rodeada de un halo de misterio que se inició en agosto del 85, cuando fue secuestrado Luis Alfredo Grajales, y exactamente tres años después lo fue su hermano Gerardo, cuando iba a una finca de Corinto, en el Cauca. De esa época es célebre un anécdota de uno de ellos, pues, según se asegura, su esposa rogaba porque mataran a su marido, para poder sacar en su industria vinícola una champaña "Viuda de Grajales".

Después se desató una guerra entre distintas facciones, en el medio de la cual murieron varios de los Grajales, y en la que también se enmarcaría una matanza colectiva en la sede de Diners de Cali, que para muchos constituye un hito en la historia de las mafias del narcotráfico, y del predominio del cartel de Cali sobre otras organizaciones del país.

Pero la historia de Los Nuevos Jinetes de la Cocaína que ahora operan en el Valle del Cauca no se entiende sin los hermanos Henao Montoya. Y sin una providencia del fiscal Gustavo De Greiff Restrepo.

El 19 de agosto del 89 un teniente del Ejército, que entonces tenía atribuciones de policía judicial, solicitó a un juez penal militar autorización para allanar una lujosa residencia en el número 6 de la Avenida Cascajal de Cali, donde había aparcado un vehículo Porsche 930 modelo 87, que se presumía correspondía a un gran capo de la mafia.

La operación se realizó el día 21, y en efecto se encontraron con una casa lujosísima, el Porsche de placa BAD341, y un moderno equipo de comunicaciones.

La investigación la inició un juzgado de instrucción de Cali pero al poco tiempo entró a operar la Fiscalía General de la Nación, que curiosamente, radicó la investigación con el número 0008 (u 8.000 al revés), y fue todo un escándalo: el 10 de noviembre del 92 la Fiscalía regional de Cali, a la que se habían remitido las diligencias se abstuvo de iniciar la investigación, y ordenó devolver todo lo incautado, el coche, la casa y los equipos de comunicación.

Esa decisión subió a la Fiscalía Delegada ante el Tribunal Nacional, que ordenó practicar nuevas pruebas, hasta el fiscal De Greiff asumió el conocimiento el día de la raza del 93. Y el 13 de abril del 94 De Greiff dictó su providencia.

Según la investigación que resolvió De Greiff, el carro había sido adquirido por Gabriel Morales Hernández, dueño de Chisga Autos de Cali, al diplomático José Marino Arcila Gallego, quien había sido "mienbro (sic) del cuerpo diplomático en Esmeraldas, Ecuador".

Por lo tanto, ningún problema...

Con respecto la casa se descubrió que había sido comprada a Ana Lucía Ortiz por José Orlando Montoya Henao, de cédula 16.205.416 de Cartago, Valle, que tenía un avalúo catastral de $6 millones, y es, dice el ex fiscal, un documento "de noviembre de 1988 que se reputa auténtico por ser público". La solvencia de Henao estaba demostrada, por "constancias sobre su profesión como ganadero y que sacrifica 200 reses diarias en el matadero municipal de Yumbo". Además, como la hija de su hermana Lorena, José Orlando había "sido el ganador del Premio Mayor del sorteo extraordinario de Colombia efectuado el 30 de diciembre de 1985, por la suma de $37.3 millones".

Un avalúo que la propia Fiscalía había ordenado sobre la casa, y que concluyó en que su valor comercial estimado era de $125.9 millones, fue desestimado totalmente por De Greiff, pues "aunque este dictamen fue claro no fue preciso ni detallado, el perito para esa época no adjuntó al dictamen el estudio correspondiente al valor del predio en esa zona urbana de Cali, ni el incre-

mento de la propiedad raíz en los diez años que habían transcurrido entre el momento de la compraventa y la fecha en que se efectuó el dictamen pericial, tampoco el técnico anexó las fotografías del predio a fin de determinar qué entendió por baldosas finas, graniplast y baño de lujo, razones por las que, estima el Despacho que no puede otorgársele mayor valor que el que se le asigna al documento público, esto es al avalúo del impuesto predial".

La casa, en el barrio Ciudad Jardín de Cali, uno de los más lujosos de la ciudad, está avaluada comercialmente en más de $1.000 millones.

De Greiff abundó además en argumentos, pues, según él, la vendedora, Ana Lucía Ortiz, demostró que la casa la había comprado con dineros de su marido, Carlos Hernando Espitia Lloreda, quien deriva su sustento de la sociedad Helivalle Ltda., de la que obtiene participación en utilidades, una empresa aérea de taxi aéreo por helicópteros, de propiedad de Juan Carlos Ramírez Abadía, Chupeta, y que también participa en la Sociedad Agropecuaria La Suiza y 1.200 acciones en la Corporación Reforestadora Palmira.

Otra de las sociedades de fachada de Chupeta es la sociedad Espitia Lloreda & Ortiz.

Para llenarse de razones en su decisión, De Greiff mandó a preguntar a los vecinos si habían visto en alguna ocasión "actividades raras" en esa residencia, y como todos destacaran que eran buenos vecinos, eso constituyó argumento para convalidar la decisión.

La decisión hizo carrera en la Fiscalía, pues un fiscal delegado ante el Tribunal Nacional ordenó devolver también una casa en Bogotá a Gladys Myriam Ramírez de Sarria, compañera de Gilberto Rodríguez Orejuela, con el argumento del avalúo catastral, $4 millones, de una residencia en la calle 93 con carrera 4A.

De Greiff ordenó devolver todas las propiedades a José Orlando Henao, otro ex policía que controla hoy con sociedades de fachada de Urdinola el sacrificio de ganado y la venta de carne en Cali, porque no acepta competencia para su frigorífico.

José Orlando Henao es considerado hoy el jefe del cartel del Norte del Valle, maneja varias rutas de tráfico de cocaína, y el gran poder que exhibe desde hace unos cuatro años, se deriva especialmente de sus relaciones estrechas con los carteles de México, y en especial con el del Golfo, a través de Oscar Malherbe. En la vida pública aparece como un hombre de bajo perfil, encargado principalmente de los negocios de la familia.

El hermano de Orlando, Arcángel de Jesús Henao Montoya, maneja un par de grupos del cartel, con áreas de operación en los municipios del Norte, San Pedro, Roldanillo, Toro, Pradera, Candelaria, Palmira y un centro logístico en un conocido edificio de Cali.

Arcángel Henao inició el contrabando de cocaína por Ecuador, a través de quien fuera uno de sus principales hombres allí, Jorge Reyes Torres, quien se encuentra detenido en Quito desde hace varios años.

Se lo considera el jefe militar de la organización, con un equipo de hombres muy bien armados, comunicaciones difíciles de interceptar y una flotilla de vehículos blindados.

Las autoridades han manifestado su preocupación especial por su capacidad de fuego, pero al mismo tiempo alegan que su poder es muy localizado en una zona específica, por lo que lo presumen fácil de controlar. La opinión generalizada en Cali, en cambio, es que constituyen el núcleo de narcotráfico más poderoso, desde cuando los Rodríguez iniciaron sus actividades del narcotráfico a finales de los años 70.

Diego León Montoya Sánchez pertenece a la misma estructura del norte, se asegura es el verdadero dueño de una empresa de aviación que casi siempre se adjudica a Urdinola, y que acaba de asociarse en rutas con otra aerolínea mexicana. Pese a que su área de operaciones se concentra en el Valle, los laboratorios de procesamiento los maneja en el Tolima, y en especial en Venadillo, Guamo y Ortega. Posee grandes intereses económicos en Ibagué, donde eventualmente entra en disputas con el Alacrán Loaiza.

Está acusado del atentado mortal que sufrió un sacerdote, Tiberio Fernández, quien intentó proteger a campesinos e indígenas cuando Don Diego decidió tomarse la zona, para cultivar amapola.

Cuando el ejército capturó a Urdinola, había otras dos personas con él, que recuperaron pronto su libertad, sin cargos. Se trata de José Octavio Pabón Cortés y Luis Hernando Gómez Bustamante, Rasguño.

El primero, apodado El patrón, maneja una completa red de narcotráfico a partir de Armenia, aunque los laboratorios los administra en el centro del Valle, a donde transporta la coca que trae del Caquetá y el Tolima. Fue capturado en abril del 96 en Caicedonia, para responder por un cargo de enriquecimiento ilícito, pero está siendo juzgado en Cali. El proceso se basa en decenas de propiedades que controla en la zona del eje cafetero, y en varias empresas de telecomunicaciones que operan en el norte del Valle.

El segundo, Gómez Bustamante, ha tenido varios procesos pero siempre ha podido salir avante de ellos. Siempre ha estado vinculado con la organización de los Urdinola pero se lo relaciona con otras organizaciones de Antioquia y Santander, bajo el amparo especial de Efraín Hernández.

José Nelson Urrego Cárdenas, bajo el control de Sarria, tiene una infraestructura muy parecida, casi replicada a la de don Chucho. Propietario de hoteles en Cali, Bogotá, Cartagena y San Andrés, cuenta con una estructura integral para el tráfico de cocaína entre Cali, Cartagena, San Andrés, Santo Domingo y Haití, de donde se la operan los carteles mexicanos. Ahora es uno de los hombres más ricos de la mafia del norte del Valle, y habitualmente reside entre Cartagena y Providencia, donde cuenta con amplia protección.

Orlando Sánchez Cristancho, Overol, posiblemente el más publicitado de todos a raíz de la guerra desatada con los Rodríguez Orejuela, es ciertamente una de las piezas claves dentro del cartel del Norte, pero diversas fuentes consultadas no creen ni que posea el aparato militar suficiente para enfrentarse a los Rodríguez, ni los contactos para clasificarlo entre los hombres más importantes en el cartel. Su organización se basa en una flotilla de avionetas y helicópteros que maneja a través de testaferros, y que emplea en transportar cocaína desde los laboratorios hasta los principales centros de acopio, de donde también se encarga de transportar la cocaína a México, Guatemala,

El Salvador u Honduras. Sería, por aire, el equivalente a Patiño Fómeque en el mar con sus flotillas de pesqueras.

Overol, según mis fuentes, sería Carlos Castaño y sus grupos paramilitares, que intentan entrar de lleno a controlar el tráfico de cocaína sino integralmente, al menos con un impuesto, como mecanismo para financiar su guerra contra la guerrilla, como se desarrolla en el próximo capítulo.

La notoriedad de Sánchez Cristancho sin embargo surgió para las autoridades cuando uno de sus hombres, Juan Carlos López Bedoya, Peter Pan, intentó vanamente conseguir apoyo de la Fiscalía de De Greiff para convertirse en testigo sin rostro contra Sánchez Cristancho y Juan Carlos Ramírez Abadía, Chupeta, a quien colocaba como dependiente de Overol. La Fiscalía le negó la protección, sin importar que hasta un ministro de Justicia, Andrés González, que había librado verdaderas batallas verbales con De Greiff por sus actitudes frente a la mafia, intercediera por él. Finalmente López Bedoya rindió una extensa declaración en el Das y poco tiempo después desapareció sin dejar rastro.

La importancia de Orlando Sánchez sería equivalente a la de José Arnoldo Estrada Ramírez para los Rodríguez. Estrada, sargento retirado del Ejército, estaba llamado a ser el coordinador del cartel de Cali tras la detención de la cúpula de la organización, como se había planeado en una conocida reunión que se dio antes de todos esos hechos en un restaurante del norte de Bogotá.

Pero Estrada fue denunciado cuando se ocultaba en la finca La Loma de Sabaneta, Antioquia, el 23 de septiembre del 95, poco más de un mes después de la captura de su jefe, Miguel Rodríguez Orejuela.

Estrada había entrado en la organización como jefe de una de las agencias de seguridad privada de los Rodríguez, Seguridad Hércules, y al poco tiempo estaba a cargo del control de los laboratorios de cocaína, el control de insumos y la recepción de la pasta de coca proveniente del Caquetá, Perú y Bolivia. Es propietario de varias fincas en Jamundí, pero su principal actividad pública eran las clínicas, para corresponder a su alias de El médico. Su centro de operaciones antes de ocultarse por la caída de Miguel Rodríguez era Pereira y Armenia.

Más importancia, por ejemplo, se le asigna dentro del cartel del Norte del Valle a Arturo de Jesús Herrera Saldaña, Bananas, quien afirma que con su poder militar y logístico puede ser el jefe del cartel cuando quiera.

Desde hace un par años se ha empezado formar el llamado cartel de Guateque, en Boyacá, que se asegura está en capacidad de producir 10 toneladas de cocaína mensuales. Nacido como herencia de viejas organizaciones de esmeralderos, la organización está integrada por 20 personas. Como jefe de la organización se señala a Laudelino Lozano. Sus hombres más cercanos serían Jaime Hernández y Gustavo Lozano, sin relación familiar con Laudelino, y quienes se encargarían de administrar los laboratorios del grupo.

En torno de Bogotá operan varias organizaciones, como las orientadas por Gabriel Guillermo Ortiz, de quien se dice heredó buena parte de la estructura de Gonzalo Rodríguez Gacha, y que estaría en estrecha relación con José V. Caro, también muy mencionado a raíz de su relación con personas cercanas a Samper Pizano.

En la Costa Atlántica operan numerosas organizaciones, la más importante en este momento al parecer bajo la dirección de Julio Zúñiga, a quien llaman "El sordo", y que controla varias organizaciones de transporte aéreo desde su ciudad, que es Santa Marta. La Policía acusa directamente a Micky Ramírez, Luis Enrique Ramírez Murillo, y según el escenario que dibujaron cuando fue detenido, y todavía lo está, presta servicios de transporte de cocaína en una flotilla de ocho avionetas, HK1494, HK2917, HK2577, HK2923, HK1729, N8302N, HK2943P, y HK4043X, que estarían registradas a nombre de una empresa chocoana de aviación y serían de su propiedad.

Ramírez sólo reconoce ser propietario de una, alquilada por leasing por un banco norteamericano.

Hasta ahora no se ha podido identificar con certeza a un hombre apodado El Zarco, quien de trabajar para el cartel de Cali ahora está encargado de reorganizar un cartel de Antioquia, del que haría parte Bernardo Arcila Londoño.

Residente en el Canadá entre 1972 y 1989, Arcila Londoño regresó a Colombia y se asentó en Puerto Valdivia, Antioquia, donde controla numerosas propiedades. Según diversos registros, Arcila controló una red de Escobar que traficaba cocaína entre Miami y Toronto, en sociedad con un italiano de ascendencia latina, Diego Serrano, de la mafia calabresa.

Después de importar toneladas de cocaína, Arcila empezó a preparar su regreso a Colombia, y escogió los municipios antioqueños de Marsella y Fredonia para adquirir seis fincas, lo que hizo en el 89, cuando más de cien de sus asociados en el Canadá y Miami fueron detenidos.

Montó la sociedad Inversiones Marjuly, y en Marsella hizo una donación al cura Mario Mejía Escobar para que construyera un cementerio. Pero su base central ahora es Planeta Rica, de donde se cree maneja su emporio.

Según los canadienses, Arcila manejó más de US$1.000 millones durante los últimos años de operación en Toronto, donde lo espera un juicio por narcotráfico.

Canadá es uno de los grandes paraísos fiscales de los últimos cinco años.

En España hubo otro proceso 8.000, pero no para desvelar los grandes casos de corrupción, sino contra un colombiano, César Arango Gallo, acusado, y luego absuelto, de ser uno de los más importantes tentáculos de los carteles de la cocaína en Europa.

El 17 de noviembre de 1994 detuvieron en Barcelona a César Arango Gallo, Benito Sánchez Moreno, Armando José Espinosa Dávila, José María Ríos Ostos, Marleny Chaquea Hurtado, María del Pilar Figueroa Ordóñez, Maritza Atala Figueroa Ordóñez, Gloria Concepción Urrutia Ordóñez. Era apenas el final de una operación que se había iniciado en Miami y Londres, y que antes de finalizar el mes llevaría a la cárcel a más de doscientas personas en toda Europa.

Arango Gallo, nacido en Armenia 40 años antes, ya había estado preso en Madrid el 12 de febrero del 88 por tráfico de drogas, pero ahora residía en Barcelona en una lujosa vivienda, con un Mercedes Benz y tres jugosas cuentas corrientes. La fuente de sus recursos alegaba provenía de una firma de corredores de dinero, Quintana Express, que se inicia en Bogotá con el Grupo Quintana, y tiene sedes en Londres, Miami, Nueva York, París, Madrid y Barcelona. Arango manejaba en Barcelona tres sociedades, una agencia de viajes, Hemisferio Tours, una tienda de cosas típicas, Museo del oro, y el corredor de dinero Quintana Express, de la que figura como accionista con María del Pilar y Maritza Atala Figueroa, con un 25 por ciento. La empresa se había registrado en febrero del 94 en Madrid, donde tiene su sede principal.

La investigación se había originado a raíz de los movimientos masivos de dinero que se habían detectado entre Bogotá, Miami, Barcelona y París, pero las autoridades decidieron esperar a que se aclarara el origen del dinero, por si tenía alguna relación con cocaína. La prueba llegó en noviembre, cuando Arango Gallo, casi al mismo tiempo, se reunió con un español, José Moya Gómez, propietario de una empresa de transporte de carga en el puerto de la ciudad condal, y luego con Jaime Zuluaga Botero, colombiano residente en Madrid, que tenía abundante documentación sobre operaciones de blanqueo de dinero de Arango.

Un cargamento de 115 kilos de cocaína esperaba oculto entre una exportación de café. Las bolsas, para evitar las dudas, llevaban un distintivo que no dejaba dudas: Coke, y no se refería precisamente a la gaseosa. José Moya, que venía siendo seguido desde cuando unas semanas antes se reunió con el dueño de un elegante Mercedes Benz que tenía una pistola guardada en la cajilla de seguridad de un banco de Barcelona.

Mientras en Francia se procesaba a más de un centenar de personas y en Londres se abría investigación contra otras, relacionadas con el paraíso fiscal de la Isla del Hombre, en España las pruebas no resultaron suficientes.

La detención de César Arango Gallo en Barcelona, España, socio de Quintana Express, provocó la salida abrupta de un grupo económico colombiano de la Península Ibérica.

Arango fue primero llevado a juicio en junio del 96, pero pidió que se reclamara a Colombia información relacionada con sus actividades de empresario. Los documentos nunca llegaron y Arango fue exonerado de toda responsabilidad.

Y así, el proceso 8.000 contra un narcotraficante colombiano, se convirtió en un proceso 8.000 contra la justicia española, que cambió al fiscal que venía llevando la investigación un par de meses antes de celebrarse la audiencia. Como sucediera antes con la extradición de Gilberto Rodríguez y Jorge Luis Ochoa, la justicia española se demostró incapaz de descubrir la trama que se seguía en el caso.

Aunque ahora maneja otro caso de mayores dimensiones que el anterior, a raíz de la Operación Papagayo, probablemente es el proceso más importante que se abre ahora contra las organizaciones del cartel.

En las acciones de la policía española se han logrado interceptar dos cargamentos de toneladas de cocaína y marihuana entre mediados de octubre y principios de noviembre del 96, que se transportaban en barco. Más de treinta personas han sido capturadas, todas vinculadas con el Grupo Rayo de Buenaventura, y las facciones de la organización en Marruecos y España.

El Grupo Rayo, de los hermanos Pablo y Ángel Rayo, se considera estructural en la organización del cartel del Norte del Valle, y más concretamente bajo la dirección de Víctor Patiño Fómeque.

Buena parte de las muertes extrañas que se han producido durante las últimas semanas en Bogotá, Cartagena, Cúcuta y Cali se consideran relacionadas con ajustes de cuentas por la incautación de esos cargamentos, pues dada la estructura de carteles por servicios que se quiere imponer, cada quien desea su parte en la operación, sin importar que la cocaína aparezca o no en el destino.

Ángel Rayo está procesado en una corte de New Jersey, Nueva York, al ser descubierta una gigantesca operación que sirvió para lavar US$60 millones en menos de tres años, que se comenta en otro capítulo.

Otros nombres, como los de Los Fernandos, Osorio y Marulanda, son repetidos pero sin concretarse cargos, lo que no se puede decir de Jairo Correa Alzate, el propietario de la Hacienda Japón, quien pese a estar en la cárcel acusado de actividades paramilitares en la zona del Magdalena Medio, entró en contacto con Iván Urdinola Grajales y reactivó sus operaciones de narcotráfico, ahora vinculando cocaína y heroína. En octubre del 94 la Policía descubrió en sus fincas colindantes, Argentina, La bamba, El dique, La Suiza y Guadalajara, un laboratorio del que hacían parte quince barracas, donde se hallaron cinco toneladas de cocaína, y químicos para procesar látex de amapola y haschís.

Pero lo que más preocupa a las autoridades no es cómo hace Correa Alzate, apodado El caballo, para conseguir cada semana un teléfono celular distinto, para evitar que sus conversaciones se puedan interceptar, sino cómo pudo comprar 85.400 metros cuadrados en Suba, al norte de Bogotá, suficientes para construir una ciudadela, y que le habrían costado $21.000 millones, parte de los cuales habría pagado en cocaína.

En todo el Magdalena Medio es propietario de 240.000 metros cuadrados, siendo superado sólo por los miembros del Clan Ochoa.

El Das descubrió recientemente en septiembre la ruta La Suiza, que durante seis meses exportó toneladas de cocaína a Canadá, Estados Unidos y Europa, de la que hacía parte Francisco Luis Barbosa, y se asegura que se trata de un hijo de Pacho Barbosa, contemporáneo de Correa Alzate. La organización alcanzó a movilizar más de US$300 millones en las operaciones detectadas, y que se iniciaron a mediados del año 94.

También ha vuelto a circular otro nombre, Ricardo Cuchilla Londoño, el protegido de Pablo Escobar, que estaría montando su propia organización.

La lista de los narcotraficantes más buscados por la Interpol también cuenta con otros colombianos cuyos nombres apenas se manejan en los círculos judiciales del país.

Uno de ellos es Darío Garcés Vélez, quien tiene desde 1994 una orden de captura expedida por tribunales de Nueva York y la Florida por lavado de dinero. Natural de Medellín, está acusado de lavar por lo menos US$8 millones a través de Aruba, que ocultaba en pliegues de artículos en fibra de vidrio. Está acusado junto con Luis Ortiz, Jairo Castaño y Juan Bautista Múnera.

Beatrice Lara Arias, oriunda del Magdalena, está sindicada de haber trabajado para el cartel de Medellín y servir de distribuidora de toneladas de cocaína en el sur de la Florida. Se asegura que sus rutas también comprenden España, Portugal, Holanda, Islas Caimán y Curazao.

David Cybulkiewicz también está siendo procesado en los Estados Unidos por tráfico de cocaína y marihuana, y se asegura que es ciudadano colombiano. Está procesado en la Florida.

De otros extranjeros se afirma que residen bajo identidades diferentes en Colombia, como William James Blackledge, es inglés pero suele usar identificación norteamericana, y trabajaba en la Florida con el cartel de Cali, en asocio de Robert W. Harrington y Baldwin J. Johnson, en una organización que maneja el narcotráfico en Canadá. El estadounidense Samuel Klaus Burchard, es acusado en Georgia, Estados Unidos, de haber adquirido un avión en mayo del 82, con el cual en por lo menos cuatro ocasiones introdujo cocaína que había adquirido en Colombia en la Florida y Alabama

Con este aluvión de nombres, nuevos y reeditados, ¿no resultaba obvio que estallara una guerra en cualquier momento?

GRUPO CIFUENTES	200	GRUPO PHANOR	50	GRUPO SUSPIRIO	50
GRUPO SALOMON, JOEL Y CARMELO	200	GRUPO HOOVER	50	GRUPO SOLANO	100
GRUPO JUAN CARLOS (CHUPE)	200	GRUPO JM	50	GRUPO DON CHUCHO	100
GRUPO DR. PATIÑO	200	GRUPO LUIS CARLOS	50	GRUPO RAYO	50
GRUPO MONTOYA	200	GRUPO NASSER	50	GRUPO PELUSA	25
GRUPO LOAIZA	200	GRUPO 28	100	GRUPO COCO	50
GRUPO PIEDRA, JOSÉ Y NELSON	200	GRUPO COLORETE	50	GRUPO SANCHEZ-MARTIN	50
GRUPO 54, NISSAN, TOYOTA Y MAURO	800	GRUPO BETO	100	GRUPO CARACOL	100
GRUPO CEJO Y JUAN CARLOS	100	GRUPO URIBE	50	GRUPO GUARA	50
GRUPO HERNANDO	100	GRUPO QUINTERO Y HUMBERTO	100	GRUPO CACHE	25
GRUPO DON JAVIER	50	GRUPO ANCEL E ITALO	100	GRUPO TOTO	50
GRUPO MARROQUIN	100	GRUPO MAQUINON	50	GRUPO FIERRO	50
GRUPO MOCHO GARCÍA	100	GRUPO TASION	50	GRUPO FERRARO	50
GRUPO VALENCIA	200	GRUPO PALMIRA	50		

Facsímil de la lista hallada en poder de Miguel Rodríguez Orejuela, y que contenía los nombres de los principales grupos de la mafia del narcotráfico.

ALGUNOS CHEQUES DE UNA SOLA CUENTA EN UN TRIMESTRE DE 1994

Cheque N°	Girado a: C.C.	Fecha DD/MM	Valor ($):	Consignado en el Banco:
3213604	Bancolombia E* Juan Miguel R. Tel: 617050	10-03	10.000.000	Bancolombia 4509390195820
3213585	Alvaro Holguín	07-03	1.000.000	Bancolombia Ofi. Princ.
3213613	Robinson Pineda	14-03	35.000.000	Bancolombia 8023-024591-7
3213609	Genaro Angel	10-03	20.000.000	Bancolombia 8138-139469-2
3213612	Julián Murcillo E* MALCA Ltda.	16-03	1.000.000	Bancoquia 603-00014-3
3213628	Ana Lozano E* Tulio R. Ocampo	15-03	6.258.000	Bancolombia 8023-023122-2
3213635	Robinson Pineda 16.380.400	16-03	35.000.000	Bancolombia 8060-024591-7
3213637	Exportcafé	16-03	100.000.000	Bancolombia 8060-024804-0
3213636	Asesorías generales Fabian Rivas Nit. 800-213701-1	16-03	7.447.000	Bancolombia 8291-245584-8
3213626	Camilo Trujillo 94.315.064	16-03	6.800.000	Banco Real 003-29434-5
3213651	Pedro Chang 14.960.909	18-03	10.000.000	B.I.C. 062-9609090-1
3213650	Juan Pérez E* Rosalba Maria 31.227.375	18-03	100.000.000	Ventanilla Bogotá 484-19015-2
3225876	Plaza Armonia Cia. Nit. 890328499-1	22-03	10.000.000	Caldas 003-09477-8
3213647	Pedro Zape	18-03	4.000.000	
3213631	Escuela de Aviación Pacífico	15-03	2.000.000	Bancoquia 095-00581-5
3213652	Alvaro Muñoz 16.583.927	18-03	1.000.000	Bogotá 0161-0019900-5
3240052	Edmon Aljure	20-04	2.000.000	Cafetero 137-04518-3
3246912	Gonzalo Echeverry E* Francisco Javier Calvo	26-04	3.333.500	Bancolombia 047-01793-7
3240054	Celene Echeverry E* Janeth Jurado 38.944.539	21-04	1.000.000	Cafetero 132-05075-8
3240049	Carlos Espinosa 16.590.032	20-04	1.300.000	Ventanilla
3225873	Melba de Vernaza	20-04	10.000.000	Cafetero 126-01558-5
3240046	Carlos Espinosa	20-04	1.500.000	Bogotá 562-00656-9
3240038	Gleydin Hurtado 31.875.762	17-04	2.000.000	Andino 0300-1019492
3240011	Pedro Sarmiento E* John Villegas 16.725.980	13-03	5.000.000	Ventanilla
3240034	Pedro Pérez Firma ilegible	15-04	80.000.000	Bancolombia 8060-024092-7
3225877	Humberto Arias E* Graciela Vargas	20-04	79.000.000	Bancolombia 3010-00781-7
3240020	Ana Lozano 38.943.787	13-04	6.359.000	Bancolombia 8023-023122-2
3240015	Fabián Rivas 16.742.570	13-04	7.432.000	Bancolombia 8291-243584-8
3240012	Javier Zapata	13-04	12.411.000	Bancolombia 8060-024459-4
3240010	Oscar Mazuera	12-04	10.000.000	Bogotá 54-01453-3
3240026	Gerardo Moreno	14-04	5.000.000	Cafetero 133-04697-7
3225939	Carlo García E* Genangel	14-04	30.000.000	Bancoquia 059-20407-3
3240003	Pedro García	06-04	80.000.000	Bogotá 0163-0018123-3
3239997	Víctor Caicedo 14.155.144	06-04	2.340.000	Ventanilla
3225928	Beatriz de Uribe	06-04	600.000	Bancolombia 8023-01615-1
3239984	Guillermo Lara	06-04	1.000.000	Ganadero 230-15701-8
3239991	Nancy Ochoa 31.294.526	06-04	2.000.000	Cafetero 126-000588-1
3225922	Alvaro Holguín 14.930.269	06-04	1.000.000	Bancolombia 8023-023171-4
3225887	Cheng y Cia.	02-04	16.500.000	Ilegible
3213567	Universal Link E* Pallomary Asociados	23-03	960.000	Bancolombia 8060-024770-8
3225916	Hugo Varela E* Said Hatty	05-04	2.500.000	Occidente 024-00521-7
3225915	Fabiola Moreno 31.234.897	05-04	2.000.000	Ganadero 240-14370-1
3225911	Robinson Pineda	05-04	23.000.000	Bancolombia 8023-024591-7
3225909	Elena Tirado E* Marta Echeverry	04-04	5.500.000	Cafetero 1370-5059-7
3246924	Hugo Varela 6.068.634	30-04	2.800.000	Bancolombia 8059-116855-6
3225892	Diego Fernando Rincón	30-04	85.000.000	Bogotá 030750003835-2
3246929	Oscar Cordoba 71.713.270	30-04	13.000.000	Occidente 022-01727-1
3240002	Bancolombia	05-5	13.013.091	Tarjetas 4509390195820
3246935	Gabriel Ochoa	06-05	3.000.000	Conavi 3002-008551095
3246948	Alvaro Holguín 16.757.200	09-05	1.000.000	Ventanilla
3246975	Soraya Marian	10-05	11.700..000	Cafetero 1370-5059-7
3225940	Carlos García E* Muebles Genangel	12-05	40.000.000	Bancoquia 059-20407-3
3246973	Luz Dary Gutiérrez E* Edgar Guerrero	28-05	10.000.000	Uconal 303-00392-5
3246931	Carlos Zapata Tels: 806481 (Cali) 2180970 (Btá)	15-05	100.000.000	Ganadero (Uni 15) 9280-013937
3267313	Fabián Rivas E* Asesorías Contables 16.264.921	10-05	6.912.000	Bancolombia 8291-243584-8
3267332	Jesús M. Cobo 6.078.582 Tel 802374	28-05	1.000.000	Occidente 001-10826-5
3267334	Carlos Plazas 14.986.646	30-05	2.647.400	Uconal 007-60914-6
3267348	Pedro Sánchez E* Alexander Girón 94.384.958	05-06	10.000.000	Ventanilla
3267347	Sergio Angulo 16.646.293	04-06	1.000.000	Caldas 038-00107-9
3267346	Diego Umaña E* William Rodriguez	03-06	3.000.000	Caldas 038-00772-0
3223871	Rafael Molina 16.681.217	08-06	115.000.000	Ilegible
3267351	Alfredo Lloreda	08-06	5.300.000	Ganadero 234-12431-2
3267358	Antony de Avila E* Jorge E. Valenzuela	13-06	3.600.000	Ventanilla
3267359	Mario A. Escobar	13-06	2.000.000	Bancolombia 8060-02036-3
3267360	Mario A. Escobar	12-06	1.600.000	Bancolombia 8060-020036-3
3288792	Asfari Ltda. E* Fabián Rivas	07-06	10.191.000	Bancolombia 8291-243584-8
3267339	Gustavo Paz 16.611.559	13-06	110.000.000	Cafetero
3288785	Luis Carlos Correa E* Edwin Sánchez 94.372.790	07-06	400.000	Ventanilla
3288803	Hernán Gutiérrez	10-06	500.000	Anglo 031-00459-1

Nota: Hay disponibles más de 43.250 cheques girados.

Caribbean Week. September 14 - 27, 1996. Page 4

Caribbean Week   *News*

10 Most Wanted...

Garces-Velez: wanted for money laundering of drug proceeds

Dario Garces-Velez, a Colombian citizen, is accused of conspiracy to commit money laundering, disguising the nature of the funds, and aiding and abetting. Garces-Velez was born on April 12, 1962, in Medellin, Antioquia, Colombia. He is 173 cm, 5'8" tall, weighs 86 kg, 190 pounds, and has brown hair and brown eyes. He speaks English and Spanish. Garces-Velez is likely to visit the Bahamas and Panama. The U. S. may pay a reward for information that leads to his arrest.

He is wanted by the Federal authorities in New Jersey, where a judge issued a warrant for Garces-Velez's arrest on September 22, 1994. From May to July 1994, Garces-Velez was the leader of a group of money couriers, in the states of New Jersey, New York, and Florida, who delivered the proceeds of drug trafficking to be laundered and then sent to Aruba and Colombia. In May 1994, they collected a total of $718,000 and delivered it to a warehouse in New Jersey. In June 1994, they collected a sum of approximately $2.1 million in cash, and delivered it to the warehouse. Garces-Velez also supervised a warehouse operation in Miami, Florida where nearly $6 million was delivered and then laundered and sent to South America by way of Aruba. The money was concealed in large rolls of fiberglass cloth. In August, 1994, a federal grand jury in Newark, New Jersey indicted Garces-Velez and his associates, Luis Ortiz, Jairo Castano, and Juan Bautista Munera on charges of money laundering the proceeds of narcotics trafficking. Garces-Velez is the subject of an Interpol Red Notice, which acts as an international arrest warrant.

Cybulkiewicz: wanted for importation of marijuana and cocaine

David Cybulkiewicz, an unconfirmed Colombian citizen, is accused of importing, and processing with intent to distribute, marijuana and cocaine. Cybulkiewicz was born on August 7, 1928, in Oslan, Aruba. He is 165 cm, 5' 5" tall, weighs 77kg, 170 pounds, and has brown hair and eyes. He has a business in the Netherlands Antilles, called Agencio Universal Transito, NV.

Cybulkiewicz is wanted by the Federal authorities in Tallahassee, Florida. A judge there issued a warrant for Cybulkiewicz's arrest for the importation of, and conspiracy to possess with intent to distribute, more than 1,000 kg of marijuana and 5 kg of cocaine. Cybulkiewicz is the subject of an Interpol Red Notice, which acts as an international arrest warrant.

Burchard: wanted for importation of cocaine

Samuel Klaus Burchard, a United States citizen, is accused of conspiring to smuggle and unlawfully import cocaine into the United States. Burchard was born on December 6, 1945, in Battle Creek, Michigan. He is 182 cm, 5'11" tall, weighs 70 kg, and has brown hair and blue eyes. He has burn scars around both elbows onto his forearms, and does not have full range of movement in his left eye, due to nerve damage. His nose is crooked, and he has limited use of his left arm as a result of previously broken elbow. He is a vegetarian.

He is wanted by the Federal authorities in Atlanta, Georgia. A judge issued a warrant for Burchard's arrest on May 22, 1986. During May and June 1982, Burchard piloted an aircraft to deliver 127 kilograms of cocaine from Colombia to Live Oak, Florida. In February 1983, he successfully smuggled 283 kilograms of cocaine from Colombia to St. Joseph, Tennessee. In February 1986, as he was piloting another plane-load of cocaine to Scottsdale, Alabama, he was spotted by US Customs aircraft which followed him to Scottsdale. Burchard landed his plane and managed to get away. Thirty kilograms of cocaine were recovered. Burchard is the subject of an Interpol Red Notice, which acts as an international arrest warrant.

Lara-Arias: Major cocaine trafficker

Beatrice Lara-Arias, an accused drug dealer, is a Colombian citizen, born on February 3, 1953 in Gumal, Departmento de Magdalena, Colombia. She is 157 cm, 54kg, with red hair and black eyes. She is wanted by the federal judicial authorities of the Southern District of Florida, where she is charged with conspiracy and possession with intent to distribute cocaine. A federal judge issued a warrant for her arrest on August 13, 1990. Between 1980 and at least 1990, Lara-Arias arranged for the transportation, smuggling and distribution of cocaine from Colombia to the United States and Spain. She has associated frequently with the upper echelons of the Medellin Cartel. From January to May 1990, Lara-Arias agreed to sell an undercover United States Federal Agent 1,078 kg of cocaine, which she planned to transport from Colombia to South Florida. She has Colombian passport No. AC-373259 and Colombian identity card No. 36130605. Lara-Arias may visit any of the following countries: the Netherlands, Panama, Spain, Portugal, the Cayman Islands, or Curaçao. She is the subject of an Interpol Red Notice, which acts as an international arrest warrant.

Cuatro narcotraficantes colombianos que figuran en una lista de los más buscados del F.B.I., y que en el país no se han mencionado.

**POSIBLE ESTRUCTURA JERARQUICA
DEL CARTEL DEL NORTE DEL VALLE**

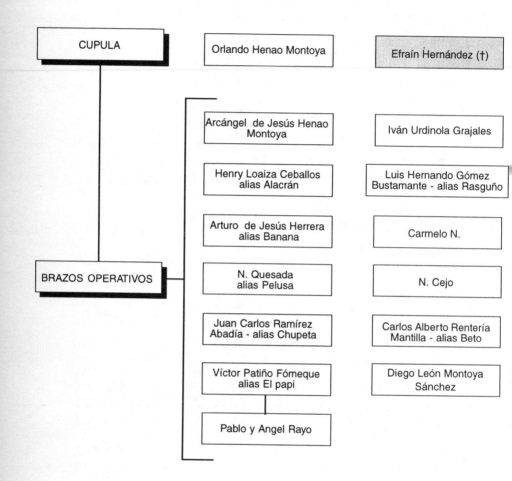

| CUPULA | Orlando Henao Montoya | Efraín Hernández (†) |

BRAZOS OPERATIVOS		
	Arcángel de Jesús Henao Montoya	Iván Urdinola Grajales
	Henry Loaiza Ceballos alias Alacrán	Luis Hernando Gómez Bustamante - alias Rasguño
	Arturo de Jesús Herrera alias Banana	Carmelo N.
	N. Quesada alias Pelusa	N. Cejo
	Juan Carlos Ramírez Abadía - alias Chupeta	Carlos Alberto Rentería Mantilla - alias Beto
	Víctor Patiño Fómeque alias El papi	Diego León Montoya Sánchez
	Pablo y Angel Rayo	

Capítulo IV

La guerra de carteles

Primero que todo ésta es la historia de un acorralamiento. Los dos jefes históricos del cartel de Cali, Gilberto y Miguel Rodríguez Orejuela, llevaban once meses en la prisión en Bogotá, conquistada bajo sus propias condiciones, pero prisión al fin y al cabo.

El sinónimo de mafia es (debe ser) lealtad, pero en ocasiones entran en conflicto lealtades internas con los vínculos de poder externos a la propia organización familiar. Y ese empezaba a ser el drama de los Rodríguez Orejuela, quienes por un lado debían lealtad absoluta al presidente de la República que habían contribuido a elegir con casi seis millones de dólares, a cambio de la preservación de un régimen legal favorable, el del sometimiento a la justicia, y por el otro a la organización criminal que lideraban al momento de ingresar a prisión, pero que por la propia dinámica económica que gira en torno a la multinacional de la cocaína, empieza a arrojar nuevos jefes, nuevas estructuras independientes, que convierten en débil cualquier liderazgo que no se mantenga con la misma presencia del jefe.

Visto con la perspectiva de hoy, podría hacerse incluso un paralelo con la situación que vivieron los hermanos Moncada y Galeano con Pablo Escobar, cuando éste aceptó ingresar a la prisión de La Catedral. Al poco tiempo de verse en prisión, y seguramente mejorados sus recuerdos por los relatos de los sicarios que lo acompañaban, Escobar empezó a ver traiciones por todo lado, pero primero que todo que nadie quería pagar su vacuna por haber logrado con las oleadas de terrorismo sepultar la extradición de narcotraficantes. Así que ordenó secuestrarlos, apoderarse de US$20 millones que tenían ocultos en una bodega de Nueva York, llevar sus contadores hasta la cárcel, y apropiarse de todas sus rutas, para luego asesinarlos.

Enfrentados a ese dilema de la lealtad a la organización y a la propia, los hermanos Rodríguez optaron por la lealtad a su propia supervivencia, pero la decisión los dejó al descubierto frente a los otros carteles y sobre todo frente a su nuevo rival, el cartel del norte del Valle que lidera José Orlando Henao Montoya.

Y eso sólo podía significar una guerra.

Después de seis meses en la cárcel, arropados por el afecto familiar, las fáciles exhibiciones de poder frente a sus amigos, carceleros y abogados, y una cierta impotencia de la Fiscalía General de la Nación (Rodríguez Gacha nunca tuvo un proceso penal en Colombia) para recaudar pruebas inesperadas en los varios procesos abiertos en su contra, los había terminado por convencer de poseer una aureola de invencibilidad, que ya se les había dibujado cuando aportaron el dinero suficiente para contratar al grupo paramilitar de los hermanos Fidel y Carlos Alberto Castaño Gil para que localizaran y mataran a su eterno rival, el narcotraficante Pablo Escobar Gaviria.

Esa pérdida del sentido de las proporciones los llevó primero a empezar a producir una serie de listas de presuntos narcotraficantes en todo el país, para que como disfraz de un aporte a la labor del gobierno en la desarticulación de los carteles, en realidad previnieran la creación de una nueva organización que pudiera rivalizar con ellos, especialmente desde el momento en que José Estrada, a quien habían encargado del manejo de la organización tras su entrega a la justicia, también había sido capturado en cercanías de Medellín, cuando apenas llevaba semanas al frente de la organización.

La posibilidad de perder los contactos y las líneas de mando significaba pérdida también del manejo de algunas de sus más productivas rutas, que debieron ser entregadas para su manejo y administración a un inexperto, William Rodríguez Abadía, hijo de Miguel, y quien hasta entonces sólo se había dedicado a controlar el manejo de la red de seguridad de su padre y de su tío Gilberto.

Y fue a William a quien le correspondió sufrir las primeras consecuencias reales de una guerra larvada desde meses antes de que saltara a las primeras páginas de los diarios, cuando otros dos hombres vinculados al narcotráfico, Víctor Patiño Fómeque, El Papi, y Henry Loaiza, El Alacrán, negociaron su propia entrega a la justicia ante los rumores de que los Rodríguez los iban a asesinar.

Pese a llevar varios meses apareciendo en avisos de televisión como estructurales dentro de las organizaciones de los Rodríguez Orejuela, la Fiscalía General de la Nación prácticamente no tenía un solo cargo sólido con el cual detener a Patiño y a Loaiza, quienes se presentaron ante las autoridades militares que podían garantizar su vida. El rumor que circulaba en distintos medios era que los Rodríguez podían ordenar su asesinato, como una forma de quebrar la espina dorsal al cartel del Norte, que tenía en los dos el manejo de la infraestructura de transportes marítimos, y seguridad de los nuevos capos.

Desde el momento de su captura y sometimiento a la justicia, la jugada planeada por el equipo de abogados de los Rodríguez consistía en crear para ellos las condiciones judiciales favorables para que todo cargo que debieran afrontar llegara a una sola piscina, confesar en ese momento sus actividades de narcotráfico, llegar a una sola condena que globalizara todos los cargos, y así quedar exonerados de la posibilidad de que en el futuro les volvieran a surgir nuevos cargos, que hicieran posible su retorno a la cárcel.

Una sola condena por todo delito de narcotráfico entre fechas específicas, podría significar para ellos la impunidad en muchísimos otros delitos, como ya habían conseguido los doce narcotraficantes que sirvieron de testigos secretos para formarle cargos penales a un Pablo Escobar que al momento de la entrega había asegurado una impunidad controlada que difícilmente el Estado podía disputarle con sus medianas capacidades de investigación criminal.

La estrategia les fracasó a los Rodríguez y sus abogados de forma manifiesta, pues el equipo de fiscales sin rostro que manejan los casi dieciocho procesos que se les siguen negó de plano la acumulación de las investigaciones penales, y si bien les respetó el derecho legal a una sentencia anticipada, una figura que permite rebajar la pena por ahorrarle tiempo a la justicia, la figura sólo la aceptó para cada uno de los procesos abiertos, de manera tal que no existía posibilidad alguna de alegar el principio de la cosa juzgada con respecto a otros nuevos casos de narcotráfico o cualquier otro delito para el que aparecieran pruebas o testigos después de condenados una primera vez.

La evidencia que recibieron entonces era que podían controlar al gobierno, incluso a sus propios carceleros, pero jamás a la Fiscalía. Y para controlar esa posibilidad dieron otro paso, el de buscar acercamientos con el gobierno y varias de sus agencias de control del narcotráfico, para buscar por esa vía que se les brindara la seguridad de no ser extraditados a cambio de su colaboración en la delación de sus redes internas y sus rutas, pero por sobre todo de sus contactos internacionales, en México y los Estados Unidos.

La aproximación directa la habían intentado en varias ocasiones, pero desde cuando sus principales abogados en los Estados Unidos y Colombia habían sido sometidos a juicio, veían cada vez más remota la posibilidad de buscar una negociación indirecta, que por un lado les brindara la opción de retirarse en cualquier momento, y por el otro la de no comprometerse directamente con la delación de sus compinches.

En esta ocasión la negociación la iban a hacer directamente. Con fecha 16 de mayo, enviaron a distintos medios de comunicación, a varias agencias de seguridad y a diversas personas influyentes en Bogotá y Cali, una carta de ocho folios suscrita por "Los caracoles", fechada en algún remoto lugar de Colombia, y en la que en esencia develaban la identidad de los principales jefes del cartel del Norte, en una lista de más de 50 personas en todo el país, que encabezan los hermanos Orlando y Arcángel Henao, y mencionaban pistas, rutas, aeronaves y embarcaciones empleadas para transportar cocaína y heroína.

Los Rodríguez tenían todo el motivo para sindicar a Henao de su liderazgo en el cartel. Un par de semanas antes de enviar ese mensaje casi público, los Rodríguez habían hecho llegar a la embajada de los Estados Unidos en Bogotá una breve misiva en la que anunciaban su intención de colaborar con las autoridades norteamericanas a develar las principales organizaciones del narcotráfico en Colombia, en una relación que, decían, debía ser mutuamente promisoria.

Dos días después de recibida la carta en la embajada, la cárcel de alta seguridad de La Picota fue escenario de la primera exhibición de poder del cartel del Norte, y de la caída de los Rodríguez.

En los primeros días de la primera semana de mayo, un helicóptero privado se posó a un par de kilómetros de la cárcel de alta seguridad de La Picota, en un barrio suburbano del sur de Bogotá. De allí bajó un pasajero, un hombre moreno y rechoncho de no más de cincuenta años, cuya mano izquierda más corta que la otra se disimulaba con un tic, la gesticulación exagerada de la derecha, que casi concentraba toda la atención de quien fuera su interlocutor.

El misterioso pasajero fue recogido por una camioneta blindada, que ingresó al pabellón de máxima seguridad, sin que un solo guardia reclamara identificación al conductor o a su discreto pasajero. En un término no superior a las cuatro horas, todas las autoridades del penal habían sido organizadas de manera tal que el ingreso del insólito visitante no representara ningún tipo de peligro.

Y en efecto, como cuatro meses antes, cuando huyó de la misma prisión José Santacruz Londoño, las puertas de la prisión se abrieron misteriosamente; todos los guardianes y presos miraron a un tiempo hacia otro lado durante el tiempo necesario para que Arcángel Henao llegara hasta el patio de máxima seguridad de la Penitenciaría Central de La Picota.

Los hermanos Rodríguez Orejuela estaban juntos, en su paseo de reposo del almuerzo por el pabellón de máxima seguridad, cuando fueron encarados por Henao. Para alguien que vive en el medio del narcotráfico el peor insulto que se le puede hacer es el de decirle sapo, el animal que se tiene como símbolo del delator, figura derivada seguramente del hecho de que con su croar se delata a sí mismo y a sus congéneres. Y ese fue el epíteto con que los saludó Henao.

– Ustedes son unos sapos.

La sorpresa de los dos Rodríguez no alcanzó a cristalizarse, porque Henao les lanzó todo un discurso en menos de cinco minutos, sin darles tiempo a hablar.

– En este momento mis hombres tienen bajo su control a toda su familia, cercana y lejana, en cualquier parte del país que se encuentren. Si en media hora yo no doy muestras de supervivencia, todos ellos serán asesinados. Así que más les conviene dejarme hablar sin interrupciones, porque más pronto terminaré mi trabajo. Dejen de publicar sus hijueputas listas, déjenos trabajar tranquilos, que este mundo ya no es de ustedes. Un solo nombre, una pista que sepamos que ustedes están largando a cualquier juez, colombiano o americano, y por cada nombre habrá un muerto de ustedes.

La preocupación de Henao se derivaba de la publicación periódica, en los programas de radio y televisión que controlan los Rodríguez Orejuela a través de sus periodistas testaferros, de listas de presuntos narcotraficantes del Valle del Cauca, la Costa y Nariño, a los que le mezclaban los nombres de comerciantes, propietarios de pequeña y mediana empresa, a quienes pretendían vincular como testaferros de otros grupos de narcotraficantes, para dar la sensación de que estaban revelando graves e insospechados nexos de la mafia con la industria del Valle del Cauca.

Pero resultaba obvio que en esas listas nunca aparecían los nombres de las personas o las empresas vinculadas a los mismos Rodríguez o a los otros jefes del cartel de Cali, lo que hacía todavía más obvia su procedencia.

Sin perder un minuto el control, Henao los puso al tanto de las jugadas de los Rodríguez de que él y su organización estaban enterados, les notificó que acababa de dar la orden de muerte contra toda persona que les vendiera un kilo de pasta de coca, la procesara, o la transportara para ellos.

El cartel de los Rodríguez no existiría nunca más, y les repitió, eso les pasa porque ustedes son unos sapos.

En el rígido código de la delincuencia, hay muchos errores que se pueden perdonar o transar. Pero el epíteto de sapo, en una organización donde casi exclusivamente se mata por delación, decirle a los Rodríguez, a quienes habían ordenado centenares de asesinatos por el mismo cargo que ahora les hacían, era la situación más grave desde cuando había fracasado por poco su intento por consolidar una justicia a su favor durante la fiscalía de Gustavo De Greiff.

Sin esperar a una respuesta, Arcángel Henao Montoya dio la vuelta, volvió a cruzar las tres puertas de máxima seguridad sin que encontrara en su camino un solo guardián penitenciario, y abordó su vehículo un par de minutos más tarde. Desde el helicóptero marcó en su teléfono celular el número que lo ponía en contacto con su jefe de seguridad, un militar retirado, y dio la palabra clave.

– Eureka.

En Cali, Medellín, Bucaramanga y Bogotá un centenar de hombres que se habían repartido en comandos fuertemente armados en grupos de siete personas cada uno abandonaron sus puestos de observación, que habían instalado un par de días antes.

La advertencia estaba hecha, pero eso no impidió la guerra.

Para un capo como Miguel Rodríguez Orejuela, el más impulsivo de todos, recibir de frente el insulto de sapo era la notificación de que necesitaban una decisión. Las opciones que tenían al frente eran muy claras: excluidos de las operaciones de narcotráfico, con El papi y El alacrán en la cárcel, y la notificación pública que había hecho Iván Urdinola Grajales de que si no lo cambiaban de cárcel su vida corría peligro a manos de los Rodríguez, lo que el gobierno también interpretó como una amenaza en sentido contrario, sólo quedaba la opción de cantar.

Podían intentar hablarle a la Fiscalía General para conseguir un beneficio adicional en sus condenas, pero resultaba obvio que su titular no tenía la menor inclinación por convertirse en defensor suyo. La forma sistemática como se fueron erigiendo los cargos en su contra, y las actitudes públicas del fiscal Alfonso Valdivieso Sarmiento lo exhibían como un funcionario apegado en temas del narcotráfico a la más estricta legalidad. Así que sólo quedaba buscar otros caminos menos verticales en el manejo de la información.

Primero enviaron, desde una casa de Montería, fechada "Desde las montañas de Córdoba" una primera carta en la que anunciaban delaciones, un conocimiento claro de la estructura de los carteles en sus operaciones y un par de nombres como incitación a leer la próxima carta que enviarían firmada por Los Caracoles. Llegó una segunda carta, y pronto se conoció su texto.

Con fecha 16 de mayo enviaron la tercera. Se trataba de ocho folios escritos a máquina, con una redacción aceptable, pero el empleo inadecuado de algunas palabras poco comunes, que tomaban por significado diferente al real. Podían ser los Rodríguez.

En esencia la carta se refería en primer término a lo que consideraban la preocupación internacional de moda, el secuestro del arquitecto Juan Carlos Gaviria, hermano del expresidente César Gaviria Trujillo, secretario general de la Organización de Estados Americanos. Decían en esencia que por su conocimiento, pues afirmaban ser vigilantes de secuestrados por la organización de Carlos Alberto Castaño Gil, Gaviria no sería asesinado, sino mantenido como rehén de la situación judicial de Ernesto Samper.

Que Gaviria estaba en poder de un grupo efectivamente llamado Dignidad por Colombia, que era en realidad un viejo grupo guerrillero que servía por ahora como brazo armado del cartel del Norte del Valle, y que en ese momento eran ocho personas las encargadas de realizar todos los movimientos tendientes a generar la disolución del país, a fin de consolidar la nueva estructura de la mafia del narcotráfico.

Los nombres los encabezaba, desde luego, Orlando Henao Montoya.

Al mismo tiempo, Gilberto Rodríguez tomaba la decisión de dar un paso adelante previendo que pudiera desencadenarse una guerra que los tomara por sorpresa, así que pidió a su sobrino William, el hijo de Miguel, que se reuniera en algún lugar cercano a Montería con Carlos Castaño, y negociara las condiciones de una alianza, como ya se había hecho en otras ocasiones. La versión más común en todos los círculos apuntaba a que José Santacruz Londoño había sido asesinado el 5 de marzo por un grupo de los Castaño, lo que se evidenció más aún cuando un par de días más tarde se halló el cuerpo de su conductor a unos metros del de Chepe Santacruz.

La reunión entre Rodríguez y Castaño tuvo lugar en efecto en la casa de una montaña en Córdoba, pero el temperamento explosivo de William no dio lugar a ningún acuerdo, y menos a dejar una línea de comunicación útil para reanudar la negociación. El hijo del capo se levantó airadamente y dejó al jefe de los paramilitares con la palabra en la boca.

Nadie sabe en qué momento volvieron a circular cartas de ese tipo, lo cierto es que el sábado 22 de mayo al mediodía fue dada la orden de cometer el atentado contra William Rodríguez Abadía.

¿Fue dada la orden? En Cali la mafia aprendió pronto de los errores cometidos por los otros carteles de la droga. Y el más grave de todos fue siempre la vendetta, el asesinato de alguno de los jefes de una facción, que desencadena luego una venganza entre los afectados, por un lado quienes perdieron algo por deudas no pagadas contraídas por el muerto, sin haber tenido nada que ver con el problema pero perdían igual que los demás, y los propios autores del asesinato, que tampoco podían recuperar su dinero.

Así que en Cali la organización opera distinto, y en buena parte esa es la causa de que allí sólo esporádicamente se presenten matanzas colectivas como las registradas años antes en Medellín, cuando llegaba una decena de pistoleros y acribillaba a los presentes en un bar, una peluquería o una casa de cambios.

La historia la dividió Cali en diciembre de 1984, cuando se presentó una matanza colectiva en la oficina seccional de la financiera Diners, por una deuda que no se quería reconocer. Trece personas fueron asesinadas, entre ellas los responsables de la operación y tres secretarias. En una ventana de la oficina se dejó un mensaje específico para "Lalo": "Lo siento Lalo, es el desquite, la próxima vez debes colaborar como la primera vez".

Esa matanza resolvió varias cosas, primero, que si la mafia en Cali quería prosperar, la forma de asesinar tendría que ser con el menor grado de conmoción social posible, utilizando las picadoras de la caña antes que los atentados en moto tan comunes en otras zonas del país, y desapareciendo los cadáveres en el fondo de los ríos.

Y luego la novedad, es la creación de una bolsa de vida, o de muerte, según se la mire, que la llaman así porque funciona en esencia como una bolsa de valores: toda deuda relacionada con grandes cargamentos de droga se registra allí, con nombre y fechas que señalan al deudor y al beneficiario de la obligación.

Para matar a alguien primero hay que consultar la bolsa, y sólo si ese alguien acepta que se lo asesine, se podrá proceder, o de lo contrario el autor del atentado tendrá que responder por las deudas del muerto.

La bolsa habría operado entonces de la siguiente manera: cuando Henao dio la orden de atentar contra William Rodríguez, su nombre se entrega a los operadores de la bolsa, quienes corren el nombre en la computadora, para saber a quién o a qué organización le adeuda dinero. Ese listado se entrega a quien ordena cometer el asesinato con dos objetivos, el primero, decidir si vale la pena asumir el riesgo económico del atentado, por las conexiones que tenga la futura víctima, y el segundo, para intentar negociar con los titulares de las obligaciones lo que perderan por el asesinato. Si no se pasa antes del atentado por ese filtro, quien ordena la muerte tendrá que pagar todas las deudas del occiso, o pagar su imprudencia con su propia vida.

De la misma forma funciona una oficina de sicarios, que tiene por objeto controlar la creación de organizaciones de asesinos a sueldo, para evitar que la violencia se desate en cualquier momento, sin posibilidades de conocer el origen.

Los Rodríguez no son más pacíficos que Escobar, lo que en realidad los hace un poco diferentes es que son más organizados y, sobre todo, menos aparatosos.

El lunes al mediodía se corrió el nombre de William Rodríguez en el computador de la bolsa de la vida, y media hora después estaba listo el operativo para el atentado. No tenía deudores.

El domingo anterior, a las cuatro de la tarde el jefe de seguridad de los Rodríguez Orejuela recorría el centro de Cali, y cuando se detuvo frente a un bar que solía frecuentar, fue acorralado y acribillado. Un par de días antes lo había sido el familiar de otro prominente político, convertido en la nueva lanza de los Rodríguez tras la detención del senador Armando Holguín Sarria.

Al mediodía del 24 de mayo William Rodríguez llegó a un exclusivo restaurante italiano en Cali, que solía frecuentar. Iba acompañado de ocho personas, entre ellas Nicol Antonio Parra Toro, ahora su escolta personal, pero registrado siempre en todos los archivos judiciales con el alias de Nico, el jefe de sicarios del cartel.

Afuera quedaron otros tres custodiando los carros, y esperando cualquier llamada del patrón. En hechos que no se han podido reconstruir integralmente, un grupo de hombres armados con pistolas y silenciador, y con precisión milimétrica los asesinaron a todos. Entraron al restaurante por la escalera pública, atacaron directamente a Nico, que era su objetivo, pero para sorpresa de ellos descubrieron que los escoltas de William Rodríguez iban armados, lo que nunca esperaron ocurriera, con las empresas intervenidas, la familia en la cárcel, y por tanto resultaba obvio pensar que el Ministerio de Defensa les habría revocado los permisos para portar armas.

Se había logrado dar muerte a Nico, pero había fracasado el secuestro de William, a quien se pensaba exhibir en fotografías públicas con otro secuestrado famoso en ese momento, Juan Carlos Gaviria Trujillo. Para alguien en Colombia esa foto sería un mensaje muy directo.

La operación, de precisión militar, no podía ser cometida sino por una organización, la de los paramilitares de los hermanos Castaño Gil. En ese momento también se mencionó insistentemente otro nombre, el de un alias conocido como Escudo 31, que correspondería a la clave de comunicaciones de un hermano de Víctor Patiño Fómeque, pero ninguna de las incidencias posteriores parecería avalar la teoría.

En cambio es muy propio de los Castaño volverse contra quien antes los contrató. Eso lo experimentó en carne propia Escobar Gaviria, quien prácticamente luego de haber financiado y colaborado con los entrenamientos militares de su grupo, cayó en una operación de inteligencia que involucró a una rubia joven, que habría servido como señuelo. El precio de la operación fue de US$20 millones.

Y ahora lo padecía el cartel de Cali como enemigo, lo que dejaba a los Rodríguez en una posición bastante débil.

Además, alegan quienes comparten esta teoría, no hay actualmente en las organizaciones de narcotráfico una sola familia con capacidad de enfrentarse al cartel de los Rodríguez con posibilidades de supervivencia. La única organización con estructura de gran nivel era la de Efraín Hernández, quien desde una posición de Don, podía convocar a su grupo de los doce y a otros que acataban su disciplina.

El problema en realidad de fondo es desentrañar quién financió la operación de los Castaño (aunque judicialmente se tiene la certeza de que Fidel murió hace varios años en un enfrentamiento con la guerrilla en el Urabá antioqueño, varias fuentes calificadas aseguran que se rotan la dirección de los paramilitares entre Carlos y Fidel Castaño Gil). Según la versión más corrientemente aceptada, y que es la que conduce el hilo de este relato, habría sido contratado por el cartel del Norte del Valle, y correspondería en consecuencia a un realinderamiento del poder de los carteles.

Sin embargo los servicios de inteligencia no descartan que corresponda a una estrategia propia de los paramilitares, y que tendría por objeto entrar a participar de lleno en el tráfico de cocaína para financiar con esos dineros la lucha contra la guerrilla, que es también como a su vez justifica la guerrilla sus vacunas, secuestros y hasta el denominado "impuesto al gramaje", que es un porcentaje fijo que cobran en los laboratorios a los narcotraficantes por kilo que se procese y embarque.

Una alianza de este tipo le generaría ingresos adicionales a los paramilitares, y así quedarían los colombianos de nuevo en la mitad de una guerra sin ley, pero también sin dueño.

Ocho días después del atentado en que resultó herido William Rodríguez, fueron acribillados cuatro hombres que iban a bordo de un vehículo en la autopista Cali-Palmira.

No era esa la única indicación de una guerra. Desde los primeros días del año en el Tolima se venía presentando una escalada de violencia, a raíz de la detención de un militar y tres mujeres, a quienes se acusaba de dirigir una importante célula de contrabando de cocaína.

A finales de febrero del 96 la primera víctima fue Sandra Castañeda Hossman, señalada como amante de Loaiza. Cinco días después el turno correspondió a uno de los testaferros del mismo cartel, Jorge Eduardo Cruz, y quien manejaba una cadena de droguerías que en realidad pertenecían a Loaiza, Superbarata.

En la primera semana de marzo, el atentado le correspondió a Jorge Eduardo Martínez, también un importante testaferro del Alacrán.

Loaiza tiene en contra un proceso que se basa en el testimonio de quien fuera su conductor y guardaespaldas, Daniel Arcila Cardona, quien lo vinculó con varios asesinatos en el Tolima, Valle y Putumayo.

El 7 de febrero fue secuestrado en Pereira Alcides Arévalo, después de la misteriosa desaparición de los ocupantes de una avioneta que había salido de Mariquita y aterrizado en Armenia. Arévalo fue interceptado por cuatro hombres cuando llegaba a su casa, lo introdujeron en un taxi y desapareció. Arévalo regresó a Pereira el 26 de marzo cuando, dijo, logró escapar sano y salvo de sus captores. A los pocos días fue secuestrado Juan Carlos Gaviria.

En el año 92 se había presentado un conato de guerra entre la guerrilla de las Farc y el cartel de Cali, a raíz del secuestro de una hermana de José Santacruz.

El 23 de marzo del 96 la policía allanó una vivienda de propiedad de Loaiza Montoya en la avenida Vorágine del barrio Ciudad Jardín de Cali. En unos sótanos de la casa estaban secuestrados un español, de apellido García Ramírez, y una colombiana, Hilma Cortés de Ramírez.

El 3 de junio del 96 en Barranquilla la víctima de un atentado fue un primo de El Alacrán, José Alcides Loaiza Montoya, conocido como Cejo. Con un largo historial delictivo, Loaiza Montoya estaba acusado de controlar redes del narcotráfico en Houston, Los Ángeles, Nueva York y Chicago. Otro cargo le proviene de la incautación, en 1983, de un barco cargado con 10 toneladas de marihuana, frente a Key West.

El atentado contra Loaiza Montoya se produjo cuando ingresaba a un supermercado de Barranquilla. Según testigos, el narcotraficante fue abatido en una operación en la que participaron nueve sicarios, que iban escoltados por carros que se comunicaban entre sí por radioteléfono.

Cuando Loaiza Montoya fue llevado al hospital, en su poder se hallaron dos identificaciones, una a nombre de Alvaro Sarria, y otro de José Alberto Borrero Caicedo.

Pero la guerra se detuvo de repente, cuando la procuradora de los Estados Unidos, Janet Reno, envió una comunicación al Ministerio de Justicia anunciando su intención de solicitar formalmente la extradición de los hermanos Rodríguez Orejuela, Helmer Herrera Buitrago y Juan Carlos Ramírez Abadía, alias Chupeta.

La sorpresiva solicitud, formalizada semanas más tarde a la Cancillería colombiana, provocó una nueva cumbre a la que asistieron todos los miembros del cartel del Norte del Valle, y en el que tras analizar el motivo de la solicitud, pues no le podía ser desconocido a la procuradora que la Constitución del 91 prohibió la extradición de colombianos, y llegaron a la conclusión de que si hubiera algún, como se teme, compromiso de Ernesto Samper Pizano con la no extradición, ésta se circunscribía exclusivamente a los dos hermanos Rodríguez y a Helmer Pacho Herrera Buitrago, así que si los mataban, desaparecía su posible compromiso de negarse a extraditar.

Mientras los Rodríguez permanecieran vivos, no habría extradición, fue la conclusión a que llegaron. Y de ella mantuvieron su decisión de continuar minando la base del cartel de los Rodríguez, con la ratificación de conservar la prohibicion de vender o transportarles droga, pero también respetar su vida. Ellos, los Rodríguez, por lo demás, podían seguir de "mamparas de opinión", como antes Escobar, pues mientras estuvieran vivos la opinión pública continuaría más pendiente de ellos, así sólo fuera por la pereza de aprenderse de memoria nuevos nombres.

Su enemigo se convirtió de repente en una póliza de seguros.

Pero a la guerra de los carteles se vino a sumar otra. En agosto empezaron las marchas de los cocaleros ante la perspectiva por la firma de un convenio entre el Ministerio de Defensa y el gobierno norteamericano, en virtud del cual se ensayaría un nuevo herbicida para atacar los cultivos de coca y amapola. Cuando las marchas empezaron a tener demasiada publicidad y eco internacional, el gobierno hizo saber a los narcotraficantes presos que consideraba su responsabilidad las marchas, y que en consecuencia si querían conservar sus actuales prerrogativas en la cárcel, deberían impartir la orden de frenar las marchas.

La propuesta despertó carcajadas en la cárcel por poco tiempo, pues a las pocas semanas empezaron amenazas de secuestro a las familias de los narcotraficantes presos. Eran del gobierno, así que, por primera vez desde el inicio de la guerra en mayo, volvieron a firmar todos una carta, en la que denunciaban las amenazas de secuestro contra su familia, que se había concretado ya en un secuestro, pero también con otro ingrediente, el de las Farc, y el secuestro de familiares de las altas cúpulas de la organización.

Un párrafo de la carta de los hermanos Rodríguez era especialmente intrigante:

"La seguridad de los nuestros, entendida en el orden personal y jurídico, queda de hoy en adelante en manos suyas, señor Presidente (Samper). Y por la responsabilidad que tienen como altos funcionarios que son, en manos del ministro de Defensa Nacional, del señor Ministro de Justicia y del Derecho, del señor director de la Policía Nacional, del señor director del Departamento Administrativo de Seguridad y del señor Fiscal General de la Nación".

Se empezaban a solapar en un solo caso las distintas clases de violencia que agobian a Colombia. Mala señal para el futuro.

Se pensaba que este sería el punto final del capítulo sobre la guerra entre los carteles, al menos un punto aparte mientras el Congreso resuelve la extradición, pero una de las operaciones europeas más grandes que se cumplen contra los carteles colombianos de la cocaína, que debido a sus vínculos con las mafias italianas y rusas les imprime cada vez más importancia, desbarató los planes.

Los altos índices de violencia que vive el país deja pasar inadvertidos los crímenes más horrendos, si suceden en Bogotá, porque si se guiara cualquier lector por las páginas de la prensa que circula en Cali, terminaría comparando esa ciudad con Berna o Viena. Pero la verdad no por negarla desaparece. Cuando la revista Semana publicó hace algo más de un año un artículo advirtiendo sobre los altos niveles de inseguridad que se padecen en Cali, todos los gremios y organizaciones cívicas lanzaron su más enérgica protesta, porque, fue la expresión más generalizada, se quería "medellinizar" a Cali. Que fue una expresión por cierto muy similar a la escuchada en México cuando los carteles de la cocaína de allí asesinaron al arzobispo Posadas: se habló entonces de la "colombianización" de México.

Pero la verdad es que cada sociedad tiene la violencia que engendra en su seno, y si cuando la revista planteó el tema se lo hubiera discutido abiertamente, de pronto se habrían podido evitar los males que tiene Cali en este momento.

Cuando las policías italiana y española pusieron en marcha en octubre pasado la Operación Papagayo, que ha permitido incautar al menos dos toneladas de cocaína y una de marihuana a bordo de buques que habían partido de Cartagena y Buenaventura, estaban también asestando un duro golpe a las nuevas organizaciones de los carteles en Colombia, y a sus más importantes contactos en Galicia, al norte de España.

De esa operación policial todavía apenas se tiene noticia fragmentaria en Colombia, especialmente porque las capturas no han empezado a producirse acá, y que seguramente se darán sobre los bloques y organizaciones de Buenaventura y Cartagena.

De acuerdo con la nueva estructura de los carteles, la caída de un cargamento no implica que no se pague su valor, así sea a precio colombiano, y para ello torturan o secuestran, hasta cuando el responsable del nivel en que cayó la droga o su familia entregue los bienes que compensen la pérdida.

Y en el centro de la disputa se había colocado Efraín Hernández Ramírez —don Efra—, el hombre que lo controlaba todo desde Antioquia, aunque luego alguien no quizo aceptar su tradicional mediación de gran padrino.

Sólo en Ibagué han sido asesinadas más de 50 personas, aunque se asegura que el verdadero objetivo, todavía no logrado, es Sandra Castañeda, la compañera de Henry Loaiza, El alacrán. A continuación de esa serie de atentados en Medellín cayó acribillado Juan David Posada Valencia, hermano de uno de los tesoreros de Pablo Escobar, John Jairo Posada. Al mismo tiempo empezó a correr fuertemente el rumor de que la muerte de Nico, el compañero de William Rodríguez Abadía, se había ocasionado como venganza por una presunta matanza que habría ocurrido a principios de este año en Jamundí.

El 27 de octubre la policía de Bogotá fue alertada sobre la presencia de dos cuerpos descuartizados en un cerro cerca de Monserrate, al oriente de Bogotá. Al confirmar la identificación de los cadáveres se encontró que uno de ellos, descuartizado, correspondía a Enrique Arias Varela, un miembro de una de las organizaciones del cartel del Norte del Valle. El otro era su hermano, que había sido alcalde en Suárez, Tolima.

La Policía reconoció a Enrique Arias Varela, conocido como Don Enrique, como tercer miembro de un grupo de una de las familias del cartel, del que también harían parte Jairo López Piedrahíta, alias Roque, y Ramón Quintero Sanclemente.

Don Enrique operaba en Buga.

El 31 de octubre eran asesinados en Cartagena dos coteros, Emiro Crismal y Nelson Hernández, sin motivo aparente.

Cuando se iniciaron los allanamientos en Buenaventura, en la primera semana de noviembre, y empezó a rumorarse la detención de uno de los hermanos Rayo en el marco de la operación policial, caía acribillado en su oficina del centro comercial Santa Bárbara en extrañas circunstancias Efraín Hernández Ramírez, el hombre padrino del narcotráfico que había figurado en ocasiones como aliado y en otras como adversario de Gilberto Rodríguez Orejuela.

A su lado estaba el cadáver de Haddad, el hombre que lo había acompañado en muchas aventuras.

Una nueva guerra acababa de estallar entre los carteles de la cocaína.

Una guerra que sólo se justifica por la magnitud de los negocios en juego.

Capítulo V

¿Por qué sólo hablan de dólares?

Sheila estaba harta de tener que viajar cada seis meses a Ginebra y repetir la escena del mismo hotel, la misma comida, la misma rutina hasta el Banco Unión de Suiza. Parecía que el viaje no se detuviera, y más bien le recordaba una de esas series viejas de televisión que se reestrenan de tiempo en tiempo con el ánimo de apoyarse más en la nostalgia que en la propia calidad de la película.

A sus 54 años, y después de cumplir ese trayecto 30 veces durante 15 años, Sheila Miriam Arana, de Barranquilla, creía que también podía darse un pequeño lujito, y preguntó al mismo conductor francés de todos esos años, que le había sido presentado por Pablo Escobar Gaviria, si sería muy difícil comprar ese palacete junto al lago Ginebra que siempre le había llamado la atención. Podía ser además un centro de descanso, si, como cinco años antes, la familia tenía que salir del país por causa de alguna guerra entre la mafia.

"No señora, no creo. Yo le presento un abogado", le dijo en su español de monosílabos que había aprendido a lo largo de todo estos años de transportar colombianos con maletas repletas de dinero.

Para adquirir una vivienda en Suiza se necesita tener previamente un permiso de residencia pero, le advirtió el abogado, eso no sería problema si ella podía darse el lujo de hacer una inversión en cualquier negocio local. Sheila no vio ningún inconveniente en ello, escogió invertir US$400.000 en el café L'Escale de Lausana, y llenó el formulario para tramitar su residencia en Suiza.

Hasta ese día, en la última semana de diciembre de 1992, ninguna autoridad suiza se había preocupado por averiguar el origen de los millones de dólares en efectivo que solía llevar de tiempo en tiempo ese matrimonio colombiano formado por Julio César Nassar David y Sheila Miriam Arana María.

La historia con el banco suizo se inició cuando un vicepresidente del UBS, Joseph Oberholzer, el único que hablaba español en toda la institución, fue encargado de la sección latinoamericana de sus operaciones, y en 1978, con un dominio bastante adecuado del castellano, cuando se presentaba simplemente como José, inició una correría por Suramérica a la busca de clientes ansiosos de mantener el adecuado secreto sobre sus fondos.

Uno de los escogidos fue Nassar, conocido entonces en Barranquilla como un hotelero de cierta prosperidad de día, porque de noche siempre desaparecía. Desde joven le enseñaron que *"si tú tienes tu propio cultivo de marihuana, es mejor que duermas junto a él".*

Pero seguramente la notoriedad de Nassar provendría del hecho de que un par de años antes había intentado comprar con su mujer un banco en el sur de la Florida, pero la operación debieron abandonarla en la mitad, cuando agentes federales empezaron a inquirir sobre el origen de su dinero. Prefirieron perder el millón y medio de dólares que ya habían dado como "pise" del negocio, antes que exponerse a alguna investigación seria.

Bastante suerte tuvieron con el hecho de que los traficantes de marihuana no fueran objetivo primordial de las agencias norteamericanas contra la droga, que veían en los nacientes carteles de la cocaína unos enemigos más poderosos y difíciles de vencer.

La historia de los Nassar Arana era en efecto tan desconocida en los Estados Unidos como en el interior de Colombia. Hijos de emigrantes libaneses, Sheila y Julio recibieron de sus familias US$50.000 como regalo de bodas en 1961, y de inmediato él propuso que la forma más rentable de invertir el dinero era en el contrabando de café, y crearon su propia red, que comprendía sus rutas y barcos propios. Por eso, cuando llegó la bonanza marimbera, no tuvieron el menor problema en trasladarse a la operación más rentable del mercado negro, el tráfico de marihuana.

Según la propia confesión de Sheila Nassar ante las autoridades suizas, Julio, o Tono como es más conocido, salía todas las noches y levantaba una tienda en la mitad de su cultivo de marihuana, con tal cuidado y dedicación, que a finales de los años 80 ellos ya transportaban a los Estados Unidos un promedio de 10 toneladas de la yerba prensada, en su propia flotilla de barcos.

Nassar habría sido el "inventor" del sistema de buque nodriza, en el que pequeñas embarcaciones llevan la marihuana hasta un buque de mayor calado, que espera en alta mar, y que es en esencia lo mismo que se hace hoy con el llamado "bombardeo" de cocaína.

La organización de Nassar tiene otra peculiaridad, que sólo trabaja con miembros de la familia, lo que le ha permitido cierta invisibilidad en el mundo del narcotráfico, pero sobre todo no verse mezclados en la mitad de las guerras frecuentes que se dan en esas organizaciones.

Cuando habían alcanzado el nivel de las 38 toneladas de marihuana mensuales uno de sus barcos fue interceptado frente a las costas de los Estados Unidos. El barco estaba registrado a su nombre, y por eso creyeron que había llegado el momento de cambiar sus fondos de Panamá y la banca de la Florida hacia un sitio más seguro, un paraíso fiscal.

Oberholzer estuvo de acuerdo en la decisión, y él mismo propuso la creación de un paso intermedio entre el dinero proveniente de los Estados Unidos y las cuentas suizas, como medida de protección, aunque alega que jamás tuvo la menor sospecha de que se trataba de dinero proveniente del narcotráfico.

Oberholzer, condenado luego bajo la nueva legislación financiera suiza por haber contribuido al lavado de dinero, les ayudó a crear la Fundación Solimar como una corporación especial en el Principado de Lichtenstein, un muy seguro paraíso fiscal, que no sólo protege con estrictas leyes la reserva bancaria sino también la constitución de las sociedades. De Solimar salía el dinero para los ya impenetrables laberintos de las cuentas cifradas suizas.

Con esa estructura hermética los Nassar-Arana iniciaron la rutina de viajar cada seis meses desde Panamá, Nueva York o Miami a Ginebra, donde siempre los esperaba el mismo conductor francés que alguna vez les presentara Pablo Escobar y algunos miembros de su familia. El chófer conocía la rutina a la perfección cuando llegaba alguno de ellos: tenía que levantar las dos últimas filas de sillas para que pudieran acomodar las doce o catorce maletas que siempre solían transportar.

Sheila se quedaba en el hotel, y Julio salía para la sucursal del UBS, donde el diligente Oberholzer lo esperaba, recibía la media docena de Samsonites, y al finalizar el día ellos regresaban, recogían sus maletas y el recibo de consignacion.

Cuando la fundación entró a operar plenamente, las operaciones se facilitaron, todo cuanto tenían que hacer era obtener cheques por US$50.000 de un banco de Florida, girados indistintamente a nombre de tres alemanes, Hermann, Fritz y Otto, que eran enviados a la oficina de Leichtenstein, y de allí a Ginebra.

Por esta época Nassar decidió entrar en contacto con el cartel de Medellín para introducirse en las rutas de la cocaína. Escobar y los Ochoa aceptaron gustosos la llegada de "El viejo" a la organización, que vio ampliadas sus rutas por barco, mientras los Nassar empezaron también a controlar rutas aéreas.

El flujo de dinero y los cuidadosos rendimientos de las inversiones hechas por Oberholser con los fondos aumentaba en proporción de casi el millón de dólares mensuales. Los viajes a Suiza de los Nassar también se hicieron más frecuentes, como también variaron los puntos de origen, ahora, aparte de Barranquilla, volaban desde Panamá, Miami y Nueva York.

La ruta comprendía siempre una primera escala en el número 45 de la calle Bahnhofstrasse, donde el mismo vicepresidente los recibía con los pequeños carros metálicos donde transportaban las doce maletas llenas, como en las malas películas de mafiosos, de billetes usados de baja denominación.

Pero a principios de los 90, Julio tuvo su primer problema con la mafia cuando uno de sus guardaespaldas fue contratado por un rival para que lo asesinara. El sicario sólo le atinó un disparo en la nalga, Julio entró en la clandestinidad, dos de sus hijos y un sobrino tomaron el control de la organización, y en cuestión de semanas ya tenían una acusación en una corte de Louisiana por haberle ofrecido la venta de 200 kilos de cocaína a unos agentes federales encubiertos.

Julio Nassar recuperó el control de todos los hilos, pero un barco cargado con una tonelada de cocaína y 2 millones de libras de marihuana fue interceptado en el caribe, y prácticamente toda la familia entró a engrosar la lista de extraditables a los Estados Unidos.

El banquero suizo administró los fondos de los Nassar de manera tal que sólo progresiva y periódicamente Solimar hiciera giros a la cuenta 751.560 del Banco Unión de Suiza, en proporción de tres a uno, para que no aparecieran como movimientos desproporcionados en ningún caso. Los Nassar adquirían cheques de gerencia en un banco del sur de la Florida, que hacían girar a nombre de alguno de los tres "alemanes", los colocaban en sobres lacrados, que eran enviados directamente a Oberholzer, quien ya sabía cómo repartirlos.

Cuando los mafiosos levantan problemas en Colombia, lo primero que hacen es sacar a sus familias del país, y eso fue lo que hizo Pablo Escobar: enviar a su familia a Suiza, donde la recogió el mismo chofer francés de toda la vida, y que compartían con los Nassar. La familia de Escobar repartía su tiempo entre Lausana y Zurich, y empezaron a ser seguidos. En un encuentro fortuito con Sheila la policía suiza la identificó como colombiana, y ello no habría sido más que una "mala nota" en su historial de entradas regulares al país, si no se hubiera antojado de comprar su propio palacete frente al hermoso lago de Ginebra, incluso más hermoso en el invierno que en cualquier otra estación del año.

El conductor la llevó donde el abogado que tramitaría la solicitud de residencia, después de dejar 400 millones de pesos como aporte al Café L'Escale.

La policía Suiza que inició las indagaciones obvias para concederle la residencia a Sheila a fin de que pudiera comprar su casa se encontró halando del mismo hilo que seguían agentes federales de los Estados Unidos. Bastó sentarse en un mismo café a tomarse un tinto, para quedar completo el rompecabezas que iban armando los dos.

El matrimonio Nassar Arana había hecho transferencias y movimiento físico de divisas en 20 años de historia criminal por un valor que podía alcanzar los US$3.000 millones.

En la cuenta que los dos investigaban sin embargo sólo había US$10 millones.

El conductor francés fue detenido para interrogarlo, y contó lo único que sabía: que cuando los Nassar llegaban, como sucedía con la familia de Escobar, debía remover las dos últimas filas de sillas de su minibús, para abrir espacio a la docena de maletas que siempre transportaba hasta el hotel. Allí los acompañaba a la habitación, donde hacían un recuento del dinero para estar seguros del valor de la consignación, y luego los conducía al banco, donde los esperaba siempre el mismo vicepresidente Oberholzer, a quien llamaban simplemente José.

El 23 de febrero de 1994, cuando Sheila llegó para cerrar el negocio de la compra de su palacete frente al lago Ginebra, fue detenida y congeladas las 60 cuentas y fundaciones que tenía a su nombre y el de su marido, en total 150 millones de dólares.

Sheila intentó alegar, como hiciera unos años antes Amparo Londoño, la esposa de Chepe Santacruz, que ellos se habían divorciado desde el 84, y que el dinero a su nombre era producto de la repartición de bienes. Hay varias operaciones que no se pueden repetir dos veces, y esta era una de esas.

El movimiento siguió a cargo de Julio César Nassar David, quien armó en Barranquilla un proceso penal contra su mujer en un par de semanas, logró que le dictaran auto de detención, y con apoyo en su padrino político (*"y hay muchos militares y políticos a quienes Julio paga seguro por protección"* diría Sheila en sus confesiones a la policía suiza), un senador de Barranquilla, logró que la cancillería solicitara a su esposa en extradición.

Tampoco tuvo tanta suerte como la que manejaron Gilberto Rodríguez y Jorge Luis Ochoa en Madrid, los suizos simplemente respondieron que no regía ningún tratado con Colombia, en respuesta a la solicitud. Nassar entonces se comunicó con sus nuevos aliados del Cartel de Cali para que le organizaran en Holanda o Italia un comando de mercenarios, como el que años antes atento contra el ex ministro Enrique Parejo González, para rescatar a su mujer.

Nassar ya estaba bajo control de las agencias de seguridad, que pasaron el informe y para acabar con el problema Sheila Miriam Arana María fue extraditada a los Estados Unidos, donde aceptó los cargos. Se le confiscaron US$67 millones y fue condenada en marzo del 96 a pagar 12 años de cárcel en Miami, cuando cumplirá 66.

Sheila confesó a la justicia otras actividades de la organización, entregó US$200 millones en total, y confía que se le reconozca esa colaboración para acortar su sentencia. Las agencias norteamericanas anti drogas le mostraron a ella ocho órdenes de captura internacional contra su marido y dos contra sus hijos y un sobrino, quince años de registros contables en distintos bancos del mundo, que mostraban movimientos que sumaban en total US$3.000 millones, o trescientos mil millones de pesos colombianos ($300.000.000.000) .

"Hm —dijo Sheila a la Dea— y eso que Julio no ha conseguido un solo peso legalmente desde que lo conozco".

La Operación Tendero permitió también incautar un condominio propiedad de los Nassar en la Florida avaluado en US$600.000, y los saldos de sus cuentas en Merryll Lynch, Banco Banaico, Banco de Occidente y Banco Ganadero, todos de Panamá. Sigue el litigio por otras cuentas en el Bank Of America, y el First Union National Bank de la Florida.

La Corte que condenó a Sheila libró una orden para que se confisquen todas sus propiedades y valores en bancos, hasta completar la suma de US$755 millones, que ella calculó fueron las utilidades hechas por los Nassar Arana en el narcotráfico entre 1976 y 1994.

Los Nassar-Arana no tienen un solo proceso por enriquecimiento ilícito en Colombia, donde figuran como propietarios del Hotel del Prado de Barranquilla, otros dos en la misma ciudad y Cartagena, varias agencias inmobiliarias, una constructura y decenas de fincas en la Costa Atlántica.

Si sorprende el solo imaginarse a la pareja Nassar-Arana llegar a un aeropuerto con doce maletas llenas de dinero usado, tal vez es porque nadie se imagina que prácticamente en ningún paraíso fiscal es delito o contravención, portar grandes cantidades de dinero en efectivo de diferentes países.

Eso le consta a otro narcotraficante de Cali que, temeroso de que le descubrieran los tres millones de dólares en efectivo que llevaba como equipaje desde Nueva York, los empacó en cajas de computador. Cuando cruzó la aduana fue detenido, y enviado a una de las celdas del aeropuerto. Sin embargo el incidente se aclaró tan pronto pudo mostrar el contenido de las cajas. Ah, tranquilo, le respondieron los agentes de la Aduana, que le explicaron que en Suiza era una grave contravención importar computadores sin tener previamente una licencia, pero que con el dinero en efectivo no existía ningún problema, sólo se necesitaba declarar cuánto efectivo se llevaba. El mafioso no había llenado el formulario, por confiado en las cajas de computador, así que le impusieron una multa de US$25.000, le devolvieron su dinero, y así pudo salir tranquilo para el banco.

La de los Nassar-Arana es una de las grandes operaciones de lavado de dinero de las que en Colombia apenas se tiene noticia cuando sus beneficiarios aparecen con súbitas demostraciones de poder, despojando campesinos de sus fincas tradicionales o intentado colonizar sectores donde lavar su dinero.

Las operaciones de esos ingresos masivos de dinero en Colombia se detectaría con facilidad si sólo existiera voluntad política y decisión jurídica de hacerlo, pero por lo general ello sólo ocurre cuando algún gobierno extranjero advierte sobre las operaciones extrañas de alguna compañía, y no queda más remedio que cumplir.

Y como no todo colombiano tiene acceso a su propio Oberholzer, recurren a los miembros de la familia Cuevas que lleva operando en el lavado de dinero del cartel de Cali más de 20 años, en Bogotá y Cali, sin que ninguna autoridad se acerque nunca a sus casas de cambio. Al menos eso se decía antes de ponerse al descubierto una organización de empresas de papel identíficas con el nombre genérico más o menos similar a conocidas petroleras.

El "imperio" de Mobil Ami se inicia en el paraíso fiscal de la Isla del Hombre, en la Gran Bretaña, y opera en coordinación con el no menos importante de la posesión británica de Gibraltar. El esquema lo inició Oscar Cuevas Gamboa con sus hijos Oscar Fernando y Eduardo Cuevas Cepeda, y una línea de testaferros que incluye por ahora a Carlos Enrique Pérez Tapias, Collin Campbell y Hollberg Hamman. La red de empresas de papel, una vez lavado el dinero, hacía giros electrónicos de dinero a las cuentas de bancos corresponsales en Nueva York, Miami y Panamá, y luego lo registraban en Colombia como inversión extranjera directa en otras sociedades de la misma organización. En algunas ocasiones el dinero se deposita en cuentas de las agencias o sucursales de los bancos colombianos en el exterior, y se emplean a su vez como contragarantía de créditos que el mismo banco colombiano otorga en el país a empresas de la mafia, que de otra manera no los podrían otorgar, por el bajo capital con que figuran en libros dichas empresas. Es una de las modalidades de la triangulación.

La mayor parte de la operación Mobil Ami (Research, South Construction, Caribbean Research, Technology y Geology, entre otras) terminaba en otro grupo de sociedades de papel constituidas en Colombia, Carestella, Kroll, Cerft, entre otras, que aparecían como las receptoras de créditos o inversiones de capital.

La Fiscalía General de la Nación ordenó la captura de todos los implicados como intermediarios en la operación, pero es pronto para saber si podrá también descubrir a la verdadera beneficiaria de las operaciones, que arrancaron en la Isla del Hombre.

Y es que la Isla del Hombre (Isle of Man) es cada vez más un refugio de los dineros del narcotráfico y no sólo de los colombianos dedicados a esa actividad, como le consta a la periodista irlandesa Verónica Guerin.

Ella, disciplinada administradora de la clave para descubrir la mafia, "síguele la pista al dinero", sabía que los grandes capos nunca están en el entorno de la droga o los asesinatos que ordenan cometer, pero siempre están cerca al dinero. Y así Verónica logró escribir varios artículos sobre los principales barones de la droga en Dublín, una ciudad tranquila hasta hace pocos años, cuando la heroína, la cocaína y el éxtasis, —la droga de diseño de los laboratorios de Suiza—, hizo su aparición en el mercado, y que hoy cuenta con índices absurdos de violencia para un nivel europeo, ocasionado en buena parte por el consumo de droga, que las estadísticas oficiales señalan en un incremento del 60 por ciento al año.

La heroína llega a Dublin principalmente de Pakistán, Turquía e Irán, el éxtasis, conocida simplemente como E, de Suiza, y la cocaína de Colombia. Verónica quería exponer principalmente a Hojn Traynor, John Gilligan, El almacenista, un distribuidor mayorista de drogas, pero siguiendo el rastro del dinero se encontró más arriba con Brian Charrington, quien vivía bajo la protección de influyentes políticos y jefes de policía. Verónica siguió la pista, y descubrió que de una investigación archivada seguida al narcotraficante, más de £50 millones, unos $75 mil millones, terminaban en una cadena de empresas de fachada y cuentas cifradas de la Isla del Hombre.

La policía contó además a Verónica que Gilligan tenía contactos con el cartel de Cali, y que durante un registro a su casa se encontraron £1.2 millones en efectivo y rastros de cocaína y heroína. Verónica iba a salir adelante con su historia, cuando el 26 de junio del 96 un hombre la esperaba en una esquina de Dublin donde tenía que disminuir sensiblemente la velocidad, y le hizo cuatro disparos, tres de ellos en el corazón. El periódico The Observer, para el que ella preparaba la historia, envió a sus mejores periodistas para culminar la investigación de Verónica Guerin, que salió publicada el 8 de septiembre, de donde se tomaron los datos para esta nota. Gilligan y Charrington están detenidos.

Pero así como la historia de los Cuevas se pudo conocer gracias a los contactos de su hombre en Londres con otras personas relacionadas con casas de cambio que también operan con los carteles, y sus frecuentes viajes a la Isla del Hombre con los contactos de las mafias de la pornografía, la historia de la presencia de cocaína en los mercados irlandeses empieza a ser más evidente.

En vista de la forma fácil como caen los cargamentos enviados a las organizaciones calabresas en Italia y gallegas en España (Holanda siempre es puerto seguro, pero ya tiene dueño), los carteles empiezan a buscar nuevos contactos para crear "países-bodega" como los que ya tienen en Centroamérica, y entre los más opcionados está Irlanda.

El 15 de agosto del 96 el buque sueco Front Guider, que había salido un par de semanas antes del muelle de Santa Marta, claro, cargado con 140.000

toneladas de carbón para descargar en dos operaciones, en Irlanda y Noruega, fue interceptado por la aduana irlandesa. Sometido a requisa, se encontraron 50 kilos de cocaína ocultos en el techo del gimnasio del buque.

Más que la sorpresa que causó el cargamento, el más grande incautado hasta ahora en la isla, sino la forma como iba embalado: con un material absolutamente impermeable, y con un aparato que demoraron un par de días en descubrir qué era: una especie de localizador militar, y que esencialmente permite descargar el paquete a la profundidad que se desee, sin necesidad de boya de identificación como se suele hacer en otros casos, sino que con otro receptor, que cabe en un bolsillo, se graba la ubicación de la carga, y se la puede encontrar con un margen de error que no supera los dos metros. El aparato, llamado Global Positioning System, era de uso restringido y el Pentágono hacía apenas meses acababa de desclasificarlo para la venta comercial.

Sería una mezcla tremenda la alianza de un mercado tan desprovisto, en el que coincidan paraíso fiscal, alta tecnología, unos carteles ansiosos por vender, y otros por comprar.

Y paraísos fiscales hay más de 20 en todo el mundo, aunque propiamente relacionados con el narcotráfico no superan los ocho. Suiza, después del magnífico libro del profesor Jean Ziegler, Suiza lava más blanco, adoptó una estricta legislación que virtualmente impide el manejo del dinero de los traficantes de droga y los contrabandistas de armas, aunque tratándose de banqueros, ya se sabe que a partir de cierta cantidad, "pecunia non olet", el dinero no huele. El problema, alegan ellos, es con el dinero que ya llegó, y no saben cómo deshacerse de él.

Cuando por fin se aprobó una ley que realmente castiga a soportes como Oberholzer, algunos bancos se han pasado al otro extremo, como el de la Compagnie de Banque et d'Investissement, que con la nueva legislación decidió también cambiar su nombre por el de Union Bancaire Privé, y le pidió al concejo de Ginebra también cambiar el nombre de la calle donde tiene su sede, para evitar malos entendidos, y así la Rue de la Buanderie, o calle de las lavanderías, pasó a ser la Place Camoletti.

Pero mientras Suiza transformaba su lavandería, en las Bahamas su Congreso aprobaba una nueva modalidad de empresas, las compañías de negocios internacionales, de tan fácil constitución que en menos de 36 horas se puede "comprar" una sociedad, que lleva años de inscrita en la cámara de comercio, con su propia junta directiva, y por una tarifa que sólo depende del abogado a quien se consulte, en todo caso entre cien y trescientos dólares.

Los gobiernos de los países-lavandería, como Austria, o sus nuevos competidores, Polonia y Bulgaria, alegan que ellos simplemente ponen la lavandería, y que son otros quienes la ponen a funcionar, y escogen el ciclo. Lo cual es tan cínico, como el dicho de los banqueros colombianos, que ellos no lavan el dinero, sólo lo secan, porque ya otros bancos lo han lavado para ellos.

En Colombia la banca opera con un sistema que sencillamente es propicio para el lavado, no sólo por las cantidades de dinero que significan, sino porque a los gerentes de las sucursales les pagan salarios ínfimos, y luego para conservar el puesto tienen la obligación de cumplir unas metas de captación de dinero, y de colocación. Un gerente de sucursal de banco en esas condiciones, expuesto a perder el empleo y con una familia que mantener, no puede semejar sino los conductores de bus municipal, cuyo salario depende también exclusivamente del número de pasajeros que transporte en el día. Y sólo hay que ver el caos irreversible que es el tráfico por la carrera décima o la avenida Caracas de Bogotá para entender que ahí existe una autopista por la que seguirá fluyendo el dinero si no se profesionaliza a los gerentes de sucursales.

En tres "manuales" de bancos colombianos sobre el manejo de dinero negro, y que de lo elementales más bien parecen cartillas de La alegría de leer o excusas que presentar ante cualquier juez, como el estatuto ético de una campaña presidencial, concluyen en una sola recomendación: conozca a su cliente.

Y sí, muchos los conocen, y muy bien como se hizo evidente en la oficina principal del Banco de Colombia, donde tres funcionarios prácticamente trabajaban sólo a servicio de las órdenes de Pallomari y Miguel Rodríguez, a cambio de unos pagos tan periódicos que más asemejaban un salario. Y lo mismo se afirma sucedió en el Banco Andino, también controlado por los mismos dueños del Banco de Colombia; y los bancos Cafetero, Industrial Colombiano y Ganadero.

La banca colombiana en Panamá tiene la peculiaridad de que no se constituye como sucursal, sino como un banco independiente, tal vez previendo que, como sucedió en el Banco de Occidente, no se pueda hacer una relación directa con una matriz que también responda por el lavado. O que preste servicios que de otra manera no podría, como sucedió con la Federación Nacional de Comerciantes, Fenalco, que se compró un banco, el Banco de Caldas, sin un peso en el bolsillo, con un préstamo extraordinario del Banco Ganadero de Panamá, que quedó tan expuesto, que debió acudir el de Bogotá a solucionarle el problema de cartera. Después Fenalco hizo una operación con el IFI, el instituto encargado de fomentar la creación de nueva industria y que se nutre con los aportes de los obreros a la seguridad social, en virtud del cual se le prestaron US$20 millones mientras consigue a quién venderle su banco, ahora llamado Banco Nacional del Comercio.

Tal vez para prever cualquier tropiezo en el camino el BNC llevó como sus más altos ejecutivos a varios de los más importantes funcionarios de la Superintendencia Bancaria.

El Banco Ganadero es ahora en buena parte controlado por el Banco Bilbao Vizcaya de España.

Una operación similar a la que hicieron los Gillinsky con el Banco de Colombia: el Banco de Crédito y Comercio, antes Banco Mercantil, era la agencia colombiana del BCCI, el mayor esquema de lavado de dinero que se conozca hasta ahora. Y mientras en todo el mundo el banco se fue marchitando en proporción a como avanzaba la investigación sobre sus prácticas de lavado, en Colombia duplicaba sus agencias en Medellín, Envigado e Itagüí, donde manejaba sus fondos más importantes, con Gerardo Moncada, Gonzalo Mora y Camilo Zapata entre sus mejores clientes. No es por eso sorprendente que los cheques con que se pagaron la mayoría de asesinatos por cuenta de Escobar Gaviria y sus asociados, provinieran de ese banco.

Bancol y Cía. S. en C.

Nit. 800.215.4696

Santafé de Bogotá, 30 de junio de 1995

Señor Dr.
Carlos WOLFF
Presidente
Instituto de Fomento Industrial, IFI
L.   C.

Referencia: Solicitud de préstamo de contingencia de
              la sociedad Bancol y Cía. S. en C. por
              USD$ 100 millones

Respetado Doctor

Como es de su conocimiento la sociedad Bancol y Cía. S. en C. se ha visto avocada a enfrentar una difícil situación de credibilidad nacional e internacional con relación al valor de la Acción del Banco de Colombia, todo lo anterior por causa de los fallos de inconstitucionalidad e ilegalidad de los decretos de privatización proferidos por l. Corte Constitucional y el Consejo de Estado. Con ocasión de estos hechos los bancos extranjeros, ING y CITIBANK están solicitando (a) el prepago de las sumas adeudadas y/o (b) el aumento del índice de cobertura de las garantías otorgadas.

La anterior situación contrasta con la situación real del Banco de Colombia cuyo patrimonio ha crecido a la fecha de 180.000 millones a 275.000 millones de pesos, mediante un aumento importante de utilidades desde el proceso de privatización, que en el último año alcanzaron la suma de USD$57 millones, con un importante fortalecimiento del balance de la Institución.

La difícil circunstancia por la que atraviesa la sociedad Bancol y Cía. S. en C. se ha puesto en conocimiento del Señor Presidente de la República, doctor Ernesto Samper Pizano y del Señor Ministro de Hacienda y Crédito Público, doctor Guillermo Perry Rubio, quienes han entendido la importancia de este problema para la República de Colombia y para Bancol y Cía. S. en C.

En este sentido el Gobierno Nacional ha decidido apoyar a la dad Bancol y Cía. S. en C. en la solución de grave situación, razón por la cual acudimos a su importante Institución, así como al Banco del Estado y al Banco Popular, con el fin de solicitar un préstamo por la suma de USD$100 millones con el fin de cumplir las obligaciones con vencimiento a 31 de julio de 1995.

En este sentido nos permitimos poner a su consideración los puntos términos del préstamo, según nuestras posibilidades:

PRESTAMARIO: BANCOL Y CIA. S. en C.

PRESTAMISTAS: INSTITUTO DE FOMENTO INDUSTRIAL, BANCO DEL ESTADO Y
                 BANCO POPULAR

MONTO: USD$100 MILLONES

PLAZO: 8 AÑOS

INTERES.   PRIME

COBERTURA: 1 A 1 (PRECIO DE COMPRA)

GAR   20% DE LAS ACCIONES DEL BANCO DE COLOMBIA

La contragarantía que la sociedad Bancol y Cía. S. en C. daría a la ent idad prestamista sería la pignoración de las acciones del Banco de Colombia valoradas al precio de mercado.

Sea esta la oportunidad para agradecerle a Usted el interés y colaboración que preste a nuestra solicitud.

Sin otro particular se suscribe,

Atentamente.

BANCOL Y CIA. S. EN C.

Jaime GILINSKI   Isaac GILINSKI

Facsímil de las cartas de los Gilinski en que piden US$100 millones de préstamo, previa autorización según ellos del presidente Samper y el Minhacienda Perry.

El BCC fue comprado por los Gilinsky, que lo convirtieron en el Banco Andino, mencionado en varios casos de lavado de dinero. A partir de ese banco, y con el apoyo de importantes casas financieras de varios países, tomaron control del Banco de Colombia, uno de los más grandes del país, y durante varios meses con una de sus mejores sucursales, la oficina principal de Cali, desde donde salieron giros y sobregiros para cuatro empresas de papel de los Rodríguez Orejuela por $6.127 millones.

Ahora ese banco, uno de cuyos importantes socios es el gurú de los fondos de inversión George Soros, quien entre otras cosas patrocina una de las más importantes ligas pro legalización de la droga, The Lindesmith Center, planea ser vendido a un banco español.

El 30 de junio del 95 los Gilinsky, Isaac y Jaime, enviaron una carta al IFI para que, en desarrollo de un acuerdo con Samper Pizano y su ministro Perry, junto con otras dos instituciones financieras oficiales, los bancos Popular y del Estado, les prestaran US$100 millones a fin de reflotar el banco recien privatizado.

La carta, que incluso trae "las condiciones" en que les interesa aceptar el crédito, ofrece como garantía del préstamo el 20 por ciento de las acciones del mismo banco.

La justicia belga inició a mediados de este año una

investigación contra un banco español, el Banesto, por haber prestado sus arcas para lavar más de US$1.000 millones al cartel de Cali. De acuerdo con las primeras informaciones, que se derivan de un pliego de cargos criminales que reposan en Miami, el dinero se llevó un banco luxemburgués, KBLux, que los habría operado a través de otro banco, Spaarkredit, donde se halló valioso material para aclarar la investigación, que también se relaciona con las frecuentes evasiones de impuestos en Europa. Las operaciones serían de triangulación, un depósito en la sucursal de un país, que respalda a su vez un crédito en otra. El primero sirve de garantía al préstamo, y cuando se paga, el dinero queda saneado. Una operación similar realizaron los Rodríguez Orejuela con base Panamá, para comprar en Cali empresas.

El presidente de Banesto, Mario Conde, salió hace un año del cargo en medio de una nube de irregularidades.

Pese a los constantes golpes que la justicia les ha asestado, las organizaciones de traficantes de cocaína en las rías gallegas, al norte de España, florecen casi siempre bajo el amparo de las mismas cuatro o cinco familias que las amparan. Con varios contactos con los carteles colombianos y sus redes en Portugal, las organizaciones más conocidas son las de José y Ventura Santórum Viñas; José Luis y Manuel Charlín Gama, Ramón Falcón, Juan Carlos Pérez Díaz, Manuel Ángel Pérez Oubiña, Juan Fajardo Díaz, José Luis Gómez Falcón, Jacinto Santos Viña, Fernando Oubiña Suárez, Manuel Fontán Oubiña, y los Gerardos, Sánchez Pérez y Sánchez Villalba.

En agosto pasado cayó un cargamento de 1.1 toneladas de cocaína en Bilbao, Santander, que se había enviado por una nueva ruta del cartel de Cali, que parte del Brasil. La droga, que fue transportada por el barco Capitán Kris, de bandera brasileña, iba mimetizada entre listones de madera. Los españoles Luciano Montero Vale y Miguel Antonio López Sintes fueron capturados.

La operación conjunta de las policías europeas ha exhibido a Alfonso Escobar Patiño y José Santórum Viñas como cabezas visibles de una nueva organización que controlaría un colombiano todavía no plenamente identificado, y al que se le conoce sólo por sus iniciales, J.L.O., por unos giros cercanos al millón de dólares en que aparecen registradas. La clave se busca también en otro colombiano que estuvo hospedado en un hostal gallego, de donde habrían salido juntos para establecer relaciones con los carteles mexicanos de la cocaína.

La clave sería un colombiano residente en Cali, Mario Restrepo, quien ya estuvo detenido hace algunos años en Portugal.

A la sombra de todos esos nombres se vuelve de nuevo a mencionar a Luis Falcón Pérez, ya detenido.

Desde mediados de este año 96 empezaron a saltar las alarmas en el Banco de la República por los reportes que se hacen sobre las grandes cantidades de pesetas que se mueven en el mercado de las casas de cambio, aunque sólo se menciona un nombre hasta ahora, el de Alberto Sicilia Falcón, un veterano traficante de drogas y contrabandista de cigarrillos americanos en España, quien ya fue procesado en una ocasión por lavado de dinero y extraditado en España hacia el año 86. Los nombres de los grandes capos españoles, Juan Manuel Carballo, Laureano Oubiña o el portugués Manuel de Silva Veigas en cambio sí suenan.

En algunos documentos relacionados con lavado de dinero se menciona una Corporación Financiera de Cali, que al menos no tiene autorización como tal en la Superbancaria y no figura tampoco en los directorios financieros más usuales, y a la que estaría vinculado el esquema de los hermanos Makarem de Londres a través de unos armadores griegos, Metropoulos y Kalpohagiannis. El esquema suyo funcionaría con el contrabando de armas hacia Colombia, y de cocaína hacia Europa, y en especial España, y cuya costa del Sol parece ahora más que nunca destinada a convertirse en puerto alterno de los carteles, gracias a sus vecinos Andorra y Gibraltar, hasta hace pocos años apenas usados por unas cuantas multinacionales para pagar sobornos y una decena de traficantes de haschís de Marruecos.

Aunque no siempre los bancos tienen que jugar un papel tan preponderante, como se descubrió en la ya mencionada Bodega Celeste de Colón, en Panamá, y donde se replicó el sistema del contrabando en café que antes se usara por los traficantes del extremo sur del país. Cuando se allanó la bodega de los Rodríguez, aparte de las seis toneladas que cocaína que descubrieron, también se hallaron 12.000 money orders, que equivaldrían a cheques al portador, con pequeños sellos diminutos, similares a los que se encuentra en casi todo dólar que circula en Colombia. Esos papeles, que en conjunto sumaban US$7.7 millones, venían del Marine Midland Bank de Nueva York. Lo que se había hecho en otras ocasiones era repartirlos en unas trece joyerías que controlaba José Castrillón Henao, y que las depositaba en el Hong Kong Bank of Panamá, y que a su vez los volvía a girar al Marine de Nueva York para la compra de oro. En ese momento el dinero quedaba lavado.

Un sistema poco sofisticado, como el que tenía montado José Santacruz Londoño con un entramado de 135 cuentas que se reciclaban el dinero entre sí en operaciones de Luxemburgo a París y de nuevo Luxemburgo, hasta cuando fueron descubiertos sus ingenieros financieros, Franklin Jurado Rodríguez y Eduardo García Montilla, ya condenados a 10 años de cárcel, y uno de ellos se asegura convertido en testigo contra los Rodríguez.

No siempre el banco tiene que ser el personaje central del lavado, como lo sabe bien Ramiro Herrera Buitrago, hermano de Helmer Pacho Herrera, quien tenía montada una infraestructura de empresas de comercio exterior a partir de Nueva York, Los Angeles y Cali, que le permitieron lavar un promedio de US$50 millones mensuales. Lo que no sabía Ramiro Herrera es que toda operación de importación/exportación se somete a un proceso de cruce en sofisticados programas de computador, que lanzan la alarma cuando corresponden a uno de los esquemas con que se lo ha alimentado. Una vez identificado, la DEA no tuvo más que hacerle un seguimiento adecuado, cuando tenía en sus bodegas 1.300 kilos de cocaína, US$16 millones en efectivo y 37 miembros de las células de Nueva York que habían ido a reportársele.

Una forma sofisticada pero de todas maneras no tan efectiva como la de los hermanos Rayo de Buenaventura, y que operó en Nueva York y su vecina New Jersey.

Salvo cuando se trata de operaciones de comercio exterior, la mafia siempre busca para sus operaciones de lavado de dinero aquellas actividades en las que se justifique movimiento de mucho dinero en efectivo, como hoteles, clínicas, partidos de fútbol, conciertos, o grandes almacenes por departamentos.

Angel Rayo constituyó una red de empresas, Latelco, con sede en New Jersey, Miami y Cali, y justificando como objeto la venta de tarjetas débito para hacer llamadas telefónicas.

Al mismo tiempo constituyeron otras dos sociedades, la agencia de viajes International Services Travel y una empresa de giros de dinero en efectivo, International Services Money Transmitter, con varias sedes en Jersey City y otros varios sitios en New Jersey. También vendían bípers, tarjetas débito telefónicas, y obtuvieron la licencia estatal para los giros de dinero.

Faltaba justificar el dinero en efectivo. Crearon entonces S&F Check Cashers, una empresa de cambio inmediato de cheques y de giros de dinero. Una de las accionistas es Sandra Wert Ruiz.

La triple estructura complementaria empezó a funcionar en noviembre del 93, y ya la parte operativa era más sencilla: Yuri Acosta recibía el efectivo proveniente de la venta de droga, y lo hacía llegar a International Services, S&F. Estos contrataban una reconocida empresa de transporte de valores, que llevaba el dinero al banco donde tenían sus cuentas, el Midlantic Bank, de New Jersey. S&F recibía una comisión por cada operación.

Tan pronto el dinero estaba en el banco, Alfonso Pineda enviaba por una hoja de contabilidad codificada con la relación de todas las operaciones, y la hacía llegar por fax a Alfonso Swann en Miami, quien retransmitía toda la información a su estación en Cali.

La concepción de los códigos estuvo a cargo de Alfonso Rayo, quien entrenó en su manejo a Pineda y Swann.

A medida que aumentaba el flujo de dinero, empezaron a trabajar otros colombianos en la operación, Nelly Chavarría, Yuri Acosta, Elder Marín, quienes ahora usaban bípers para comunicarse entre sí, y que fueron interceptados con "bípers gemelos" por las autoridades. Así pudieron enterarse cuando Lissette Guzmán iba a empacar dinero a S&F, Miguel Ortiz dio US$300.000 a Adriana Olaya u ordenaron a Wilson Insuasti viajar a Miami para recoger dinero en efectivo para introducirlo en el ciclo de lavado de Latelco, y cuando Elder Marín, en diciembre del 95, organizó cajas con juguetes para enviar dólares en su interior.

Cuando el sistema fue expuesto por las autoridades en junio del 96, 14 personas, entre ellas Angel Rayo y Miguel Ortiz, habían lavado en total 60 millones dólares.

Cuando los controles financieros operan, la opción más sencilla de seguir es la del comercio internacional, especialmente de moda frente a la concepción de la economía sin policías ni controles, la abolición de las fronteras para las mercancías —no las personas—, y las grandes comercializadoras. Y si las ideas no se tienen, hay entonces que sugerirlas, como se hizo en Los Ángeles con otros colombianos desesperados por sacar dinero a Cali.

Durante varios años el clan de los Ochoa lavó su dinero a través de la compañía SEA-8 Trading de Miami, que también fue la más fácil de descubrir, y por cuestión de minutos no ocasionó la captura de Jorge Luis Ochoa.

Un ex funcionario de la Superintendencia Bancaria, Carlos Rodrigo Polanía Camargo, manejaba un esquema sencillo en California, en el que conseguían en Colombia que por cada tonelada de productos de cuero que exportaran a los Estados Unidos, se le entregaran documentos como si fueran 20 toneladas, y que además luego figuraban como reexportadas a otros países. Ello les permitía girar a Colombia 19 veces el valor real de sus exportaciones, con un lavado que sólo en algunas ocasiones, para salvar las apariencias, involucraba a Panamá. La base de la agencia era San Diego, en California, pero pronto se expandieron para replicar el procedimiento en Texas, Illinois, Florida y Nueva York.

A partir del 89 la industria del cuero entró en crisis en Colombia, pues una sola comercializadora de Cali adquirió casi todas las existencias en el mercado, y además contrató también a futuros, lo que virtualmente sacó del mercado a los medianos productores de calzado en Bogotá, Medellín y Bucaramanga. Donde los efectos sociales de este fenómeno se hicieron en su momento más patentes fue en el sur de Bogotá, en el barrio Restrepo, donde centenares de fabricantes de calzado artesanal, pues en su mayoría se trataba de industrias con no más de diez empleados, salieron del mercado.

Para detectar este tipo de operaciones la DEA tiene montada una infraestructura de sociedades que aparecen como subsidiarias de Trans Americas Venture Ass., que para este caso se mostró interesada en participar en las compras de pieles de exportación.

Polanía Camargo, de 43 años, y quien fue condenado a 3 años y 10 meses de prisión, puso pronto al descubierto toda la red, de la que hacía parte la abogada Silvia Vélez Agudelo, la propietaria de los almacenes. Vélez fue sentenciada a seis años de prisión por haber orquestado la operación de lavado de US$8 millones.

Al terminar la operación, denominada hielo verde, 112 personas fueron detenidas en los Estados Unidos, 3 en el Reino Unido, 4 en España, 34 en Italia y Costa Rica.

No era una operación menor, ni siquiera por la cantidad de detenciones producidas, sino por un extraño personaje que inicialmente dio un nombre, y luego se confundió con otro. Seguramente no recordaba en qué país se encontraba. Estaba en Italia. Ante la imposibilidad de lograr identificarlo, lo encerraron en una pequeña sala de interrogatorios, lo dejaron solo un par de horas, y de pronto entró la señora de los tintos, que le ofreció un vaso de agua. Agradecido, el peculiar personaje lo aceptó.

No había terminado de soltar el vaso, cuando los detectives literalmente cayeron sobre él. Por fin tenían sus huellas digitales. Enviadas a la Interpol, resultó ser uno de los hombre más buscados por tráfico de cocaína, Tony El papa de la coca, José Durán, con autos de detención pendientes en veinte países por distintos delitos de lavado y narcotráfico.

Durán había viajado a Italia porque quería presentarles a sus jefes a Pedro Felipe Villaquirán, y conocer a uno de sus amigos, el holandés Bettein Martens también muy conocido por los sofisticados sistemas de lavado de dinero que se ingeniaba.

Y José Durán fue condenado en efecto con ese nombre en Italia, pero en Colombia todavía se investiga si su verdadero nombre es Orlando Cediel Ospina Vargas, aunque sus huellas digitales también corresponden con otras cédulas, una de ellas expedida a nombre de Orlando Ospina Vásquez, uno de los más importantes miembros de la poco conocida cúpula del cartel de Pereira.

Hielo Verde descubrió además una gran red de lavado de dinero y tráfico de droga en la Riviera francesa y un meticuloso procedimiento de reciclado de dinero en Alemania, que cada vez más presta su banca para el lavado de dinero.

La conclusión de la operación fue el descubrimiento del papel que jugaba en ese esquema uno de los hombres más importantes de La Camorra, Antonio Sarnataro, también a cargo de importantes operaciones de lavado de dinero de la mafia italiana, y que ya tenía su corresponsal en Colombia, un italiano que se había nacionalizado pero después de librar una intensa batalla jurídica, finalmente fue extraditado a su país en octubre pasado.

Algo similar a lo que se descubrió también al cartel de Cali a raíz de la detención de Harold Ackerman en Miami y el desmonte de las operaciones de envío de cocaína en el interior de postes de concreto armado. El colombiano Jaime García García fue arrestado con cuatro venezolanos en Caracas, a cuyos nombres había siete cuentas en bancos de los Estados Unidos y 94 en distintos países latinoamericanos.

Cuando la DEA reveló los resultados de la operación, y todavía no se sabía del arresto de Ackerman, los Rodríguez enviaron una carta pública en la que acusaban a la DEA de calumniarlos. "No hay problema" respondió el vocero de la agencia americana un par de días después en una conferencia de prensa, "que vengan a la Florida, y estamos seguros que juntos podremos aclararlo todo".

Lo que se descubriría más tarde es que otros dos hombres que cayeron en la operación, Francisco Guzmán y Pedro Gómez Fernández en efecto no estaban vinculados con los Rodríguez. Eran empleados de los Urdinola, y rectificaron: en vez de uno, salieron dos pliegos de cargos, uno contra Miguel y Gilberto Rodríguez, y otro contra el clan de los Urdinola.

La operación Hielo Verde tuvo una segunda fase, en la que el cruce de la información proveniente de todos los países que participaron en su ejecución —Colombia, Estados Unidos, Reino Unido, España, Portugal, Costa Rica y las Islas Caimán—, permitió la identificación de otras 40 personas colaboradoras de los siete grandes operadores internacionales del cartel de Cali en esos mismos países.

A continuación vino el desarrollo de la operación más ambiciosa puesta en práctica, Dinero, en la que varias agencias de distintos países se combiaron y constituyeron un banco privado administrado por agentes encubiertos, y el que hizo correr el rumor de que, como años antes el BCCI, se dedicaría principalmente a realizar inteligentes operaciones de lavado de dinero.

Cuando decidieron terminar la operación, se confiscaron US$52 millones, 9 toneladas de cocaína y 88 personas fueron arrestadas en doce países.

Para entonces buena parte de la contabilidad del cartel de Cali en diversos países, ya la compartían las policías de los organismos donde operaban las células de la organización.

El papel de Venezuela cada vez aparece como más importante en el tráfico de cocaína, a través de las redes que operan desde Ocaña y Cúcuta, pero también por el lavado de dinero. De los US$10.000 millones que se calcula ha lavado el sistema financiero del vecino país en diez años, casi el 70% se hizo en los últimos tres, y en diversas operaciones en las que los bancos más mencionados son el Provincial, Internacional, de Maracaibo y Bancor. Las operaciones estuvieron principalmente a cargo de los miembros del clan Cuntrera-Caruana, Pasquale, Paolo y Gaspare, que principalmente trabajaban con el cartel de la Costa desde su base en Aruba, donde entraron en contacto con el cartel de Cali, y montaron una red de heroína por barco que incluía a Londres y Montreal. El descubrimiento de esta ruta expuso también a un italiano basado en la Florida, John Galatolo que tenía asignado un cupo de 600 kilos de cocaína para la mafia calabresa.

El papel que desempeña Venezuela en el narcotráfico es bastante bien conocido, como el que de forma progresiva asume el Brasil. En cambio aunque muy publicitado el caso de Argentina por los escándalos que salpicaron a Menem, es menos popular la versión de la creciente presencia de la mafia en el país austral, aunque ya se barajan nombres como los de Mario César Álvarez y Gilberto Acuña Delgado como jefes de organizaciones en contacto con las colombianas.

Pero aparte de las condiciones favorables para rutas del narcotráfico, aunque hasta ahora Argentina, como Chile son especialmente usados como "países bodega", el lavado de dinero ejerce en cambio fascinación con su eje cercano, el Uruguay. Ya empleados en la cuenta La Mina del cartel de Medellín que manejó Eduardo Martínez Romero con una cadena de joyerías, en esta ocasión la trampa le correspondió al consejero de la embajada de Colombia en Montevideo, Gustavo Enrique Pastrana Gómez, quien venía de ser asesor en la Asociación Latinoamericana de Integración, Aladi, y casi no puede tomar posesión de su cargo por cuenta de una deuda de US$27.000 con una casa de cambios, Messina de Uruguay.

Un agente federal argentino ofreció a la DEA el caso de un diplomático colombiano que según él hacía ostentación más o menos pública de una ruta que tenía para lavar dinero. Los americanos aceptaron la presa, enviaron un agente encubierto que se presentó como delegado de alguien que necesitaba lavar dinero procedente del narcotráfico. Pastrana Gómez, siendo funcionario diplomático, dijo que no había ningún problema, que él estaba en capacidad de lavar hasta dos millones de dólares semanales con unas empresas que manejaban operaciones de lavadores automáticos de carros y caballos de polo. Primero el agente consiguió autorización del juez Marquevich, que incluso autorizó la apertura de una cuenta en Hong Kong para facilitar la operación. El agente le dio US$75.000 para canalizarlos de Miami y Argentina y tan pronto lo hizo, el agente propuso a Pastrana Gómez un crucero a Miami para acordar los términos de la operación. Para iniciar, le puso en el bolsillo US$150.000 que el diplomático se habría comprometido a lavar.

El juez autorizó el crucero, y que las conversaciones de Pastrana Gómez fueran filmadas. Y Pastrana Gómez habló hasta por los codos y aseguró, y estaría grabado según afirman dos periodistas argentinos en su libro "Blanca y radiante", que parte de su esquema se empleaba para lavar dinero para la campaña de su primo Andrés Pastrana Arango. Sin embargo, en verdad, la existencia de ese video no se pudo nunca confirmar. Tan pronto llegó a Miami, Gustavo Enrique Pastrana Gómez fue detenido el 30 de noviembre del 93, y condenado el 19 de mayo siguiente a 33 meses de prisión.

A partir de esa operación, la policía uruguaya logró identificar y desmontar la llamada Conexión Lyon, por medio del cual un cartel colombiano enviaba cocaína de Montevideo a Francia. Dos uruguayos y un colombiano cayeron presos.

Aunque no siempre el proceso de lavado involucra un banco, sino alguna entidad con fama de mala pagadora, y casi todas las colombianas lo son. El sistema lo empleó durante varios años Guillermo Ortiz Gaitán, de quien se dice maneja el imperio que montó Rodríguez Gacha.

Ortiz, un consentido de los políticos de Girardot, en Cundinamarca, no pedía a cambio de sus frecuentes donaciones a las campañas sino un favor, que le dejaran como cuota burocrática lo que parecía ser un cargo menor, el de pagador del Fondo Vial Nacional, que controla uno de los mayores presupuestos de la Nación, pues manejaba los pagos por todas las obras de carreteras en el país.

Ortiz Gaitán aparentemente la única orden que daba a su empleado consistía en demorar al máximo los pagos a los contratistas, a fin de que pudieran caer en sus manos. Cuando el contratista estaba en sánduche entre el plazo del contrato y los pagos a sus proveedores, Ortiz lo buscaba y ofrecía darle exactamente el dinero de la cuenta pendiente en el Ministerio, con una carta de endoso para cuando saliera y, claro, un pequeño descuento del 10 ó 12 por ciento por el servicio. Le giraba el dinero al contratista, Ortiz retiraba su cheque a continuación, para él si no había trámite burocrático que cumplir, y que posiblemente llevaba semanas listo.

De esta manera Ortiz se deshacía de dinero en efectivo injustificable, cobraba el cheque, que ahora tenía una forma de presentación pública, y quedaba no sólo con el dinero lavado, sino que además cobraba su comisión, cuando lo frecuente es que sean los lavadores quienes la tomen (ver ilustración gráfica).

Después de su detención, la Fiscalía le ha incautado numerosas propiedades a la denominada organización Ortiz-Cendales, de Guillermo Ortiz y sus primos Raúl, José Ignacio y Félix Gaitán Cendales. Entre los bienes incautados se cuentan 23 casas, seis empresas y varios lotes. Los premios mayores sin embargo fueron el Hotel Tocarema de Girardot, que había sido remodelado en una forma similar a la de los hoteles de Nelson Urrego, y una cuenta en Suiza, que se afirma posee un saldo de US$400 millones. Las firmas vinculadas en las operaciones de la organización fueron Soagromar, Firagro, Gaitán Cendales & Cía., y Gaitán Penagos & Cía. Ltda.

La organización, que como ya se ha dicho se la cree heredera del imperio de Rodríguez Gacha, habría continuado anónima, si no fuera por una acusación penal que se le formuló en Florencia, Italia, y que compromete a

Guillermo Ortiz Gaitán, Juan Londoño González, Enrique Oscar Guillén y Pedro Rafael Navarrete.

De las tradicionales organizaciones de "pitufos", generalmente grupos de diez personas al servicio de una célula del cartel, que se presentaban a un banco con menos de US$10.000 para eludir el control, se pasó a la técnica tradicional de simplemente emplear los mismos barcos y aviones que transportan la droga, para enviar el dinero en efectivo.

El cartel de Cali llegó a tener una flotilla de grandes aviones, 2 Boeing 727, un Caravelle y 3 Turboprop Lockheed Electra, que viajaban a México, Canadá, Portugal y África Occidental cargados con cocaína, y regresaban a Cali con hasta US$30 millones en billetes.

La incautación de algunos de esos aviones expandió el mercado del llamado "dólar de contrabando", en el que una persona, especialmente en los Sanandresitos, que necesite introducir a Colombia electrodomésticos comprados en Estados Unidos o Panamá, recibe directamente los artículos, con un 20 por ciento de descuento sobre el valor real, y a cambio el contrabandista deposita al narcotraficante el valor correspondiente en pesos. Dados los márgenes de utilidades, esta práctica empieza a contaminar buena parte de la industria, que sólo lo acepta como una forma de "dumping" para su producción.

Otra modalidad, como la comentada antes en la Bodega Celeste de Panamá, es el empleo de los money orders girados en blanco, que se cambian directamente en Colombia en las cada vez menos controladas casas de cambio, que a su vez los negocian entre ellas hasta hacer indetectable el primer beneficiario. Para culminar la operación, vuelven y los depositan en los propios bancos en los Estados Unidos, ya blanqueados.

Un sistema más sofisticado implica las cuentas de bancos corresponsales de otros bancos, a los que se les ordena hacer transferencias electrónicas a una determinada cuenta en otro país, sin tener conocimiento nunca de quién ordena originalmente la operación, ni quien la recibe, pues se trata de una operación de banco a banco, en el manejo de una cuenta en la que ni siquiera se da el movimiento físico del dinero.

Pero la importancia progresiva que toma México en el tráfico de cocaína, ya como transportador de la droga al servicio de los carteles colombianos, o en operaciones totalmente a cargo de sus propias organizaciones, ha tenido como consecuencia convertir a ese país en el epicentro del lavado de dinero en efectivo. Según Harold Wankel en una declaración rendida ante el Senado de los Estados Unidos, en febrero del 96, el 80 por ciento de la cocaína que ingresa ahora a su país lo hace a través de México.

En seis meses del 95, se interceptaron tres camiones que llevaban en su interior US$20 millones, en abril pasado se descubrieron US$6.2 millones en un contenedor que llevaba aparatos de aire acondicionado, un colombiano fue detenido con US$1.5 millones en efectivo dentro de su equipaje, y a los pocos días una avioneta de la organización de Amado Carrilo Fuentes fue interceptada con varias maletas en cuyo interior se ocultaban US$12 millones.

En el último año los bancos mexicanos expidieron 500.000 money orders, que luego se transaron en las casas de cambio que abundan a lado y lado de la frontera de México y los Estados Unidos.

Pero la participación de los mexicanos no se circunscribe al simple transporte de la cocaína entre fronteras, sino que ya manejan estructuras similares a las colombianas, que hacen la distribución interna. Eso fue lo que se descubrió en el célebre barrio de Cicero, la cuna de Al Caracortada Capone. Dos redes mexicanas, a cargo de Jorge Velázquez, Alfredo Monzón Villa, Thomas Francis González, Germán Oliverio, Víctor Franco y Fabián Acosta, tenían controlada totalmente la distribución de cocaína y marihuana en Chicago, donde en menos de un año habían distribuido una tonelada de cocaína y lavado unos US$22.5 millones.

Las células estaban formadas por 130 mexicanos, vinculados todos a "La Federación", como llaman al cartel de Sinaloa, y eran todos coordinados desde El Paso, Texas, por otro mexicano, Guillermo Cabrera.

La participación progresiva de algunas naciones africanas como "país-bodega" de los cargamentos de cocaína en tránsito hacia Europa ha puesto en primera línea a Sudáfrica tanto en el lavado de dinero, como en participación en operaciones de narcotráfico, en un papel similar al que jugara Australia hace unos cinco años.

Aunque de esta circunstancia también se aprovechan otros delincuentes, como las muy bien organizadas bandas de estafadores de Nigeria, que durante los últimos tres años han llenado de cartas enviadas por fax o correos a las principales empresas colombianas. Con base en los directorios de las Cámaras de Comercio, los nigerianos toman la dirección y el nombre del representante legal de la empresa, a quien envían una carta en inglés en la que, palabra más palabra menos, le dice quien la suscribe ser un alto funcionario de la Contraloría, el Ministerio de Hacienda o la empresa de petróleos de Nigeria, que acaba de producirse un "sobrante" de 20 ó 30 millones de dólares en un determinado contrato, y que si la empresa colombiana presta su cuenta para hacerle una transferencia de ese dinero, por ese sólo hecho se le reconocerá del 10 al 15 por ciento del valor del giro, más los gastos legales

Con cartas como ésta los nigerianos han estafado varios millones de dólares en el mundo y a algunos colombianos que creen participar en un proceso de lavado de dinero.

145

y de aranceles en que se incurra. La única condición, agregan en una segunda carta, es que se envíe papelería de la empresa, con una hoja firmada en blanco, o que contenga una autorización amplia sobre el manejo de la cuenta.

Quienes han caído en la trampa, descubren a los pocos días con estupor que sus fondos han sido vaciados, y que sencillamente el tan bien dispuesto funcionario de la entidad oficial no existe.

Durante los últimos cuatro años las principales ciudades del país, y en especial Bogotá, vive la explosión de los casinos y establecimientos de máquinas de apuestas y azar, que prácticamente sin ningún control, pues el organismo que lo ejercía debió cerrarse ante la sucesiva ola de escándalos que lo agobiaron, manejan enormes cantidades de dinero, en un esquema en el que además operan agentes de la mafia coreana y española, que montan una réplica en Colombia de lo que es su actividad en sus países de origen.

Sólo dos establecimientos en pleno centro de Bogotá, que se construyen y demuelen con la misma facilidad, han abierto y cerrado sucesivamente en por lo menos cinco ocasiones durante los últimos tres años, con lo cual no sólo logran lavar dinero con las máquinas, sino con la construcción y demolición de la vivienda donde funcionan.

El tema del dinero, como está sustentado desde Los Jinetes, es la pieza clave, y de pronto la mejor, en el objetivo de derrotar las mafias del narcotráfico, pero no es tampoco la más sencilla, porque en muchas ocasiones los controles que se adoptan para frenar el lavado de dinero, se pueden convertir a su vez en la mejor forma para evadirlos.

Eso es lo que se descubrió hace un año en los Estados Unidos, donde existe la prohibición de hacer cualquier operación que involucre manejo de US$10.000 en efectivo, sin llenar un formulario que lo registre. Igual declaración debe hacerse cuando se va a ingresar a los Estados Unidos, por cualquier suma que exceda ese valor.

La medida, que dados sus buenos resultados se implementa cada vez más en otros países, fue sin embargo empleada para todo lo contrario, por un sistema bien sencillo. Cuando se llega del extranjero se lleva un cheque por US$250.000 contra un banco local, o girado en una chequera de cualquier banco norteamericano, y se llena el formulario de la declaración en el que se declara el cheque y su valor. El cheque se rompe tan pronto como al bajar del avión y un par de días más tarde cuando se abandona el país, se llevan los 250.000 dólares en efectivo, y la justificación del dinero es el mismo recibo que se llenó, y firmó la Aduana al momento de inmigrar. El dinero que se porta corresponde al cambio del cheque que se declaró al ingresar. ¿Alguna objeción?

El abandono de la práctica de colocar el sello en los pasaportes al momento de ingresar y abandonar un país contribuye a la eficacia de esta práctica, que emplea además a hombres-correo para repetirlo en distintos países.

Alguna falla adicional debe tener el sistema porque su inventor, Patrick Bernard Arthur Diamond está purgando una larga condena por lavado de dinero, y quedó expuesto el cartel para el que trabajaba.

Desde 1989 en Colombia se han intentado implementar varias medidas de control, pero siempre se han estrellado contra la muralla de la economía sumergida que funciona en el país, y que tolera el propio establecimiento. Es la consecuencia de una sociedad en la que el impuesto es tomado como una exacción indebida a cargo de un Estado que no retribuye en servicios públicos el dinero que toma de los contribuyentes.

De ahí que las operaciones de lavado de dinero no sean originarias únicamente del narcotráfico. Una investigación de la Superintendencia Bancaria en julio del 86 reveló una gigantesca operación de blanqueo de dineros, US$175 millones en total, y que literalmente vaciaron las arcas del Grupo Grancolombiano. La operación se inició en Panamá con préstamos a una serie de empresas de papel registradas allí, que lo giraban a tres bancos de Miami, y lo otorgaban de nuevo en forma de crédito a otro grupo de empresas reales en Venezuela y Holanda. Estas últimas giraban ese dinero a sus filiales en Colombia como aportes de capital.

El dinero era "enviado" a través de los bancos corresponsales del Grupo Grancolombiano, y llegaban a Granfinanciera, donde se daba en préstamos a empresas de papel de la misma organización, y que se empleaba para inflar los precios de las acciones del portafolio de los fondos. Esas valorizaciones ficticias invitaban a los ahorradores a comprar los títulos de los fondos del Grupo, hasta cuando dejaron de jugar, reversaron las operaciones, y la diferencia en las operaciones quedó en manos de Jaime Michelsen Uribe y su grupo más cercano. El préstamo de US$175 millones del Banco de Colombia en Panamá tampoco se pagó, y debió hacerlo la Nación cuando el Grupo fue intervenido.

Versiones no confirmadas aseguran que el gobierno Gaviria hizo además algún trato secreto con los anteriores dueños del Banco de Colombia para poder vendérselo a los Gillivski.

Esa es una de las operaciones de lavado más conocidas, y de pronto tanto como la perpetrada por un hermético personaje de la crisis financiera de 1982, Jorge Castro Lozano, quien manejaba sociedades de nombres similares en Colombia, Panamá y los Estados Unidos, con el nombre genérico de Coloca o Cocalo, y que prestaba dinero en Bogotá a los banqueros en problemas con el encaje, o ansiosos de expandirse.

Este último fue el caso del Grupo Mosquera Steremberg, propietario del Banco del Estado, y que con dineros de Castro había tomado el control del Banco Panamericano y luego intentó hacerlo con el Comercial Antioqueño.

A raíz de una serie de autopréstamos que encontró la Superintendencia Bancaria en el Estado, ordenó reversar la operación, y todos los que habían participado en ella, y habían cobrado jugosas comisiones por las acciones, quedaron expuestos, aunque no tanto como el Banco, que fue nacionalizado para que los contribuyentes respondieran por sus malos manejos.

Castro Lozano aprovechó el desorden de la contabilidad y la pérdida de las letras en pesos que correspondían al valor en dólares que había girado —lo que habría demostrado que se trataba de una simple operación Swap, o de compra/venta de divisas, en la que se aspira a ganar sólo el diferencial cambiario—, y entabló una demanda para cobrar el valor total de la operación, unos US$17 millones y que según sus propias cuentas ascendería hoy a US$320 millones.

Castro Lozano ya fue condenado en primera instancia en relación con una operación similar con el Banco del Estado por inducir en error a un juez, al pretender cobrar lo no debido.

El lavado de dinero en este caso se daba en el manejo de los dólares de Castro Lozano, cuya agencia de Coloca en Colombia en al menos una reunión de socios en los 80 tuvo como su "secretario" al ex fiscal Gustavo De Greiff Restrepo.

Con semejante experiencia en ese tipo de operaciones, no costó demasiado trabajo a la banca colombiana abrir agencias independientes en Panamá, Islas Caimán y los demás paraísos fiscales del Caribe.

La grave crisis política que empezó a vivir Colombia desde junio de 1994 obligó a la banca comercial a firmar un "pacto de caballeros" con la Fiscalía General y la Superbancaria, en la que se obligan a informar a la primera sobre toda operación riesgosa que pueda semejar lavado de dinero, y a la segunda a entregarle un "perfil" de las operaciones superiores a los $10 millones. Los anteriores ensayos por fijar controles se habían convertido en un fracaso, en el que los bancos, para obviar situaciones riesgosas, simplemente enviaban toneladas de papeles y fotocopias, para que los investigadores intentaran desentrañar alguna información de semejante montaña.

Uno de esos bancos, que cumplía con mayor eficiencia el envío periódico de las montañas de papel fue bautizado desde entonces el banco lavandero.

El nuevo pacto no ha debido tener sin embargo muy buen resultado, a la vista de que casi como un esquema regular, bancos como el de Colombia y el Ganadero aparecen mencionados, junto al IFI, en créditos otorgados a los principales capos de la mafia que han sido detenidos y descubiertas sus fortunas.

Pero el principio de acuerdo de "conocer al cliente" sí cumplió sus efectos, pues a la vuelta de pocos meses de puestas en práctica las nuevas normas de control del lavado, apareció un nuevo actor en el escenario, la banca cooperativa, ahora convertida en la mayor fuente del lavado de dinero.

Con unos controles mínimos, y sujeta no al control de la Superintendencia Bancaria, sino a un organismo marchito y casi anónimo, Dancoop, los cuatro bancos cooperativos hasta tanto no llegaron a ser bancos y todas las 65 cooperativas financieras que operan en el país han lavado en todos los ciclos, y sin estar sujetas a ninguna de las regulaciones que cobijan a los bancos comerciales.

El Dancoop cuenta con 10 revisores de cuentas en Bogotá, donde están concentradas la mayoría de sus oficinas, y 10 visitadores que deben controlarlas junto con otras 3.900 instituciones cooperativas. "Lo anterior es culpa del Estado, ante el crecimiento desproporcionado de las bondades de la economía solidaria", escribió en una carta a El Espectador el presidente del sindicato de Dancoop, Josué Moreno Espinoza.

Y las "bondades de la economía solidaria", que ciertamente lo son cuando es gobernada por criterios democráticos, se refleja en los sorprendentes balances desde el momento en que se transforman en bancos. El Banco Cooperativo de Colombia tenía en marzo del 93 $7.700 millones en depósitos en

148

cuenta corriente, en junio del 94 ascendían a $20.049 millones, a diciembre del mismo año eran $29.814 millones, y en junio siguiente descendieron a $25.760 millones. La variación porcentual había sido del 28.5, pero su patrimonio que era de $82.117 millones en marzo del 93, en junio del 95 ascendía a $347.739 millones. La gran variación se dio, sin embargo, entre marzo del 92 y el mismo mes del 93, con una variación del 117%. El 50.1 de sus captaciones en certificados de depósito a término eran superiores a los $100 millones.

En Coopdesarrollo los incrementos son de órdenes similares. Sus activos se aumentaron en el 85.2% entre marzo del 92 al 93 (de $67.248 a $124.535), y entre junio del 94 y el mismo mes del 95 pasaron de $204.548 a $316.642, todo un fenómeno económico.

El Banco Cooperativo de Colombia registra 1.824 asociados, Coopdesarrollo 1.170, y Uconal 42.824.

De acuerdo con un balance de las cien cooperativas más grandes del país en 1995, publicado en la revista Colombia Cooperativa, de las diez más grandes por activos, seis eran de carácter financiero, y de ellas cuatro tienen sede en Cali y una en Tuluá. (No debe ser una casualidad que la segunda cooperativa más importante del país, en organismos de segundo grado, sea la Cooperativa de Servicios Funerarios de Bogotá, con 62 asociados).

En el mismo balance pero tomado por patrimonio, en el mismo año, sólo clasifican cuatro de las financieras, dos de ellas controladas desde Cali.

Cuando las cooperativas entraron a competir con la banca comercial, el objetivo que originó su constitución se fue diluyendo, y como dada su naturaleza de entidades "sin ánimo de lucro", por lo que reciben importantes exenciones tributarias, no pueden repartir excedentes o utilidades, la solución no ha consistido tampoco en repartir beneficios, sino convertirse en cajas de resonancia del interés que corresponda en el momento, para asegurarse el control del poder.

La "economía solidaria" que manejan esos bancos cooperativos estaba perfectamente reflejada en la publicidad de uno de ellos, que muestra a una chica tirada en una piscina sobre un colchón de aire, con un cóctel tropical en la mano, un agua azul invitante a la sed, y una voz masculina y gangosa de fondo que repite varias veces "ella sí sabe cómo ganar dinero sin trabajar. Con su dinero puesto en nuestra cuenta tal y tal".

Pero si eso sucede con la banca cooperativa, la comercial no pasa un mejor examen. Hasta finales de los 80 la Superintendencia Bancaria hacía una auditoría de cuentas corrientes y de ahorro, que le permitía hacer un seguimiento aproximado de los grandes depositantes de dinero, con lo cual las operaciones de lavado, si no evitadas, sí al menos se las podía establecer y poner en conocimiento de otras autoridades competentes. Por este medio se descubrieron especialmente grandes operaciones ilícitas de sobrefacturación y subfacturación en las operaciones de comercio exterior.

Esa sección, que prácticamente era una unidad de inteligencia del sector financiero, se desmontó a finales de los 90 y su personal fue reasignado a otras divisiones, lo más lejos posible de los bancos. Sólo por confirmar lo que ya se conoce como una verdad en el mundo financiero envié un derecho constitucional de petición a la Superintendencia para que se me informara qué dependencia cumplía ahora esa función, y cuántas personas laboraban allí. Luego de múltiples llamadas telefónicas, algún funcionario me respondió que eso no le correspondía a la Superbancaria, que para eso los bancos contrataban su propia auditoría...

Un poco similar a lo que me ocurrió con otra petición similar que envié a la Aeronática Civil para que me informaran sobre el cumplimiento de la obligación legal de informar por escrito a la Dirección de Impuestos sobre toda operación de compra-venta de aeronaves que se celebre en Colombia, y claro que también sabía que nunca se ha enviado un solo reporte sobre ese punto. Un mes más tarde (la ley fija un término máximo de 10 días para responder) me llegó un oficio de respuesta, que se circunscribe a darme el número de un teléfono, 4138565, donde debo llamar para explicar qué es lo que quiero averiguar. Al menos la Aerocivil contestó, porque el ministro de Defensa Juan Carlos Esguerra ni siquiera lo hizo cuando hice una solicitud similar, pero para conocer la hoja de vida de los militares y policías convertidos en grandes capos del narcotráfico. Tal vez temía dar a conocer las condecoraciones y felicitaciones con anotación en la hoja de vida a que se hicieron merecedores durante su paso "por el servicio".

Todo esto para decir que en Colombia para nada importan los controles ordenados en la ley, las juiciosas previsiones de las reglamentaciones, si luego los funcionarios públicos a quienes corresponde aplicarlas, ni siquiera recuerdan de qué se trata o para qué se implementaron.

Y así es como después de lavar el dinero, se entra al gran mundo de los negocios.

Capítulo VI

La economía de la mentira

Cuenta Groucho Marx en un célebre chiste suyo que en alguna ocasión se le acercó a una chica hermosa y le propuso que si hacían el amor, él le pagaría un millón de dólares. Cuando ella, con sonrisa cómplice aceptó la propuesta, Groucho rebajó la oferta a un dólar. "Pero usted quién cree que soy" respondió airada la chica. "En eso ya estamos de acuerdo" le dijo el humorista, "ahora lo que estamos discutiendo es el precio".

El chiste encaja perfectamente en la tan colombiana discusión sobre la importancia de los dineros provenientes en narcotráfico en la economía nacional. Y hay que hablar de dinero, ya no sólo de dólares, porque en varios meses de este año las casas de cambio transaron más pesetas que dólares, y cada vez es más sensible la presencia en ese mercado de otras monedas europeas, aunque jamás en la proporción de la divisa española.

Y la discusión suena a chiste, porque nada más inicia el gobierno alguna ofensiva contra los narcotraficantes de alguna región en especial, cuando de inmediato saltan los fusibles, para advertir que, de repente, el mercado quedó sin dinero. Con una economía subterránea de grandes proporciones, donde sólo el contrabando que manejan los Sanandresitos se cree lava cada año unos $US2.000 millones de dólares, pretender decir que se va a "blanquear" una economía que siempre ha sido opaca es algo menos que un acto de simple campaña de imagen.

Los estimativos de la porción colombiana de los dineros que repatrian los narcotraficantes son todos disímiles, y con mayor o menor credibilidad, de acuerdo con la fuente. Las cuentas oficiales en ocasiones la fijan en un rango entre los US$3.200 y los US$5.000 millones de dólares; los gringos creen que puede ascender US$7.000 millones, que representa el 20 por ciento del valor de la cocaína al distribuidor. El Citybank, ahora en problemas por haber lavado dinero al hermano del anterior presidente mexicano, dijo en 1994 que las operaciones de lavado de dinero en un año podrían ascender US$400 mil millones de dólares en todo el mundo.

En Colombia, sin adentrarse en los grandes ensayos matemáticos de los economistas, pues todos terminan por reconocer un rango similar, entre el 10 y el 15 por ciento del Producto Interno Bruto.

Salvo en los casos de pequeños traficantes, en Colombia nunca se ha empezado a conocer a uno de los grandes capos de los carteles por sus actividades criminales, sino porque llaman la atención por sus negocios, empiezan a desplazar pequeñas y medianas empresas que no pueden soportar el "dumping" de la cocaína en sus financiaciones, o sencillamente escogen un renglón, los pollos, las pieles, la construcción o la banca, y levantan ampollas que llegan por fin a oídos de la Policía. Si se pudiera averiguar, pero ya no hay archivos que lo registren, habría sido muy interesante investigar qué superintendente bancario, y con base en qué fundamentos, autorizó la posesión de Gilberto Rodríguez Orejuela como miembro de la junta directiva del Banco de los Trabajadores, y luego como su presidente. Efraín Hernández, Pablo Escobar, los Ochoa, todos saltaron a la palestra pública, porque habían dado el gran salto en materia económica, y llegaban a salones, convenciones y asambleas donde de otra manera jamás hubieran tenido acceso.

Y, ¿cómo hacen las mafias para operar en el lavado de dinero tan libremente en Colombia?

La respuesta en principio es sólo una, las amnistías tributarias, que prácticamente coinciden con el inicio de la bonanza marimbera, y desde entonces todos los sucesivos presidentes de la república han tenido que recurrir a ellas con el objeto de fortalecer unos proyectos económicos de desarrollo, que prácticamente no habrían tenido fuente de financiación diferente si no se la reconociera a la economía subterránea como alimento poderoso de la economía real, y por tanto de tributos.

Como cada vez empezó a ser más evidente ante los contribuyentes el objetivo real de las amnistías, cada nuevo gobierno le fue cambiando de nombre a las amnistías, como forma de eludir el desprestigio que empezaron a tener entre quienes sí habían pagado oportunamente sus impuestos. En 1974, 1979 y 1982 se mantuvo el nombre de amnistía; en el 90 se varió por un eufemístico alivio, y en el 95 se la llamó saneamiento.

Y todas esas variaciones semánticas, que en el fondo eran idénticas, se produjeron para justificar la única verdad, que en Colombia se vive la Economía de la Mentira.

Y es que en Colombia la legislación tributaria ha servido para todo, como cuando un Ministro de Agricultura, que según parece representaba intereses de los gremios ganaderos en su cartera, reclamó que un beneficio de exención de impuestos otorgado por la ley a las hembras de cría (excluirlas de la renta presuntiva), se extendiera también a los toros reproductores, lo que se hizo por decreto reglamentario.

Así que por decreto se dispuso que en ese año, y para efectos tributarios, los toros fueran considerados vacas preñadas. No se sabe si la justificación en los considerandos del decreto habrían tenido algo que ver con aquello de la igualdad de esfuerzos en la procreación, o si, como lo creen los autores de la anécdota, Perry y Cárdenas, se trató más bien de "un acto excepcional de travestismo jurídico".

Hay pocos espacios de la vida del país como el tributario, donde la concupiscencia entre sector privado y público sea más evidente. Un árbol genealógico de los diez nombres más conocidos en esa disciplina lo pondría hoy como subdirector de impuestos, una semana más tarde como asesor de alguna petrolera o una compañía bancaria, luego como director de impuestos, después como consultor privado, al mismo tiempo que como espíritu innovador por asesoría de la mayoría parlamentaria, el partido liberal. Y siempre desde una misma oficina, pues cuando uno de los socios sale a ser funcionario, su socio se queda apoderando a los que el otro teóricamente va a vigilar. Sé que el caso corresponde exactamente con una ex directora de impuestos, que no es el único, y por eso sería injusto exhibirla a ella, que participó en las tres últimas reformas tributarias como funcionaria, y en la última como asesora de la dirección liberal para la reforma, desde su oficina privada de abogada consultora, cuando hay otros/as que funcionan de la misma manera.

Todas esas últimas reformas tributarias en que ella participó contemplaban distintas clases de amnistías, pero como ese tipo de asesores en la dirección ideológica del partido de gobierno no se debe hacer manifestación de conflicto de intereses, pues no es un cargo ni legal ni formal, nadie puede saber qué tipo de propuestas hicieron, ni en favor de quién se propusieron.

Y es que las amnistías no corresponden a ningún sentido de justicia, ni siquiera de conveniencia, si se la toma claro en sentido positivo, como lo acaba de decidir la Corte Constitucional al anunciar prácticamente que declararía inconstitucional cualquier decisión de amnistiar problemas tributarios. Y la decisión la tomó la Corte al declarar inconstitucional un artículo de la reforma tributaria del 95 que amnistiaba a los contadores, auditores y revisores fiscales que hubieran visado contabilidades falseadas. Curiosamente, uno de los cargos hechos a la campaña Samper Presidente de 1994 consistía en que su contador, auditor y revisor habían firmado una contabilidad manifiestamente falsa, pues registraba ingresos y egresos por $3.970 millones, cuando los gastos habían superado los $11.200 millones, y los ingresos probablemente otros mil millones adicionales.

Si de verdad se quisiera hacer una auténtica valoración de lo que es la evasión de impuestos, el gobierno no tendría más que hacer un cruce entre lo que cada contribuyente pagó por Impuesto de Valor Agregado, Iva (que grava consumos) y su declaración de renta, para descubrir qué persona gasta más de lo que declara en renta.

Y una forma muy sencilla de establecer esa diferencia sería simplemente con la revisión de las tarjetas de crédito.

El problema es que esa nunca ha sido la intención del gobierno.

La primera amnistía de que se tiene noticia fue decretada por Rojas Pinilla, pero correspondía principalmente a la extensión de una práctica más o menos común en los municipios, amnistía de intereses de mora, para que se pagara el capital en el predial, que, sumado con la devaluación, convertía el dinero en prácticamente nada.

Una breve relación de las principales normas de amnistía sería la siguiente:

En 1957, con el fin de la bonanza cafetera, y se decretó amnistía tributaria para aumentar recaudos.

La Ley 20 de 1979 ordenó una amnistía general a las ganancias de capital.

Finales del 82, Belisario Betancur decretó la emergencia económica. La Corte tumbó todos los decretos, por alguna causa todavía no comprendida, de las normas expedidas sólo se salvaron los artículos relacionados con amnistías tributarias.

Ley 9 del 83, la más amplia amnistía patrimonial y cambiaria.

Ley 75 del 86 artículo 50 y siguientes, otras amnistías.

Ley 49 del 90, amnistía saneamiento fiscal de divisas.

En 1990 la Dirección Naciones de Impuestos publicó un folletín en el que su director, Carlos Fernando Zarama, remataba el prólogo con una frase lapidaria, "gracias por jugarle limpio a Colombia".

Se refería desde luego a los contribuyentes, porque lo mismo no se podría alegar de los funcionarios.

Entre las normas contenidas en ese folletín estaba la Ley 49 del 28 de diciembre del 90, cuyo capítulo I se titula "Saneamiento de patrimonios en el exterior".

Se trataba de un "saneamiento fiscal de divisas", que no era más que una amnistía para permitir el ingreso de capitales fugados y, más probablemente, de aquellos obtenidos con el tráfico de drogas en el exterior. La norma autorizaba a declararlos en la renta del 90, pero con un término increíble, que "a más tardar el 30 de junio del 92" se pudiera repatriar ese dinero, incluidas divisas poseídas en el exterior, con el compromiso de que con el capital saneado se compraran en 1991 Bonos Especiales de Saneamiento Fiscal, títulos de deuda externa, o se pagara un impuesto complementario de rentas del 3% sobre el valor del saneamiento fiscal.

Para ponerlo más claro, que se utilizaran papeles del mismo Estado para lavar el dinero antes de repatriarlo.

En la ley 75 del 86, Alba Lucía Orozco de Triana como directora de Impuestos y César Gaviria Trujillo como ministro de Hacienda, se incluyó el artículo 50, que era otra modalidad, amnistía para quien haya "omitido activos o declarado pasivos inexistentes".

El aumento de patrimonio ocasionado con la amnistía tenía que estar representado, a 31 de diciembre del 86, en:

- Inmuebles (ahí se inició el boom de la construcción).
- Acciones o derechos en sociedades colombianas de cualquier naturaleza.
- En depósitos en las instituciones financieras (ahí se obligó a la banca a convertirse en lavadora, conociendo a quién la hacía y cómo funcionaba).
- Bonos y títulos emitidos por entidad pública (caso Chupeta, que pagó su sometimiento a la justicia con bonos de deuda pública).
- Créditos activos a cargo de personas naturales o jurídicas que consten en documento de fecha cierta.
- Activos fijos materiales.

Fue en realidad esa cuestionada y cuestionable norma, la que impulsó la industria de la construcción como mecanismo hábil para el lavado de dinero, creó unas presiones ajenas al mercado real y presionó sobre la oferta hasta crear la burbuja que hoy se conoce.

La ley 223 del 95, ordenó ya no amnistías sino eufemismos, que para el efecto cumplían exactamente el mismo efecto: -saneamiento de intereses - saneamiento de declarantes -saneamiento para personas sin ánimo de lucro - saneamiento a contadores, revisores fiscales y administradores -saneamiento a empresas de servicios públicos - saneamiento de impugnaciones - saneamiento de demandas.

El artículo 82 de la misma norma además reguló la titularización, al decir que "cuando se adquieran bienes o derechos a través del proceso de titularización, su costo fiscal será la suma del costo de los respectivos títulos". Valores falsos, con derecho a una propiedad, sin necesidad de pagar uno solo de los impuestos.

Tradicionalmente la balanza cambiaria servía o alcanzaba para financiar 3.8 meses de importaciones, y en 1978 se disparó a 2.493 millones, lo que significaba 7.8 meses de importaciones.

La explicación de tan súbito progreso la dan Guillermo Perry, padre de al menos dos amnistías, y Mauricio Cárdenas, en un magnífico libro, Diez años de reformas tributarias en Colombia:

"Un mejoramiento importante en la cuenta de servicios que se atribuye tanto al producto de exportaciones ilegales como a un flujo disfrazado de capitales hacia adentro, estimulado por los diferenciales de tasas de interés interna y externa que aparecieron como consecuencia del freno en la tasa de devaluación. Este estímulo para haber inducido además sobrefacturación en las exportaciones y subfacturación en las importaciones, de modo que las altas cifras de superávits comerciales pueden esconder algunos flujos ilegales de capital". (Diez años de reformas tributarias en Colombia. Guillermo Perry, Mauricio Cárdenas. Fedesarrollo, 1986).

La amnistía tributaria del 74 debió producir $600 mil millones adicionales en el 75, un 30% de incremento por la amnistía patrimonial y revaluación de activos.

Esa es la expectativa del corto plazo con que se juega seguramente en las amnistías, pero las consecuencias las describen los mismos Perry y Cárdenas en su libro antes citado:

"La cartera morosa, que venía creciendo hasta 1973, se redujo en 1974 como resultado de la amnistía de intereses decretadas en octubre del 74, en conjugación con la reforma expedida en ese año. A partir del 75 volvió a aumentar, en forma cada vez más acelerada hasta 1978, para reducir notoriamente su tasa de crecimiento en 1979, como resultado de la nueva amnistía incorporada en la Ley 20 de 1979. Este fenómeno se repite una vez más entre 1980 y 1983: el crecimiento del debido cobrar se acelera en 1981 y 1982, para volver a disminuir en 1983, debido a la amnistía decretada por la emergencia económica a fines de 1982.

"En conclusión, el comportamiento de la cartera morosa está profundamente asociado con la expedición periódica de leyes de aministía de intereses. Estas no solamente 'funcionan' cuando se otorgan, sino que los contribuyentes, ya acostumbrados a que cada gobierno decreta la suya, dejan de cumplir en forma creciente con sus obligaciones de pago en anticipación de la próxima".

Es el Estado colombiano mismo el que se encargó de crear mecanismos de lavado, porque una vez que se paga impuestos sobre un bien, ¿cómo puede hablarse de enriquecimiento ilícito, si la consecuencia obvia sería entonces que también el Estado se enriqueció ilícitamente por haber captado un tributo sobre un bien ilegal?

Y como el problema de los capitales ocultos es empezar por pagar impuestos, la mafia busca controlar aquellas actividades donde hay pocas posibilidades de control, como un hotel o un hospital, donde es difícil establecer cuántas personas estuvieron alojadas y por cuánto tiempo, o un partido de fútbol, donde siempre se pueden declarar más espectadores de los reales, se pagará en consecuencia un impuesto más alto, pero se habrá lavado el dinero de las entradas que hay que colocar. Eso sin contar con el jugador cuyo pase se compra con dinero en el exterior, porque aquí no habría cómo justificarlo. Pero tan pronto ese jugador se venda por su valor real al otro equipo, la diferencia entre lo que se declaró que se pagó y lo que se recibe, será una utilidad ya legalizada.

El problema es que como a la mafia no le interesa esa actividad para cosa distinta que la utilidad coyuntural, tan pronto la emplea, y le es útil, la abandona, pero entre tanto habrá sacado de la competencia a muchos pequeños y medianos empresarios que no pudieron competir con sus precios o sus ofertas. Los ejemplos se conocen hoy en Colombia de esta situación en cualquier actividad, desde el ciclismo, las carreras de caballos, el automovilismo, hasta industrias como la construcción, el revelado de fotografías, los supermercados, los hoteles o los cueros.

Las actividades ilícitas nunca han enriquecido a un país, y en cambio generan un gran desestímulo social en la fuerza de trabajo, al ver que mientras unos ganan enormes cantidades de dinero con sólo violar la ley, quien la respeta debe cumplir horarios, someterse a planes y programas, asumir un rito, y al final llega un salario o una cosecha que no rinde, no cumple las expectativas, o se encuentra con un mercado saturado.

Así es como desaparece el empuje de una nación, que es lo que la hace merecedora de tal nombre, crea confusiones sobre los valores en juego, y el ningún respeto a norma social o jurídica, elimina la posibilidad de competencia. Como sucedió en esta historia de un proyecto de Santacruz Londoño.

"Llegará el momento en que situaciones como las descritas aquí salgan a la luz pública y se reconozca finalmente que la falsa imagen pacífica que han querido venderle al mundo del cartel de Cali no es lo que dice ser".

Con estas palabras, casi increíbles para un documento oficial, se cerraba el análisis de una agencia colombiana de inteligencia, en el que se relató historia de la constitución de la sociedad Cali Hoteles y su proyecto emblema, Centro Alférez Real, el mismo que puso a las autoridades tras la pista de José Santacruz Londoño como artífice de muchas de las operaciones de ese cartel.

Y es que allí en ese proyecto se pueden encontrar muchas constantes de lo que suelen ser las operaciones del cartel de los Rodríguez, con cuatro personas muertas, otras dos amenazadas, y una estela de millones de millones de pesos que sólo podrían comprenderse en el marco de una gigantesca operación de lavado de dinero negro.

En realidad tiene muchos elementos de similitud con otra célebre operación de la misma organización, la del intento de construir el Hipódromo del Valle: primero se lo exhibe como un proyecto de amplio espectro regionalista, y por eso mismo se convoca a los sectores más representativos de su sociedad, por linaje y capital, y luego empiezan a aparecer las platas que en realidad dan impulso al proyecto, hasta cuando alguien se les opone, y en ese momento empiezan los muertos. En ese instante ya es sólo un proyecto de la mafia, que luego será salvado con alguna compra oficial, que termina por hacer el lavado completo de los dineros.

Historias similares se conocen a centenares en el país.

El proyecto arquitectónico fue vendido en sociedad como un gran complejo que se inauguraría con ocasión de los 450 años de la fundación de Santiago de Cali, y consistía en un gigantesco centro hotelero que serviría como polo de desarrollo de la capital del Valle. El proceso original estaba orientado a que los socios fueran accionistas captados en el mercado abierto, pero gracias a la decisión de la entonces recién creada Comisión Nacional de Valores se impidió que el que fuera el fraude a unos pocos se hubiera convertido en un gran desfalco nacional.

La sociedad Cali Hoteles se había constituido el 4 de agosto de 1982 en la Notaría Primera de Cali, y como su promotor y director general siempre figuró el argentino Mauricio Litman, quien aparecería asesinado años más tarde en Argentina, tras haber sido expulsado de Colombia.

El desangre económico a que sometió Litman a la sociedad impidió que se convirtiera en una sociedad abierta, así que del gran complejo hotelero se pasó a un proyecto arquitectónico que incluía un centro de convenciones, una torre de apartamentos y un centro deportivo. Su nuevo gerente fue Mauricio Vásquez Zawadsky, un conocido ejecutivo del sector financiero en el Valle.

Para ese momento la sociedad tenía su capital representado en 7.4 millones de acciones, controladas por unas 1.500 personas naturales y jurídicas, aunque el grueso estaba concentrado en treinta grandes accionistas.

Como la intención original era construir un complejo hotelero, y el proyecto tendía a una franquicia de la cadena Hilton, el mayor accionista era el Hilton Internacional, con 310.047 acciones. Y le seguían empresas como la Inmobiliaria Samaria, Inversiones El Paso, Inversiones Turísticas de Occidente, Grupo Latino, Grupo Murillo Pardo, Inversiones Limontes, Edgar García Montilla, La 14, Miguel Rodríguez, Luis Eduardo Gil (representante del Grupo Murillo), y otra serie de accionistas minoritarios, en los que se mezclaban sindicados de narcotráfico con empresarios de todo el país, especialmente de Bogotá, engañados con un proyecto de amplio espectro.

La primera sociedad que llamó la atención fue Inversiones Turísticas de Occidente, controlada por el político caleño Alonso Ochoa Ochoa, y su suplente en la junta, Alfredo Haddad, relacionado con operaciones de casas de cambio.

Pero desde luego que la concentración del interés entonces tenía que ver con la Inmobiliaria Samaria Ltda., una sociedad comanditaria que tiene como socio gestor a Sociedad Samaria, de propiedasd de Amparo Castro de Santacruz y Ana Milena Santacruz, y socios comanditarios a Inversiones El Paso, también de Amparo Castro de Santacruz y Ana Milena Santacruz Castro y Sandra Santacruz Castro, las hijas de José Santacruz Londoño, una telaraña de sociedades de nombre similar, que terminan en definitiva en la misma persona. El socio gestor es controlado por el socio comanditario, y viceversa. Inmobiliaria Samaria estuvo representada en las asambleas por Hugo Mazuera, quien resultaría elegido miembro principal de la junta directiva de Cali Hoteles. En esa misma ocasión representó las acciones personales de Miguel Rodríguez Orejuela, que a su vez habían coincidido en la junta directiva del equipo América de Fútbol.

Para entender un poco mejor el escenario habría que explicar que, previo a estas operaciones, el 13 de julio de 1989 fue asesinado Mauricio Vásquez Zawadsky, el gerente del proyecto después de Mauricio Litman, lo que virtualmente produjo la parálisis de la venta de los apartamentos. Y es también en esa coyuntura cuando las sociedades vinculadas con Santacruz Londoño empiezan a aumentar sensiblemente su participación en la sociedad, en proporción similar con los Rodríguez Orejuela y, en menor proporción, un familiar de Helmer Pacho Herrera.

Julio Martínez Granados, quien aparentemente fue cercano a Santacruz Londoño hasta que por alguna razón no conocida tuvieron un distanciamiento con el narcotraficante, que le propinó una paliza en la discoteca El Extasis de Cali. Martínez Granados fue asesinado en Cali el 11 de julio de 1993 por sicarios que se movilizaban en una moto. Su esposa quedó gravemente herida. Martínez tenía su oficina de abogado en el mis-

---

ACTA No. 16 DE LA JUNTA DE SOCIOS DE LA SOCIEDAD

CONSTRUCTORA ALTOS DEL RETIRO LTDA

En Bogotá, a los quince días (15) del mes de abril de mil novecientos ochenta y nueve (1989), siendo la hora de las diez de la mañana (10 A.M.), fecha y hora de la convocatoria, se reunieron en la sede de la Sociedad Transversal 3a. No. 85-10 de esta ciudad, los señores RAFAEL ALBERTO CULZAT, en representación de Inversiones 78 Ltda., PHANOR ARIZABALETA ARZAYUZ, en representación de Inversiones Ario Ltda., HELMER HERRERA Y DELIA RAMIREZ, quienes representan el ciento por ciento (100%), del capital social de la Sociedad CONSTRUCTORA ALTOS DEL RETIRO LTDA., con el fin de constituir en Junta Extraordinaria de Socios, para discutir y decidir sobre los puntos contenidos en la convocatoria, cuales son:

a) verificación del quorum;

En varias ocasiones, el cartel no sólo opera unido para traficar con droga, también para lavar dinero, como en esta constructora de Bogotá y Cali.

158

mo edificio donde despachara hasta hace relativamente pocos meses el propio Santacruz Londoño.

El 7 de febrero de 1994 fue asesinada en Cali Teresa Carmona, secretaria de la gerencia de Cali Hoteles, por un sicario que se desplazaba en una moto.

Otros tres gerentes, Camilo Hernández, Norman Montoya y Armando Gómez, abandonaron Cali bajo amenazas de muerte, y acusaciones del cartel de los Rodríguez de haberse aprovechado de la sociedad en beneficio propio.

Y en la sombra de todas las operaciones siempre figuró un conocido nombre, el de Edgar García Montilla, el banquero que se convirtió en testigo contra Santacruz Londoño en una corte federal de Nueva York, luego de haber sido detenido en Europa como eje de una gigantesca operación de lavado de dinero por más de $73.000 millones de propiedad de los Santacruz, y que involucra seis bancos en operaciones sucesivas por siete países europeos y de Norteamérica.

¿Y el proyecto arquitectónico? Fue embargado por José Santacruz Londoño vía sus sociedades familiares de papel, con la esperanza de que nadie le ocupe el complejo de sus sueños. Por lo pronto figuran promesas de compraventa a nombre de la familia Santacruz, o sus sociedades, sobre un total de ocho apartamentos, que pueden costar unos $2.000 millones. Tres a nombre de Gilberto Rodríguez e Inversiones Rodríguez Arbeláez. Otros tantos de propiedad de Roberto, Emilio y Arturo de J. Herrera y María Esneda de Herrera. Y tres a nombre de Inversiones Ochoa Restrepo. Ah, y un local del Banco Cafetero, avaluado en $90.8 millones.

Más de quince años para ver fracasado otro proyecto faraónico del cartel de los Rodríguez, pero que, como en el Hipódromo del Valle, prevalece el deseo de resolver las controversias a plomo antes que por balanza judicial.

Cuando en febrero del 96 fue capturado en Panamá el agente del cartel de Cali para las operaciones de lavado de dinero y tráfico de cocaína en ese país, José Castrillón Henao, las autoridades se encontraron con un complejo entramado de empresas, especialmente joyerías y agentes marítimos y de aduanas, que se intercambiaban socios y funciones, sólo con el ánimo de protegerse de posibles investigaciones.

Panamá, como paraíso fiscal, provee no sólo con un drástico secreto bancario, sino que además brinda un portafolio de empresas que no son más que buzones de correo, a través de los cuales movilizar el dinero. A Castrillón Henao eso le funcionó durante varios años, pero tan pronto se descubrió, el imperio se derrumbó como un castillo de naipes.

Las sociedades más importantes que funcionaban en Panamá eran Gold International Trading Co., Golden Arrow Trading Inc., Foy Investment Inc., Zukki Maritime Holding, Zocca Investment Inc., Empresas Interoceánicas S.A., Lorian Investment Inc., Charter del Caribe S.A., Tiffany Real State Investment, Bavarian Real Investment S.A., Metal and Marine Supply Co., Inversiones Florícola S.A., Ultramar Pacific Service, Charger Navigation y otras.

Esas empresas tenían relaciones con otras también constituidas en Panamá, como Sea Products, Master Agencies, Tuna Pesca Pacifica, Pacific Squid,

Pesqueros, Embragues y Frenos Superiores, Norprize Pez Shipping, Hiram group, Hermosos Horizontes, Marítima Orca y Vizcaíno Ching.

Ambas redes de empresas tenían una función, la de servir en Panamá de importadores de los "productos" que le vendían otras empresas en Colombia, en especial Agropesquera Industrial Bahía Cupica, Inversiones Marítima, José Alejandro Henao y Compañía, Astilleros Unidos de Colombia, Pescamar Ltda., Ventas Ltda., Transportes Bravo Hermanos, Hotel turístico La Boicana, Almacén Carlos Fong, Distribuidora Migil Cali (de los hermanos Miguel y Gilberto Rodríguez), Hotel Confort, Marina del Sol, Hotel Estación Buenaventura, Manufacturas Alvarez Muñoz, Hotel del Mar, Hotel Hogar del Viajero, Hotel El Galeón, Repuestera Marín, Gran Marítima Limitada, Navemar, Inpesca.

Estas sociedades colombianas en realidad no eran más que instrumentales, puentes para manejar desde el Ecuador grandes cantidades de cocaína hacia Panamá y luego México y los Estados Unidos. Entre las empresas ecuatorianas se destaca Andani S.A., Bronchi, Deliria, Enzo, Sport West, Ferranti, Frutmarisco, Fumersol, Marvap, Iceberna, Rica Pesca, Predial Abadisol, Procesamar, Puerto Pesca, Ricotilli, Servicios Profesionales, Victorini y Nelvacorp.

Más de cincuenta sociedades que sólo tienen la utilidad de sus propios dueños, pero que sin embargo tienen licencia del Estado, como en el caso de Helivalle Ltda., una empresa de transporte aéreo comercial de carga controlada por Juan Carlos Ortiz Escobar, Cuchilla, pero que figuraba gerenciada por Miguel Roberto Espitia, y con sedes en Palmira, Cali y Bogotá, seguramente con un historial similar de operaciones al de SER-PA, la compañía de las avionetas de los Rodríguez que manejaba Germán Sánchez Perea, o Isleña de Aviación, la otra empresa del cartel que debió ser cancelada, o la Caribeña de Aviación, suspendida.

Y es que para los 11.750 pilotos que operan en Colombia con permiso, la cancelación de licencias a 27 empresas de aviación y la suspensión de otras 28 no debe ser fácil de digerir, así haya en Colombia proporcionalmente más empresas aéreas por habitante o metro cuadrado que en cualquier otro país equivalente.

Helivalle tiene comunidad de algunos socios con otras empresas, también ocupadas ya por la Fiscalía, como Inversiones Belvedere, Hotel Belvedere, Serfinaco Ltda., Espitia Lloreda y Ortiz sociedad en comandita, Bienes Rentas Inmobiliarias, y la Sociedad Agrícola y Ganadera San Martín.

Una infraestructura mínima la que se le ha descubierto hasta ahora, si se atiende la versión que coloca a Chupeta y Cuchilla como personas todavía más pudientes que los mismos Rodríguez Orejuela.

Durante una investigación de la contabilidad que maneja la cadena de hoteles controlada por Nelson Urrego se encontró que a lo largo de un año había transportado en por lo menos tres ocasiones buques cargados de arena desde Buenaventura hasta San Andrés, para la remodelación de una pared que nunca podía sostenerse, pues según el informe de los contadores en la revisión de los libros, había sido reconstruida en cuatro perspectivas diferentes. Al final, la remodelación del antiguo Hotel Dann costó tres veces más que cuando se lo adquirió nuevo.

Algo similar al fiasco de Perafán con su Chinauta Resort, en el que según libros invirtió más de $10.000 millones, y lo que se pretendía fuera una operación rápida de dinero quedó en un elefante blanco, pues nadie querrá comprar un establecimiento que para recuperar la inversión se necesitaría muchos años.

A empollar el capital, y esperar que se convierta en centro de atracción por alguna originalidad, como monumento al escándalo.

Esa es un base en una de las posibles consecuencias de los negocios de los traficantes de droga, pero también ahora existe otra adicional, como ocurrió a la familia Sarria Montoya, a la que se le embargaron todos los bienes, incluidos los de sus menores hijos, para resarcir a la sociedad y a la justicia por los perjuicios ocasionados a un país con su conducta.

Según una novedosa doctrina, la Fiscalía General de la Nación embargó y secuestró a la familia Sarria-Montoya, 73 bienes muebles e inmuebles que tienen un valor en libros de $2.900 millones, y en el comercio superan fácilmente los $20.000 millones, y estaban no sólo a nombre del enjuiciado sino de su esposa, Elizabeth Montoya de Sarria, asesinada en Bogotá, y de sus hijos.

En concepto de la Fiscalía sólo el justo título y el origen lícito de los dineros dan principio a la propiedad que ampara el Estado, y por tanto procede la extinción de dominio sobre aquellos adquiridos con dineros que se demuestre se obtuvieron del delito.

De hacer tránsito a jurisprudencia, la posición jurídica de la Fiscalía General brindaría una novedosísima arma a la justicia para tomar posesión de los bienes de los narcotraficantes, independientemente de que hayan muerto, hayan cumplido ya su condena, o los hayan colocado en cabeza de terceras personas o de sociedades comerciales de distinto tipo. Pero además estaría llamada a prosperar en causas por delitos como el cohecho, el secuestro, o cualquiera que genere ingresos ilícitos.

En concepto de la Fiscalía General de la Nación los bienes de los narcotraficantes deben ser incautados para que la sociedad resarza al menos en parte los enormes perjuicios que le ocasiona el tráfico de narcóticos, y los gastos que le generan a la propia Fiscalía y a la Rama Jurisdiccional la instrucción y fallo de estos procesos.

El cuatro de septiembre pasado la Fiscalía Regional de Bogotá formuló resolución acusatoria contra Jesús Amado Sarria Agredo, un ex policía al que se sindica de hacer parte de la línea operativa del cartel de Cali, y en especial con operaciones de narcotráfico y amedrentamiento de testigos, en favor del también detenido Miguel Ángel Rodríguez Orejuela.

Con esos presupuestos, más los cargos de tráfico de cocaína que obran contra Sarria, la Fiscalía recuerda que la Constitución sólo ampara la propiedad adquirida con justo título, y que si bien prohíbe la confiscación, en cambio permite la declaratoria de extinción de dominio por sentencia judicial, cuando los bienes han sido adquiridos mediante enriquecimiento ilícito, en perjuicio del tesoro público, o con grave deterioro de la moral social (artículo 34 de la Constitución).

La Fiscalía sólo hace excepción en este presupuesto con respecto a los terceros que les adquieren bienes de buena fe. En todo caso, y según lo ordenado por el Decreto 2271 del 91, la Ley 30 del 86 y el artículo 339 del Código Penal, también procede la incautación de los bienes si se demuestra, así sea sumariamente, que directa o indirectamente provienen de utilidades provenientes del tráfico de narcóticos, o se utilizaron para transportarlos o procesarlos.

De gran trascendencia jurídica es también otra decisión, la de aplicar las mismas medidas cautelares a los bienes en cabeza de la extinta Elizabeth Montoya de Sarria ya que, argumenta, así en vida no se la hubiera procesado por narcotráfico, sí obran en la investigación elementos de juicio que la vinculan con esa actividad ilícita, con cuyo producido habría comprado los bienes ahora embargados (ver el cuadro, Relación de bienes embargados a los Sarria Montoya, en la página 59).

La misma cadena argumentativa le sirve a la Fiscalía para ordenar el embargo y ocupación de los bienes que figuran a nombre de los hijos de los Sarria, como la hacienda La Ximena.

Sin importar que los bienes hayan sido adquiridos con respeto de las normas que regulan el dominio, el Estado no puede proteger la propiedad de bienes adquiridos por enriquecimiento ilícito pues, recuerda a una sentencia de la Corte Constitucional del magistrado Antonio Barrera Carbonell, no puede amparar *"la riqueza que proviene de la actividad delictuosa de las personas, ni legitimar la adquisición de la propiedad que no tenga como fuente un título válido y honesto"*. Los bienes embargados a la familia Sarria Montoya servirían para pagar la multa, los perjuicios y la eventual condena de enriquecimiento ilícito, y sobre los que pesará la declaratoria de extinción de dominio, una vez se produzca la condena.

Sin embargo, el tema de las propiedades de los narcotraficantes ya no es sólo colombiano, pues de acuerdo con una ley de hace tres años el presidente de los Estados Unidos puede dictar una Orden Ejecutiva Presidencial, que se basa en la Ley de facultades de Emergencia Económica Internacional, Ieepa.

La Orden Ejecutiva de Bill Clinton, y que en el caso de los Rodríguez Orejuela entró a regir en la media noche del 21 de octubre de 1995, dispone congelar sus activos y prohibir transacciones con 81 personas o empresas reseñadas en la Lista de narcotraficantes específicamente señalados, pero también a sus testaferros o a quienes les proporcionan *"ayuda financiera o tecnológica, o apoyo en bienes y servicios"*.

Esas listas, que son de acceso público en el Registro Federal, fueron ampliadas el 24 de octubre y el 29 de noviembre del año pasado, y el cinco de marzo pasado, cuando se extendió la sanción a 138 personas y 60 empresas.

La flexibilidad es una característica de estas listas, entre otras cosas porque a raíz de la promulgación de la primera lista, los hermanos Rodríguez Orejuela iniciaron la transformación de algunas de sus sociedes matrices. Eso sucedió, por ejemplo, el 22 de noviembre de 1995, cuando se inscribió en la Cámara de Comercio de Cali la escritura 315 de la Notaría 19 de esa ciudad, que cambió el nombre de la Distribuidora Migil de Cali por el de Gracadal Sociedad Anónima (Supertiendas La Rebaja).

Veinticuatro horas antes de entregado un registro de existencia y representación en la Cámara de Comercio, se expidió otro de la misma sociedad,

METODO DE LAVADO DE DINERO DE LOS CARTELES VIA CONTRATISTAS Y ENTIDADES PUBLICAS

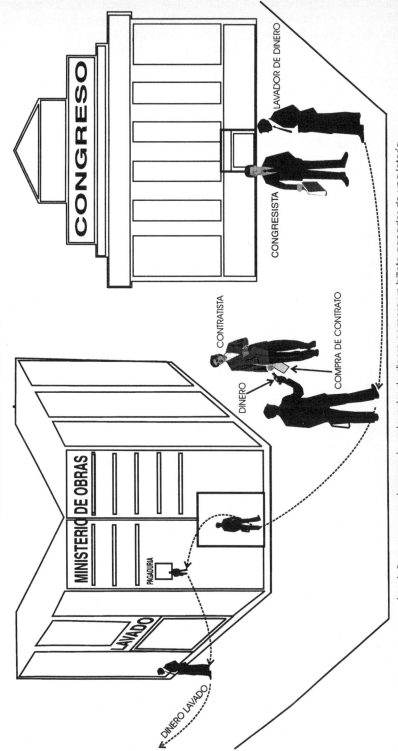

Igual diagrama sucede cuando un lavador de dinero compra un billete ganador de una lotería y entrega dinero en efectivo para él cobrar el cheque y así una gran suma queda lavado.

del que había desaparecido una anotación del juzgado 89 de Instrucción Penal Militar sobre el bloqueo de la sociedad, y en cambio certifica una autorización de la Superintendencia de Sociedades (1994) para la colocación de dos millones de acciones, lo que elevó su capital pagado a $3.000 millones.

La esencia de la Orden Ejecutiva en el Departamento del Tesoro consiste en que ninguna empresa de capital estadounidense, y ningún ciudadano o residente en ese país puede celebrar ningún tipo de transacciones con esas personas o firmas en la lista, so pena de incurrir en las mismas sanciones. Y los ciudadanos o empresas de otros países que lo hagan tendrán como sanción el cierre de operaciones en los Estados Unidos.

De las cuatro personas que figuran a la cabeza del cartel de los Rodríguez se estima dependen unas 285 en los niveles centrales de dirección en Colombia, pero también en otros países.

Pero de todas las empresas relacionadas con el cartel, y se las menciona por control directo o indirecto, en la llamada Lista de Clinton se echan de menos Tecnoquímicas y una filial suya, Levaquímicas. A partir de esas dos sociedades se abre una maraña de empresas vinculadas a través de los socios, la administración o sus direcciones o sus teléfonos, que se calcula pueden ser en total unas 140 sociedades, diseminadas por todo el país.

Según documentos que manejan los servicios de inteligencia sólo en cuatro direcciones distintas asignadas a Tecnoquímicas en Cali funcionan más de ochenta empresas con los objetos sociales más disímiles, desde otros laboratorios químicos hasta productoras de televisión o empresas financieras.

De acuerdo con otro estudio, Tecnoquímicas realizó importaciones entre 1991 y 1993 por US$88.3 millones de dólares, en muy buena parte se alega se trató de químicos que son considerados "insumos para la elaboración de droga y estupefacientes de las empresas Tecnoquímicas Ltda. y Levaquímicas". Las exportaciones de Tecnoquímicas en 1992 y 1993 sumaron sólo US$2.7 millones.

De la otra firma que se considera filial, Levaquímicas, sólo reportaron importaciones en 1992 y 1993 por US$1.2 millones. Otras empresas halladas en el mismo círculo, y que también realizan operaciones de comercio exterior son Tecnocolor S.A., Tecnos Ltda., Barberi Inversiones Aba & Cia. S.C., Laboratorios del Valle y Barberi Velázquez S. en C.S.

Las investigaciones que registra uno de esos documentos explica la metodología de los cruces de información así: "se iniciaron con las direcciones y socios de estas grandes empresas y sus conexiones con otras a nivel nacional y en especial con las del Valle del Cauca, por los apellidos de los socios y familiares se llegó a establecer las relaciones entre unos y otros".

Al número de teléfono registrado de Tecnoquímicas (830415), que en el directorio aparece a nombre del Instituto de Fomento Gremial, están registrados en el Directorio Nacional de Identificación Tributaria (NIT) 42 sociedades, ocho de ellas tienen como representante legal a algún miembro de la familia Barberi, y en otras cuatro Juan Bautista de los Ríos, sin confirmar si es familiar de Tomás de los Ríos*. Dentro de los accionistas y Junta Directiva

---

* Ver *Los Jinetes de la Cocaína*, pp. 127-128. Ed. Documentos Periodísticos, Bogotá 1987.

figuraba Juan C. de Los Ríos G. El señor Tomás de los Ríos fue gerente de la sociedad organizada por Gilberto Rodríguez Orejuela, Discor, cuando ganó una licitación de un millonario contrato para proveer de vehículos a la Policía Nacional. El mismo Juan Bautista de los Ríos figura vinculado a la Financiera de los Ríos y Compañía. De otras 16 sociedades en esa dirección no se tiene información alguna. En la carrera 7 No. 23-74, la misma de estas 42 sociedades, hay registradas otras cinco empresas. Y en la calle 23 No. 7-39, que debería corresponder a la misma manzana, hay otras cinco sociedades.

A otro número telefónico que figura a nombre de Tecnoquímicas, el 836171, que en el directorio está asignado a Distribuidora Colombia, hay un total de 39 sociedades, de las cuales 19 cuentan con un Barberi como representante legal, ocho a nombre de otras personas, y de doce se carece de información.

Del cruce de los socios, los administradores y los teléfonos de esas empresas se llegó a conformar una red de 140 empresas. "Se tiene conocimiento" dice uno de los documentos, "que estas empresas se encuentran vinculadas entre sí además de utilizar sus importaciones y exportaciones para el lavado de dinero producto de negocios ilícitos. Ninguna de las personas contactadas para adquirir mayor documentación de todas estas compañías se atrevió a hacerlo por sus vínculos peligrosos".

De las 140 sociedades de la relación hecha por el sistema descrito, ninguna ingresó en la lista de Clinton. Una investigación preliminar de la Fiscalía General tampoco encontró evidencia de una relación de Tecnoquímicas con miembros del cartel, pero en ella no se investigó la red de sociedades familiares ni de las vinculadas o controladas.

Después de publicada la lista de Clinton en octubre del 95, como había sucedido años antes con el Banco de los Trabajadores, los Rodríguez convirtieron Drogas La Rebaja y Drogas El Cóndor en una cooperativa que teóricamente controlan sus empleados. A la empresa proveedora de ellas, Distribuidora Migil (acrónimo de Miguel y Gilberto Rodríguez Orejuela) la convirtieron en Gracadal, y su naturaleza cambió a sociedad anónima.

Gracadal tampoco está en la última versión que se conoce de la lista de Clinton.

La investigación en que se basa lo anterior halló que las siguientes sociedades tenían registrada su sede, su número telefónico o la dirección registrada al obtener el Nit en los mismos asignados a Tecnoquímicas:

TECNOQUIMICAS S.A. - Direcciones en Cali

Carrera 7ª Nº 23-74

Carrera 7ª Nº 23-18

Calle 23 Nº 7-39 (Los tres debe ser el mismo bloque - De acuerdo con documentos de la Cámara de Comercio, Tecnoquímicas es propietario de la cuadra entera).

Al número de teléfono (de Tecnoquímicas) 830415, también estan registrados en el directorio Nacional de Identificación Tributario (NIT) los siguientes negocios: (En el Directorio Telefónico, el número esta a nombre del *Instituto de Fomento Gremial*, Cra. 7ª Nº 23-74).

Compañía	Representante Legal
Tecnoquímicas Ltda.	Francisco José Barberi
INVERCIVIL LTDA.	Francisco José Barberi
TEXNO Y CIA.	Francisco José Barberi
LECA LTDA.	Francisco José Barberi
Representaciones Ltda.	Juan Manuel Barberi O.
INANDINAS LTDA.	Juan Manuel Barberi O.
NECIVIL Y CIA	Juan Manuel Barberi O.
Inversiones Tecre & Cía. Ltda.	Juan Manuel Barberi O.
Inversiones Línea y Cía.	Aparicio Emilio Sardi
Laboratorios del Valle	?
Grupo Farmacéutico Colombiano	?
BAMEC LTDA.	?
BINMUEBLES LTDA.	Juan Bautista De los Rios G.
INVERVALLE LTDA.	Juan Bautista De los Rios G.
INVERVALLE Burbujas Ltda. y Cía.	?
Jean Paul Riguet Ltda.	Juan Bautista De los Rios G.
TECNOCLOR S.A.	Juan Bautista De los Rios G.

Al número de teléfono (de Tecnoquímicas) 836171, también están registrados los siguientes negocios. (En el Directorio Telefónico, el número esta
suscrito a *Distribuidora Colombia Ltda.*, carrera 7ª Nº 23-18).

Compañía	Representante Legal
BARISTI LTDA.	Juan Manuel Barberi O.
Mercadeo Publicitario Ltda.	Juan Manuel Barberi O.
SANCRIS LTDA.	Juan Manuel Barberi O.
SANCRIS LTDA. Negocios Santiago	Juan Manuel Barberi O.
SANCRIS LTDA. Inversiones Cristina	Juan Manuel Barberi O.
Inversiones GOMAR LTDA.	Juan Manuel Barberi O.
F. José Barberi y Cía.	Francisco José Barberi O.
Distribuciones InterAndinas	Francisco José Barberi O.
BARBLUM LTDA.	Francisco José Barberi O.
Maurand y Cía.	Francisco José Barberi O.
Inversiones AMBAR LTDA.	Francisco José Barberi
Francisco Barberi y Cia.	Francisco Barberi Z.
Negocios Barberi y Cia.	Francisco Barberi Z.
LUZMAR LTDA.	Francisco Barberi Z.
Barberi Toro y Cía.	?

También ubicado en Calle 23 Nº 7-39:

Tecnoquímicas S.A., Armando Barberi Abadia   825555
Comunicaciones B. Y V. Ltda.   839600
Financiera de Los Ríos y Cía., Juan Bautista de los Ríos G.   687602

La relación de sociedades, terrenos, haciendas y bienes inmuebles bajo el control del narcotráfico sería interminable. El primer hombre orgánico del cartel de Cali, por ejemplo, José Arnoldo Estrada Ramírez, construyó en Cali la Clínica Especializada del Valle. Tuvo un costo en libros de $30.000 millones, y está dotada con los últimos adelantos científicos, y según uno de sus directivos, la obra se llevó a cabo con un leasing con un banco japonés, un crédito de Granahorrar, y un préstamo rotativo de $1.000 millones del Banco Cafetero. La solución en el lavado está siempre en las deudas.

En libros, Estrada tiene las sociedades Hielo Cristal y Refrigeración Ltda., Mallas de Occidente, Inversiones Jaer, Inversiones San José Ltda., Marín Estrada & Cía S en C, y José A. Estrada e Hijos, que a su vez son socios de la clínica, con lo cual logran crear pasivos múltiples, que son útiles a todos, y tan pronto se paguen, se convierten en activos que ya son irreprochables, al menos en principio.

Aparte de las sociedades y los proyectos ya mencionadas de Pastor Perafán, una de sus más grandes operaciones se relacionaron con el Poblado San Marcos Resort, 230 hectáreas entre las sierras del Venado, la troncal Melgar-Girardot y la carretera a Tocaima, donde contruyó una infraestructura mínima, para vender por parcelas de 500 metros cada una. También estuvo asociado en un proyecto turístico llamado Bocacanoa, que contemplaba la construcción del Cartagena de Indias Resort, El Camino de Sopó, Los clubes campestres de Pereira, Cajicá y Villavicencio, y el Portal de los Ríos, en Melgar.

Otra modalidad muy común consiste en comprar una empresa antigua, ojalá tradicional. En ese momento se la quiebra, y se la refinancia idealmente con un crédito en un banco oficial, que se garantiza con un depósito en dólares en el exterior. En ese momento se le transforma el nombre, por ejemplo de singular a un plural para transformarla en comanditaria por acciones, y finalmente a sociedad anónima. Esa ya es una nueva sociedad, con imagen y capital lavado.

La ventaja de este sistema es que se ahorra el testaferro, que eventualmente puede significar un problema, por delación a cambio de alguna participación o simplemente porque no acepte devolver el bien.

Estos son los sistemas que se emplean más ahora en Venezuela, que desde hace tres años se ha convertido en el gran paraíso del lavado de dólares, especialmente para las organizaciones caleñas. Según Leyda Briceño de Febres, del Instituto para Altos Estudios de Defensa Nacional, sólo en 1994 se habían lavado 21.000 millones de dólares en ese país. Por lo menos dos casinos de la Isla Margarita están controlados por el cartel, pero la mayor actividad se da en productos que puedan ser exportados a Colombia.

El año pasado Panamá fue el mayor inversor de capital extranjero en Colombia. Lo sorprendente es que la casi totalidad de ese dinero iba a empresas vinculadas o asociadas a un solo conglomerado, el de Ardila Lulle.

Pero si esos proyectos alucinan porque necesitan permisos, licencias, créditos, y todos esos trámites resultan siendo nada más que simples formalidades, poco se puede esperar entonces de las empresas privatizadas.

Las zonas francas en el Valle del Cauca son un ejemplo interesante para descubrir cómo los accionistas terminan siendo sociedades con asiento en paraísos fiscales del Caribe, aunque jamás tan obvio como en la Sociedad Portuaria Regional de Santa Marta, donde el gobernador del 24 de febrero del 93, Miguel Pinedo Vidal, se ingenió una fórmula para excluir de la sociedad a los antiguos trabajadores del puerto, como sería lo obvio en una sociedad que pertenecía a todos los colombianos, y en lugar de colocar acciones en venta, quien quisiera ingresar a ella tenía que adquirir el 1.46 por ciento del capital, es decir $15.9 millones, todos podían comprar sólo un derecho, con excepción, claro, del Departamento del Magdalena, la Flota Mercante Grancolombiana y... el célebre Clan de los Dávila, que está representado en la escritura de constitución por Eduardo Enrique Dávila Armenta, Alberto Francisco Dávila Díaz Granados, Raúl Alberto Dávila Jimeno y Juan Manuel Dávila Jimeno.

Un auténtico Modelo de sociedad, si se escudriña socios de socios, y último sitio de residencia conocido.

Capítulo VII

La extradición

La extradición es un tema que en cualquier país sólo concierne a los delincuentes y a sus abogados, pero en Colombia modeló gran parte de nuestra historia política de la última década.

Una campaña sistemática de información logró generar en la conciencia colectiva la impresión de que la extradición era en sí misma una pena o, más aún, el agravamiento de la que correspondería a cualquier delito. Y con esa presunción generalizada, se la prohibió en la Constitución de 1991 como una forma de "respeto a los derechos humanos".

De los 29 artículos de la Constitución que consagran los "derechos fundamentales" de los colombianos, 11 son dedicados exclusivamente a enumerar derechos en materia penal, y hasta de procedimiento penal, la honra (contemplada en dos artículos) está más custodiada que la vida misma, y se establecen 22 garantías fundamentales que no se pueden desconocer en el trámite de un proceso penal.

Semejante ansiedad meticulosa de introducir normas no se debió siquiera a que la Asamblea Constituyente fuera controlada por penalistas en ejercicio (38 delegatarios eran abogados), sino a que los elegidos supieron apuntarse a las comisiones encargadas de estudiar la organización judicial y los mecanismos de protección a los derechos humanos, y los demás constituyentes, conscientes del peligro que les representaría cruzarse en su camino, optaron por mirar hacia otra esquina cuando se escogieron los ponentes y se hicieron las votaciones.

La Constituyente misma fue una hábil improvisación del presidente César Gaviria Trujillo, para desmontarse de dos problemas agobiantes: el estado de sitio y la extradición, que iban tan juntos como la causa y el efecto.

Su antecesor, Virgilio Barco Vargas, había enfrentado la inconstitucionalidad de la ley que aprobó el tratado de extradición con los Estados Unidos, e intentó reimplantarlo por medio de una ley que también fue anulada por la Corte Suprema de Justicia. Con el país en estado de sitio por el terrorismo mafioso que acababa de asesinar a un valeroso Luis Carlos Galán Sarmiento cuando aspiraba a la Presidencia de la República, Barco asumió el 18 de agosto del 89 la responsabilidad de autorizar extradición administrativa, en virtud de la cual el jefe del Estado podía extraditar directamente a los narcotraficantes, sin necesidad de recurrir a la Corte Suprema de Justicia, objeto de las amenazas más directas.

En ese estado recibió César Gaviria la Presidencia.

La Corte que tumbó la extradición fue la que se reintegró luego de que el grupo guerrillero M-19 asesinara a los cuatro miembros de la Sala Constitucional. Esta sala, que era la encargada de presentar una ponencia a la plenaria de 24 magistrados, aprobaba un nuevo estudio del magistrado Alfonso Patiño Rosselli, declarando infundados los argumentos de una nueva demanda contra el tratado, cuando el grupo guerrillero se tomó el Palacio de Justicia.

Ante el grado de corrupción que el país afrontaba ya en 1990, y la cada vez más creciente abstención electoral, el diario El Espectador venía proponiendo que se analizara la convocatoria de una asamblea constituyente, como mecanismo idóneo para reconstruir el tejido social, a fin de fortalecerlo en una lucha necesaria contra los traficantes de cocaína.

Cuando Gaviria llegó a la Presidencia recogió la propuesta del influyente diario, caracterizado por sus luchas contra la corrupción política y financiera, pero aquél logró manipularla de manera tal que inició una lluvia de decretos al amparo de un supuesto fervor popular, que concluyeron en que, pese a que la Constitución que regía entonces fijaba de manera inequívoca los mecanismos para ser reformada, se creó un sistema ad-hoc, que además fue convalidado por la misma Corte Suprema de Justicia que había anulado la ley de extradición. 5.9 millones de colombianos apoyaron con su voto la convocatoria de la Constituyente, pero siempre sobre la base de que en ella no participarían representantes del establecimiento político tradicional, lo que desvirtuó Gaviria Trujillo con uno de sus usuales desayunos de conciliación.

Una vez instalada la Asamblea Constitucional de 70 miembros, con la votación más baja de la historia electoral del país, se autoproclamó como Asamblea Constituyente, y ese cuerpo elegido con 2.6 millones de votos (el 25% del potencial electoral, y sólo la mitad de quienes habían votado por la convocatoria), revocó el mandato a un Congreso de la República elegido con 8 millones.

La Constituyente se proclamó a continuación "soberana", y con esa autoinvestidura cambió toda la Constitución que regía desde 1886, con sus reformas centrales de 1936 y 1968.

Todo ello lo toleró el gobierno de Gaviria, tal vez por un hecho subjetivo, que Pablo Escobar Gaviria mantuvo secuestrados durante las deliberaciones de la Constituyente a cuatro periodistas, pero en realidad sólo había un rehén, el propio Gaviria.

Ese fue el organismo que tumbó la extradición.

La Constituyente sesionó en un área sórdida, oscura, un salón improvisado en un centro de convenciones de Bogotá. La prensa lo bautizó "la bóveda subterránea". Las filmaciones de la época muestran hasta la pobreza de sus medios, con una tarima de la presidencia compartida, contra una pared de piedra gris, a la que sólo adornaban un reloj de pilas minúsculo, una bandera nacional, y un par de aburridos policías armados con ametralladoras, que parecían haber desarrollado la facultad de dormir de pie.

Esa era la parte registrada para la posteridad por las cámaras de televisión, porque el clima psicológico lo resumió el escritor Alberto Zalamea, constituyente, en estos términos: *"Se reúne la Asamblea Constitucional en tiempos de desastre, rodeada por el fuego devorador de una violencia que parece sin término ni fin"*.

El 26 de enero del 91 había sido asesinada la periodista Diana Turbay Quintero, tras un largo secuestro ordenado por Pablo Escobar.

Los 70 delegatarios o constituyentes escogieron la comisión a la que querían pertenecer, cinco en total. Se dieron su reglamento, y cada uno tenía el derecho de presentar propuestas, que luego fue ampliado a todos los colombianos, hasta el punto que alcanzaron a inscribirse unas 150 constituciones completas, más unos 5.000 proyectos de capítulos. Pero esto no fue más que simple retórica, pues basta leer las ponencias para darse cuenta que la base de discusión fue la propuesta del gobierno, y no hubo alternativas a las presentadas por los constituyentes.

Pero así todo colombiano tenía la libertad de sentirse legislando.

En un principio las comisiones primera y cuarta de la Constituyente, encargadas de estudiar derechos humanos y justicia, respectivamente, sesionaron por separado, hasta cuando empezó a plantearse que la no extradición —pues no hubo una sola propuesta en su favor—, era un derecho fundamental de los colombianos, y decidieron sesionar en conjunto.

De la primera hicieron parte Misael Pastrana Borrero (quien renunció), Jaime Ortiz Hurtado, Germán Toro Zuluaga, Otty Patiño, Augusto Ramírez Ocampo, Alfredo Vázquez Carrizosa, Darío Mejía Agudelo, Alberto Zalamea Costa, Horacio Serpa Uribe, María Mercedez Carranza, Diego Uribe Vargas, Juan Carlos Esguerra Portocarrero, Jaime Arias López, Alvaro Leyva Durán, Raimundo Emiliani Román, Lorenzo Muelas Hurtado y Francisco Maturana.

De la cuarta, Alvaro Gómez Hurtado, Carlos Daniel Abello Roca, María Teresa Garcés Lloreda, Armando Holguín Sarria (sic), José María Velasco Guerrero, Julio Salgado Vásquez, Jaime Fajardo Landaeta, Hernando Londoño Jiménez y Fernando Carrillo Flórez.

El 12 de febrero fue escogido el periodista Mario Ramírez Arbeláez como relator de la Comisión de justicia.

Armando Holguín Sarria (liberal, 25.025 votos, con la lista número 13) está detenido por decisión de la Corte Suprema, que halló varios pagos del cartel de los Rodríguez Orejuela en su favor. Un hermano suyo, Alvaro, también era asesor de ellos. Mario Ramírez Arbeláez (conservador) es investigado en la Fiscalía, acusado de servir de intermediario con Alberto Giraldo López, con dirigentes políticos a quienes invitaba al Hotel Intercontinental de Cali para entrevistarlos con Miguel Rodríguez.

Horacio Serpa está siendo procesado en la Fiscalía por hechos relacionados con la financiación ilegal de la campaña de Ernesto Samper Pizano, y concretamente se lo investiga por un viaje a San Andrés en una avioneta del clan de los Sarria y posibles donaciones en efectivo de un miembro del clan Londoño.

Los penalistas Julio Salgado Vásquez (liberal, 51.866 votos), Hernando Londoño Jiménez (conservador) y José María Velasco Guerrero (M-19) habían apoderado narcotraficantes. Augusto Ramírez Ocampo libró como canciller en el gobierno de Belisario Betancur la batalla en España para lograr la extradición a Colombia de Jorge Luis Ochoa y Gilberto Rodríguez Orejuela, y su nombre apareció vinculado con el narcotraficante Camilo Zapata Vásquez, en al menos una visita al castillo Marroquín.

Londoño Jiménez, por ejemplo, apoderaba al narcotraficante Luis Carlos Molina Yepes, condenado por el asesinato del periodista Don Guillermo Cano Isaza, director inolvidable de El Espectador, y votó un artículo de la Constitución, que luego beneficiaría a su cliente.

El 8 de marzo del 91 estaban inscritas en la secretaría de la Constituyente siete proyectos relacionados con la no extradición. El de Julio Salgado Vásquez, que no sólo la prohibía, sino que ordenaba al gobierno de Colombia repatriar a los ya extraditados, para que purgaran acá su pena. Durante un acalorado debate de defensa de la no extradición, llegó a afirmar incluso que Carlos Lehder Rivas, el narcotraficante detenido por la Policía y luego extraditado a los Estados Unidos, había sido "secuestrado".

El de Armando Holguín Sarria, más discreto, dentro de un proyecto de 13 artículos, su número de suerte, introducía propuestas sobre el deporte, el sistema electoral y las garantías procesales, y sólo en el último inciso del artículo cuarto decía escuetamente "no se concederá la extradición de colombianos ni la de delincuentes político-sociales". Este término era entonces el eufemismo de moda para referirse a los narcotraficantes.

Los otros proyectos eran de Fabio Villa R. (M-19), Hernando Londoño Jiménez (proyecto 106), Jaime Fajardo Landeta y Darío Mejía Agudelo (EPL), y Alfredo Vázquez Carrizosa, aunque en este caso se trataba de un proyecto integral de Constitución.

El 9 de abril Holguín Sarria exteriorizó su preocupación porque "algunos temas que fueron repartidos a la Comisión IV no tengan ponente y por lo tanto quedarían por fuera del debate, tal es el caso de la extradición y los notarios públicos". Al día siguiente presentó un escrito con sus argumentos, que fue elaborado por Juan Fernández Carrasquilla, hoy apoderado de los hermanos Rodríguez Orejuela.

Londoño Jiménez dijo hablar como miembro de la Confederación de Abogados Penalistas, para proponer que no se estudie la extradición hasta tanto no se liberara a los periodistas secuestrados.

El día 15 la Comisión IV eligió a Fajardo Landaeta y a Velasco Guerrero para que estudiaran la no extradición. Ambos eran partidarios de esa posición. La Comisión I, por su parte, escogió a Aída Abella y Diego Uribe Vargas.

El 17 de abril César Gaviria Trujillo habló a los constituyentes, pero no hizo una sola referencia al tema de la extradición, que visto desde la perspectiva de hoy en los documentos oficiales pareciera que no hubiera tenido la menor incidencia en los debates.

El 30 de abril 44 constituyentes aprobaron que en algunos casos la aprobación o improbación de algunos artículos se hiciera por voto secreto, que antes no estaba contemplado, y que fue propuesto por quienes intentaban lograr que por este medio se pudiera salvar la extradición, Iván Marulanda y Antonio Galán Sarmiento, especialmente.

Ese mismo día fue asesinado el ex ministro de Justicia Enrique Low Murtra, un venerable hombre de academia, cuando salía de La Universidad de La Salle. Había sido embajador de Colombia en Suiza, a donde fue enviado para alejarlo de las amenazas de los carteles, pero el entonces canciller Luis Fernando Jaramillo Correa le pidió la renuncia para designar en su remplazo a Eduardo Mestre Sarmiento, hoy detenido tras descubrir la Fiscalía que estaba en la nómina de los Rodríguez Orejuela.

El gobierno no le brindó ninguna protección al profesor Low Murtra, quien cayó acribillado como peatón frente a sus alumnos.

Como para que no quedara duda acerca de la autoría y el mensaje que significaba la muerte del profesor Low Murtra, ésta fue cometida exactamente a los siete años del asesinato del otro ministro de Justicia que combatió la mafia, Rodrigo Lara Bonilla.

"Nada nos va a hacer cambiar de posición" frente a la extradición, dijo Serpa Uribe ante todos los constituyentes al conocerse la noticia. No se entiende bien hoy su advertencia, de cara a la forma como se desenvolverían luego los debates en relación con la extradición.

El tres de mayo Holguín Sarria presentó una informe enterrando una iniciativa que negaba la prescripción de los delitos y consagraba la confiscación del beneficio obtenido por cualquier crimen. Su argumento, de una pecularidad lógica entendible, era que eso sería extenderles la pena a "los herederos" del botín.

Si se aplicara la lógica de un equipo de fútbol, se podría decir que en la Constituyente había jugadores que cumplían a un tiempo el papel de delanteros y de guardavallas.

Mientras Hernando Londoño Jiménez y Armando Holguín Sarria eran escogidos para integrar una subcomisión a cargo de una propuesta defensoría de los derechos humanos y el Ministerio Público, el ex canciller Diego Uribe Vargas, quien cuando desempeñaba ese cargo había suscrito a nombre de Colombia el 14 de septiembre de 1979 en Washington el tratado de extradición con Estados Unidos, ahora proponía la prohibición de cumplirla, con un discurso que ocupa 120 renglones en la transcripción oficial, y con el potísimo argumento de que votar en otro sentido era desconfiar de la justicia colombiana, a la que también se iba a reformar.

Londoño Jiménez apuntaló el argumento, y reveló de paso cuál era el verdadero móvil de la propuesta: *"si nosotros aprobamos la no extradición de colombianos estaremos terminando una guerra que hace rato se empezó".*

En la comisión había dicho antes que *"uno de los derechos que tienen los colombianos es el de poder vivir en su patria",* lo que resultaba en ese momento tremendamente paradójico, pues más de un centenar de jueces, fiscales, periodistas, abogados y dirigentes sindicales habían tenido que salir al exilio para evadir las amenazas de muerte de los extraditables.

La votación se intentó dilatar en la sesión conjunta, en espera de que el gobierno fijara una posición, y se citó a la canciller Noemí Sanín y al ministro del Interior Humberto de la Calle, pero se excusaron por tener otros compromisos pendientes. Pidieron que en una próxima ocasión, las citaciones las hicieran por escrito, y con antelación.

Al final se sometieron a votación tres propuestas, la de Diego Uribe Vargas, que fue negada, una de Misael Pastrana que sólo reconocía el derecho a los colombianos a purgar la pena en el país, también negada, y, la gran sorpresa en la Constituyente, una de Horacio Serpa Uribe, que no sólo prohibía la extradición de colombianos, sino que disponía que los colombianos residentes en el país que hubieran cometido delitos en el extranjero serían juzgados en el país.

A la proposición de Serpa adhirieron Armando Holguín Sarria y Jaime Arias (liberal, de Risaralda).

El 14 de mayo, 16 votos aprobaron la iniciativa de Serpa.

Pese a haber sido derrotada su ponencia, Uribe Vargas fue de nuevo encargado de defender la iniciativa en la plenaria de la Constituyente, y así Serpa Uribe pudo pasar inadvertido, hasta para los periodistas que no entendieron el juego de palabras que se trabó en el debate.

Para la muestra, un botón como decían las abuelas:

"-*No, yo creo que hay una proposición más concreta que es la del doctor Pastrana.*

- Que se suspenda lo que se está discutiendo y se proceda a votar.

- Es que yo sí entiendo que hay dos propuestas, no solamente la del doctor Pastrana, la del doctor Esguerra, sino la que ha hecho Francisco Rojas Birri.

- Sí estoy hablando de la última, doctora Aída, la última es la primera que se somete a votación y eso es lo que voy a hacer en este momento.

- Entonces yo también propongo como última, que se vote suficiente ilustración (sic), y que se voten las propuestas que hay sobre la mesa.

- Muy bien. Muy bien entonces vamos a votar la última proposición, que es la proposición del constituyente Misael Pastrana para que nos reunamos mañana a las ocho de la mañana, escuchamos al Ministro de Gobierno, al Canciller si es el caso e inmediatamente procedamos a la votación.

- ¿Por la afirmativa?, ¿por la negativa?

- Una, dos, tres, catorce, quince, dieciséis votos por la negativa.

- Muy bien, como ha sido negada entonces vamos a proceder al estudio de las proposiciones que están sobre la mesa.

- Estaría una proposición consignada en la ponencia del doctor Diego Uribe, una proposición sustitutiva y aditiva que está suscrita por los doctores Horacio Serpa y Jaime Arias López que me permito leer.

- Es aditiva solamente señor.

- No se concederá la extradición de nacionales...

- Señor presidente, el doctor Serpa me permitió firmar esa proposición.

- Ah, muy bien. Y está igualmente la proposición presentada por los constituyentes Misael Pastrana, Augusto Ramírez según entiendo y Alberto Zalamea, que dice que todo colombiano...

- Señor presidente, pero yo quería saber... doctor Serpa, esta es aditiva de cuál.

- De la que redactó la comisión.

- Ah, bueno, listo.

- *De colombianos...*
- *Moción de orden. Pido votación secreta frente a estas proposiciones.*
- *Muy bien. Ruego entonces a la secretaría proveer las papeletas.*
- *¿Qué ponemos? ¿Sí o no?*
- *Vamos a votar la proposición presentada...*
- *Por eso.*
- *Era la número dos, ¿no?*
- *Es la número dos, exacto...*

PRESIDENCIA DE LA REPUBLICA
CONSEJERIA PARA EL DESARROLLO DE LA CONSTITUCION
ASAMBLEA NACIONAL CONSTITUYENTE   30 May 1994

CONSULTA TEXTUAL Y REFERENCIAL

4:36:02 pm
página: 46

SISTEMA : Sesiones
TITULO : SESION COMISIONES CONJUNTAS MAYO 14 (7514)

- En consecuencia se ha aprobado entonces la proposición presentada por los doctores Horacio Serpa, Jaime Arias y Armando Holguin; y obviamnete que la aditiva, la proposición presentada por los miembros de la subcomisión conformada por integrantes de la Coimisión Primera y la Comisión Cuarta.

- Como es la costumbre por qué no se sirve leer como quedó aprobada la proposición.

- Muy bien, ruego a la Secretaría dar lectura a la proposición aprobada.

- Artículo, se prohibe la extradición de colombianos, no se concedera la extradición de extranjeros por delitos políticos o de opinión, los colombianos residentes en el país que hayan cometido delitos en el exterior considerados como tales en la Constitución Nacional serán procesados y juzgados en colombia.

SISTEMA : Sesiones
TITULO : SESION PLENARIA JUNIO 19 (0619)

- El coordinador de la Comisión sobre estado de sitio será el doctor Guillermo Plazas Alcid.

- Señores Constituyentes, vamos a presentar el resultado de la votación. Total de votantes 69; por el sí ,51; por el no, 13; 5 abstenciones.

- Ha sido aprobado....

- Dios y la Patria nos perdonen.

- Bien, ha sido aprobado el primer inciso del artículo, se somete a votación el segundo inciso del artículo....

- Mi voto fue público y no necesita el perdón de nadie.

Facsímil de la desgrabación oficial de las sesiones correspondientes a la negación de la extradicción en la constituyente.

- Señor presidente, es que la del doctor Horacio Serpa no es sustitutiva, es aditiva a la del doctor Diego Uribe.

- Señor presidente, ¿quiere leer la del doctor Diego Uribe que no la han repartido?

- Artículo, se prohíbe...

- Para efectos de la votación secreta, la mesa directiva nombra escrutadores a Jaime Arias y José María Velasco.

- La aditiva del doctor Pastrana, todo colombiano...

- Ruego a la secretaría llamar a votación...

- Sí, tres votos; no, 17; abstención, 4".

¿Entienden ya lo que pasó en la Constituyente?

Hernando Londoño Jiménez tuvo más tarde otra iniciativa adicional a la de la no extradición, digna de transcribirse literalmente: *"Concédese una rebaja de la tercera parte de la pena impuesta o que llegare a imponerse, por delitos cometidos con anterioridad al 5 de julio de 1991".*

Guillermo Cano fue asesinado el 17 de diciembre de 1986.

Londoño Jiménez fue elegido el 9 de diciembre de 1990 como delegatario a la Constituyente, y todavía el 12 de diciembre intervino en la audiencia pública donde se juzgaba a Luis Carlos Molina Yepes por el asesinato del director de El Espectador. Ese día la audiencia se suspendió, y sólo pudo reanudarse el 15 de agosto del 95.

Molina Yepes, de la organización de Pablo Escobar Gaviria, fue condenado a purgar una pena de 16 años y 8 meses de prisión como cómplice responsable de homicidio agravado. En apelación de esa condena, el Tribunal dijo que Molina —posiblemente el fugitivo menos buscado del mundo—, no debía ser condenado como cómplice sino autor intelectual del homicidio del periodista, pero que el principio consagrado en el artículo 31 de la Constitución del 91 impedía agravar la pena impuesta en la primera instancia.

El 13 de junio Antonio Galán intentó desnudar la trayectoria de la extradición, para hacer reconsiderar lo que ya se veía venir. La extradición, recordó Galán, se implantó porque los narcotraficantes asesinaban a los jueces que pretendían juzgarlos y la extradición es, por tanto, una defensa contra la impunidad.

La escritora María Mercedes Carranza se levantó con un diccionario en la mano, y leyó : *"Debate: controversia sobre una cosa entre dos o más personas. Aquí lo único que se puede hacer es la apología de la no extradición, porque no existen garantías para pronunciarse con libertad sobre el tema, y por lo tanto esto no es un debate".*

Después amplió su argumento, y dijo que ella sí quisiera que la extradición no se consagrara para que los delincuentes pagaran sus crímenes en Colombia, *"pero como eso no sucederá, que los extraditen".*

Horacio Serpa tomó entonces la palabra para proponer la convocatoria de un gran tribunal nacional que investigara todos los magnicidios de la última década, pero que mientras tanto se aprobara la no extradición.

Y, claro, nunca hubo tampoco el gran tribunal de los magnicidios, pero en su momento fue un hábil recurso para cubrir con humo su voto por la no extradición, de la que dijo, nunca había sido favorable.

Las voces que se consideraban más autorizadas dentro de la Constituyente se limitaron no a vetar la no extradición, sino a intentar detener el alud de aclaraciones que se le querían introducir al artículo 35, como la prohibición de extraditar cualquier "delincuente político-social" residente en el país, sin importar su nacionalidad, o a hacer aclaraciones de si la prohibición era para todo colombiano, incluidos los que adoptaban la nacionalidad, o sólo los de nacimiento, como quedó en la fórmula definitiva.

Se invitó entonces al ministro De la Calle para que expresara la posición del gobierno ante la Constituyente, y lo hizo, pero para oponerse abiertamente a la prohibición de extraditar delincuentes colombianos, sino para defender las consecuencias de la votación que se quisiera hacer: *a mi juicio es una decisión soberana, libre, adoptada por un cuerpo constituyente de un país democrático, que en consecuencia debe merecer el respeto de la comunidad internacional*. Treinta líneas tiene su discurso.

La presidencia integró la comisión escrutadora, de la que hicieron parte Ignacio Molina (¿?), Héctor Pineda (M-19), y Armando Holguín Sarria.
Votación total, 69.
Sí por la no extradición, 51.
No, 13 (otra vez, el número de suerte de Holguín Sarria).
Abstenciones, 5.
"Dios y la patria nos perdonen" se escucha una voz en la grabación.
"Mi voto fue público, y no necesito el perdón de nadie" respondió otro.

Eran las 11:28:32 de la mañana del 29 de junio de 1991. De acuerdo con una carta pública enviada a la Constituyente por el ex ministro de Justicia Enrique Parejo González, sobreviviente de un atentado de la mafia en Budapest, un total de 700 personas, a quienes mencionaba una por una, habían sido asesinadas hasta ese momento en el país, por cuenta de los carteles de la cocaína.

La extradición no es usualmente un tema que se contemple en el articulado de la Constitución de un país, esencialmente por dos razones: porque siendo la Carta Fundamental, no se ocupa de regular ni reglamentar materia alguna, y luego porque temas como ese corresponden al derecho internacional, y la Constitución sólo rige en el ámbito interno de una Nación.

Este argumento es tan obvio, que resulta patente el sofisma montado por el ex magistrado Salgado Vásquez en este párrafo de la exposición de motivos de su propuesta de prohibir la extradición, y la contradicción que implica su conclusión: "La extradición es un problema concerniente a la aplicación de la ley penal en el espacio, pero la constante conducta del gobierno nacional, al desconocer el principio universal de que los tratados públicos son los instrumentos que reglan esa institución de recíproca ayuda internacional para perseguir a los autores de los delitos más graves, se hace necesario que se consagre como canon constitucional la prohibición de extradición de colombianos, por toda suerte de delitos y cualesquiera que sea el Estado requirente".

Como Jorge es bueno y Enrique un desalmado, Alfonso es un animal.

Su argumento en blanco sobre negro sería, como el gobierno desconoce los tratados (no demostrado), nosotros le ordenamos en la Constitución que los desconozca del todo. Es la misma paralógica que manejó en este otro párrafo: "Es incuestionable que la mala imagen de los colombianos en el extranjero ha sido obra de los colombianos que se han dedicado a regar la muerte en el mundo entero mediante la explotación de las actividades del narcotráfico en general (demostrado). Pero tales sujetos son nacionales colombianos y no es posible abandonarlos en los momentos en que se les niega en el mundo entero el sol de la justicia" (poético pero, ¿qué tiene que ver con la primera proposición?).

La grabación del video de la votación cuando se negaba la extradición, permite escuchar apartes de los comentarios de los constituyentes votantes, "...bloqueo de las flores..."., "...no me siento orgulloso de ser colombiano.."., "...Pablo Escobar nos...."

La víspera de la votación dos constituyentes habían visitado al presidente César Gaviria, en presencia de uno de sus ministros, para advertirle que era rumor público entre los constituyentes el pago de sobornos por los votos, y que la única opción posible era clausurar con algún pretexto las sesiones de la Constituyente, o al menos aplazar la votación.

Gaviria miró a los dos constituyentes, y sin variar un ápice su postura tradicional, dijo que él no podía hacer eso, como resultaría obvio al día siguiente con la intervención de su ministro De la Calle ante la plenaria de la Constituyente.

Pero la extradición misma había tenido por esas semanas varios reveses, que contribuyeron a fundamentar el desprestigio popular en que había caído gracias a una muy bien orquestada campaña de nacionalismo exacerbado. En el primer caso, un ex militar israelí, Yahir Klein, quien había contribuido a la formación y entrenamiento de los grupos paramilitares del Magdalena Medio de Escobar Gaviria y Rodríguez Gacha, había sido solicitado en extradición infructuosamente por la justicia colombiana. Así, se logró transmitir la señal de que mientras Colombia enviaba a sus delincuentes para ser juzgados en otros países, no se podía lograr lo mismo cuando eran extranjeros los que venían a delinquir a Colombia.

El otro caso adverso que se presentó, en plenas deliberaciones de la Constituyente, ocurrió en la segunda semana de mayo, cuando Manuel Julián Palma Molina regresó a Colombia, luego de haber sido extraditado a finales de 1989, y cuando según él mismo, lo habían confundido con un homónimo suyo, tres años mayor que él, a quien acusaban en Louisiana de tráfico de cocaína. La sensibilidad nacional se puso de su parte, hasta cuando en Washington se hizo la rectificación para confirmar que en efecto Palma no había sido condenado por narcotráfico, pero sí por lavado de dinero, y que su libertad se había producido después de pagar la condena de 36 meses que se le impuso. Palma intentó entonces recuperar su bajo perfil como productor de televisión y constructor en Barranquilla, pero la extradición de narcotraficantes a los Estados Unidos recibió un duro golpe de opinión, al que las rectificaciones posteriores no pudieron allanar.

La confusión en la propia Constituyente era también conceptual, como lo demostró una intervención de uno de los delegatarios indígenas, Francisco

Rojas Birri, para quien la palabra mafia le es por igual aplicable al terrateniente que los despoja de sus tierras, y al Estado que los protege, por lo que, remató, es contrario a la extradición.

Otro ingrediente que jugó en el escenario político del momento, fue la de dejar para última hora la discusión de los temas centrales, y, como reconoció entonces un constituyente, Germán Toro (M-19): "Todo el país sabe que los temas que hacían falta se tenían que tratar atropelladamente".

En el cargo criminal número 120 hecho al cartel de Cali en la corte del sur de la Florida, se lee que a principios de 1991 Miguel Rodríguez Orejuela ordenó hacer pagos a "miembros de la Asamblea Constituyente colombiana", a cambio de "su voto" por rechazar cualquier artículo en el que se permitiera la extradición de nacionales colombianos.

Aparte de Holguín y Londoño, también fueron constituyentes Tulio Cuevas Romero, quien como presidente de la central obrera UTC vendió el Banco de los Trabajadores a Gilberto Rodríguez Orejuela, y Eduardo Espinoza Facio-Lince, hoy miembro de la Comisión Primera del Senado, y con una investigación pendiente en la Corte Suprema por aparecer su nombre en una relación de visitas al Hotel Intercontinental de Cali, por cuenta de Miguel Rodríguez presuntamente.

En los primeros días de abril de ese mismo año se había hecho una filmación, en poder ya en ese entonces de Gaviria, en las residencias Tequendama, junto al centro de convenciones donde sesionó la Constituyente, en la que se aprecia a uno de los más antiguos abogados de Pablo Escobar, Humberto Feisal Buitrago, cuando ofrece US$3.200 a Augusto Ramírez Cardona a cambio de su voto por la no extradición. Según el diálogo, 36 delegatarios ya habían aceptado el dinero, y "estaba cuadrada" la Comisión IV, la de justicia.

Esa filmación, según relató el entonces jefe de la DEA en Colombia, Joe Toft en un reportaje concedido al periodista Douglas Farah en The Washington Post en julio de este año, fue hecha por una cámara de la Policía colombiana, y enviada por la embajada norteamericana a César Gaviria.

Ramírez Cardona había sido elegido a la Constituyente con el apoyo de los paramilitares del Magdalena Medio, tradicionales asociados de Escobar y Rodríguez Gacha, y que al parecer estaban ahora enfrentados. Lo cierto es que los Pérez, jefes de los paramilitares, y Mustafá, el abogado de Escobar, fueron asesinados al poco tiempo.

Cuando la existencia del video se hizo pública en la prensa, en agosto del 91, Gaviria y De la Calle optaron por decir que ellos no habían visto nada. El escándalo creció, y no tuvieron más remedio que poner la grabación en conocimiento de la justicia.

En una carta enviada en agosto del 91, como respuesta a un enérgico editorial de El Espectador, Gaviria Trujillo puso en claro su posición con respecto al llamado narcovideo: "Conocí oportunamente de la existencia del mencionado video, más no de su contenido íntegro. Consideré entonces, y sigo considerando hoy, que no es función del presidente de la República revisar el contenido de material probatorio recolectado por las autoridades en desarrollo de una investigación".

El 21 de noviembre de 1991 el Juzgado 69 de Instrucción Criminal se abstuvo de abrir investigación, alegando que "resulta claro y evidente que los hechos guardados con tanto celo por las autoridades policivas, no ameritan una investigación penal".

La providencia fue confirmada el 9 de junio del 92, cuando se dijo que "hasta la saciedad queda evidenciado que jamás existió intervención de terceros ante ninguno de los miembros de la Asamblea Nacional Constituyente para que éstos votaran en tal o cual sentido, frente a la problemática jurídico-política (sic) de la extradición y, menos que esa intervención fuera acompañada de amenazas, presiones, chantajes, o, por el contrario, con promesas remuneratorias o de similar índole", según transcripciones de una carta del procurador Carlos Gustavo Arrieta al expresidente Pastrana Borrero, de fecha 2 de julio de 1992.

El argumento se desmontó luego con la afirmación de que se trató de un montaje de los paramilitares del Magdalena medio para desprestigiar... ¡a Pablo Escobar!

Y en efecto, el nombre más mencionado en ese momento era el de Escobar, por ser público y evidente, pero en la trastienda de los acontecimientos se movían más discreta pero de pronto más seguramente otros personajes, según se conoce ahora.

A finales de 1989 Miguel Rodríguez Orejuela había encargado a su abogado en los Estados Unidos, Michael Abbell, la preparación de un estudio comparativo de todos los tratados de extradición que tuviera suscrito el gobierno de Estados Unidos con los países de América del Sur, que luego el mismo Abbell convirtió en memorando y lo envió a alguien todavía no determinado en Colombia.

A principios de los 90, Rodríguez Orejuela ordenó al mismo abogado que redactara un memorando con los términos adecuados y que semejara el artículo de una Constitución, en el que se prohibiera la extradición de nacionales colombianos. El memorando fue remitido por Abbell a un abogado en Colombia, para que fuera incluido en la nueva versión de la Constitución de Colombia. Ya se vio antes que a principios del año siguiente, Rodríguez Orejuela ordenó pagos en favor de constituyentes todavía no identificados, y por montos no conocidos aún.

Abbell aceptó colaborar con la justicia norteamericana sobre ciertos temas relacionados con los Rodríguez Orejuela, ya que cuando aquél le pidió apoyo al capo después de los allanamientos a sus oficinas en Miami y Washington, Rodríguez Orejuela se limitó a ponerle a su disposición "un apartamento seguro" en Cali.

El 29 de noviembre del 91, Miguel Rodríguez Orejuela llamó a quien fuera entonces el más importante miembro del cartel de Cali en los Estados Unidos, Harold Ackerman (ver capítulo II), para que enviara con un correo personal la suma de US$86.000 como pago a un miembro de la Asamblea Nacional Constituyente que había sesionado en Bogotá entre 1990 y 1991.

Ese mismo día Ackerman encargó a uno de sus hombres el pago de los US$86.000.

Ackerman, colombiano al servicio del cartel de Cali, es testigo de la justicia norteamericana contra los Rodríguez Orejuela y otros 72 miembros del cartel, luego de recibir amenazas de muerte enviadas por Miguel con uno de sus abogados.

Esos hechos están contenidos en la última acusación formulada ante la Corte del Sur de la Florida, que según diversas versiones están basados en las declaraciones de Ackerman y la persona que sirvió de correo.

Los nombres del o los sobornados permanecen todavía bajo reserva, y probablemente sólo se conocerán cuando se haga el juicio a los Rodríguez en los Estados Unidos.

Pero la sola aprobación de la prohibición de extraditar colombianos no fue suficiente para los miembros del cartel. Su paso siguiente fue la introducción de importantes modificaciones al Código de Procedimiento Penal, donde se consignó el tratamiento más benigno que se haya consagrado alguna vez para los delincuentes.

La bondad legislativa de César Gaviria Trujillo había quedado más que demostrada con el manejo de la política de sometimiento del cartel de Medellín a la justicia. De forma progresiva, y a medida que los abogados de los narcotraficantes hablaban por la televisión y la radio, el gobierno iba ajustando los decretos a las exigencias de los narcotraficantes. El genial caricaturista Héctor Osuna, en El Espectador, dibujó a Gaviria con su ministro de Justicia Jaime Giraldo Angel como un par de meticulosos sastres, que iban tomando las medidas al vestido que confeccionaban para Pablo Escobar. Las medidas correspondían con el número de los decretos que expedían con la esperanza de que el jefe del cartel de Medellín los aceptara.

Entre otros, el gobierno de Gaviria expidió los decretos 2047, 3030 y 2372 durante 1990, y el 303 en el 91. Con semejante antecedente era previsible que una reforma al Código de Procedimiento Penal no iba a significar mayores tropiezos, salvo los que intentaron infructuosamente trabar el nuevo ministro de Justicia Andrés González Díaz, y el presidente de la Comisión I de la Cámara, Rodrigo Rivera Salazar.

Con la implantación de una modalidad intermedia de juzgamiento penal entre el sistema acusatorio y el inquisitivo que existía bajo la Constitución del 86, se expidió un Código de Procedimiento Penal con tal cantidad de beneficios, y términos tan perentorios para los recién estrenados fiscales, que el gobierno de César Gaviria Trujillo se vio obligado a declarar la conmoción interior para impedir que más de 2.000 presos recuperaran su libertad sin haber sido juzgados, y convocó al Congreso a sesiones extraordinarias para que aprobara sobre la marcha importantes modificaciones al sistema de juzgamiento, para ajustarlo a la capacidad de trabajo de la Fiscalía.

Pero el escenario que se vivió en el Congreso fue sensiblemente diferente al interés del Gobierno. Los abogados de los narcotraficantes se paseaban por entre las curules de los congresistas, a quienes pasaban papeles con los argumentos para disputar las razones que daba el gobierno. En un par de ocasiones, se presentaron escritos a mano, o textos integrales de artículos adicionados parágrafos no debatidos, que presentaban los congresistas como propios.

La conclusión fue un entrabado de artículos que reconocían beneficios inusitados para los narcotraficantes que aceptaran someterse a la justicia, y que apenas al finalizar este año el Congreso empieza a debatir si se modifican, a partir de un paquete de proyectos presentados por el ministro Medellín Becerra.

Buena parte del "lobby" de los abogados del cartel quedó registrado en las cámaras de los noticieros de televisión, pero ni siquiera así se investigaron las denuncias hechas en ese momento.

Cuando se aprobaron las iniciativas legislativas, el entonces fiscal Gustavo De Greiff Restrepo afirmó que "en un mes se entregarán" los narcotraficantes del Valle del Cauca (22 de febrero de 1994), pues en sus manifestaciones públicas siempre negó la existencia de un cartel de Cali.

En esa ocasión también trascendió que De Greiff se había reunido con Helmer Pacho Herrera y José Olmedo Ocampo, mientras que se revelaba en la prensa que les había otorgado unas constancias de que ellos estaban negociando con la justicia para su sometimiento, lo que fue considerado como un auténtico salvoconducto para exhibir ante las Fuerzas Armadas. De Greiff niega hoy la existencia de tales papeles, pero entonces aseguró que carecían de importancia, porque los narcotraficantes "dejaron su dirección" por si la justicia los requería.

La verdad era que en ese momento Miguel Rodríguez Orejuela mantenía ocupado todo su equipo de abogados en los Estados Unidos y El Salvador intentando recaudar unos testimonios exculpatorios de los presos de su organización en esos países, para exhibirlos ante la Fiscalía General de Colombia como prueba de que él no tenía vínculos con los cargamentos de coca incautados, ni con las operaciones de lavado de dinero por las que lo procesaban en la Florida.

En ese momento para el cartel de Cali la extradición ya no existía como posibilidad jurídica, el juzgamiento penal les garantizaría un tratamiento altamente favorable. Pero con el fracaso de la recolección de esos certificados por cuenta de sus abogados, y la conversión en testigos de cargo de sus más importantes hombres en la Florida, Texas, California y Nueva York, la perspectiva de un sometimiento de los Rodríguez a la Justicia sólo dependía de asegurarse un gobierno capaz de comprometerse con los cinco puntos que les significaría la forma más leve de responsabilidad después de dos décadas de narcotráfico.

Y ese fue en esencia el nacimiento del proceso 8.000.

Capítulo VIII

Mafia y (más) política

A Miguel Rodríguez Orejuela ahora lo llaman en Cali "El historiador", porque la meticulosa relación que llevaba de todos los pagos que hacía el cartel a políticos, policías, abogados y sicarios, sólo puede corresponder a quien le gusta reconstruir los hechos con toda fidelidad.

Y, en efecto, cuando el 15 de julio de 1995 el Bloque de Búsqueda de la Policía llegó al edificio Colinas de Santa Rita, al sur de Cali, se encontró con fotocopias de las cédulas empleadas fraudulentamente casi siempre para abrir cuentas corrientes, registros y escrituras de sociedades que se intercambian capital, socios y directivos, y un completo balance de la contabilidad de los sobornos a los funcionarios de las tres ramas del poder público encargados de cubrir las espaldas a la organización. Las cuentas desde luego sólo en casos muy específicos daban los nombres de los beneficiarios, pero los demás estaban registrados en unas claves tan obvias, que más parecían inducir a revelar que ocultar.

Ese archivo se multiplicaría con el transcurso de los allanamientos a las sociedades de fachada de los Rodríguez, pero mucha de esa información cobraría aun más sentido meses más tarde con la fuga del tesorero Guillermo Pallomari González, quien no sólo aportaría claridad en tales transacciones, sino que aportaría muchas otras, como una relación de 189 asesinatos a cargo de sicarios del cartel, en la que, como una hoja cualquiera de contabilidad, registraba el nombre del muerto, la fecha y lugar, el o los sicarios encargados de cometer el atentado, el valor del pago, y las cuentas de los hombres del cartel de donde se había debitado el pago de la "orden de trabajo".

Lo dicho, pura mentalidad de historiador.

Aunque desde luego parecería obvio que quien paga el soborno quiere la prueba, esencialmente porque ella misma servirá más tarde como chantaje con los políticos de mala memoria, y un solo pago puede ser útil como vacuna para evitar nuevos cobros.

Esa es la táctica de los Rodríguez Orejuela. Un par de miembros del Congreso, de los pocos que aceptan en privado hablar sin citar la fuente, relatan que especialmente durante la etapa de aprobación de las reformas al procedimiento penal, tres miembros de la Cámara y dos del Senado se encargaban de coordinar las visitas a los Rodríguez, Herrera y Santacruz en Cali, que por lo general se daban entre viernes y lunes de cada semana, y que a quienes todavía no habían concurrido a las reuniones, los increpaban en público en la cafetería del Congreso, más o menos en términos similares: *"Hola, que saludos le mandó Pacho, y que si no ha ido porque tiene alguna prevención contra ellos"*.

"Muy pocos rechazaban la invitación, que por lo demás tenía todas las arandelas que se pueda concebir para un fin de semana en Cali", explicó un congresista. *"Eran auténticos bacanales, a cambio de una reunión que no duraba más de media hora con toda la cúpula del cartel, y que garantizaba una relación financiera útil siempre en las elecciones"* recuerda otro.

"Al menos en un par de casos estoy seguro de haber sido llevado de gancho, ciego" contó otro, *"pero una vez estás allí, negarse a la entrevista sería suicida, y no lo digo sólo por la actitud que tomaran en seguida Pacho Herrera y los Rodríguez, sino de tus mismos compañeros, que te empezarían a ver como un desleal, un estúpido, o un sujeto del que había que cuidarse. Suena infantil, pero ese era el código de conducta que se manejaba"*.

"Lo que conoce la prensa hasta ahora es lo del cartel de Cali, porque hay pruebas, y son las que maneja la Fiscalía, pero otro tanto sucede actualmente con dos representantes a la Cámara, que invitan a lo mismo, pero a las fincas de los Henao Montoya, los líderes del cartel del Norte del Valle. Ya sabrá en pocos días para qué eran estas invitaciones".

En los años 70 lo clásico era que, aprovechándose de un país periférico todavía apoyado en las viejas estructuras de dominación cercanas al feudalismo, fueran los propios mafiosos quienes se hicieran elegir al Congreso. Esa fue la base del célebre memorando Bourne entregado en 1977 al entonces presidente López Michelsen, que contenía los nombres de los congresistas colombianos a los que se acusaba de ser o tener vínculos con las organizaciones de traficantes de marihuana, que era la bonanza de entonces.

Los años 80 cuentan esencialmente con una mezcla de congresistas financiados por la mafia, y otros que buscan mejorar su prontuario con el título de honorable congresista, que es el título que obliga a darles el protocolo de las Cámaras, título que obtienen desde la primera llamada a lista.

En la actualidad, lo más frecuente es que los políticos que manejan como propio un caudal electoral, acudan a los mafiosos en cargos de concejales o diputados, que también son honorables, y a cambio reciban importantes ayudas para financiar su campaña, especialmente en el Senado, que por ser de circunscripción nacional desde la Constitución del 91, obliga a garantizarse un cierto caudal de votos que, caso de no conseguirse en su departamento de origen, lo deben contratar en otras regiones.

Un caso típico es el del senador Fuad Char Abdala, dueño en las últimas elecciones al Congreso de la mayor votación liberal del país, a quien no hay un solo colombiano de fuera de Barranquilla o que no sea empleado de su cadena de supermercados, que conozca siquiera el timbre de su voz.

Una modesta campaña al Senado de la República puede costar hoy entre $300 y $700 millones de pesos, aunque se asegura que la más costosa de las últimas celebradas fue la de Gabriel Camargo, cuyo valor se estimó en más de $1.200 millones, que llenó de vallas las principales carreteras del país con la proclamación de su nombre, y luego con la foto de su esposa, ahora gobernadora de Cundinamarca, quien durante la campaña cargaba una secretaria con una chequera en blanco, y un asistente que conducía un camión lleno de pollos para regalar en las manifestaciones. Esa era su bandera, y así, logró derrotar a los más veteranos políticos que intentaron contrarrestar su fuerza, hasta cuando descubrieron que les significaba mejor negocio retirarse y apoyarla, que intentar oponérsele.

Las campañas se habían convertido en un tema de dinero antes que ideas, y con ello los políticos de siempre no sólo abrieron el camino a la mafia para llegar al Congreso, sino que cavaron su propia urna.

Los pocos congresistas que obtuvieron su curul con base en el voto de opinión, el derivado de sus propias actuaciones, tienen sin embargo una labor más complicada que cumplir, y el poco juego en las sesiones del Congreso —donde son marginados de los grandes debates, sus proyectos no los tramitan, y el que les llega a corresponder en sorteo, ya se sabe nunca tendrá turno para debate—, no les permite corresponder a las expectativas de sus electores.

Pero al político que la mafia no soborna, lo asesina, y por esa vía también tiene asegurada la impunidad.

Colombia, que nunca ha podido culminar una investigación por uno solo de los magnicidios ocurridos en su suelo, permite de esta manera que la alternativa al soborno acceda el mismo resultado de impunidad para las mafias del narcotráfico.

Un ejemplo típico de ello es el asesinato del líder del Nuevo Liberalismo, Luis Carlos Galán Sarmiento.

El 18 de agosto de 1989 Luis Carlos Galán estaba en plena campaña política por la Presidencia, y resultaba obvio que era su hora. Debía suceder un gobierno ambivalente en el tema del narcotráfico, el de Virgilio Barco Vargas, que de una actitud dubitativa inicial, con las resoluciones que concedían la extradición de narcotraficantes dormitando en los oscuros anaqueles oficiales, debió pasar a la ofensiva luego de ver cómo el país se le desintegraba en medio de las luchas de poder que se daban en el Palacio de Nariño.

La adopción de una serie de medidas drásticas contra el lavado de dinero, el tráfico de cocaína y el señalamiento de los principales cabecillas del narcotráfico lo colocó en la vanguardia, hasta el punto que Galán encarnaba la única opción para continuar esa tarea.

El liberalismo oficialista intentaba colocar en mejor posición a uno de sus políticos más tradicionales, Hernando Durán Dussán, quien no sólo carecía de respaldo popular, sino que encarnaba los típicos valores del clientelismo político que se quería derrotar, y cuyo opositor beligerante era Galán. Para entonces había bajado su perfil político, tenía como asesores a representantes de la clase política tradicional, pero sus discursos combativos y su posición clara frente al tema de la droga y la extradición lo hacían ver como una opción frente a la bandera de Durán Dussán, que era más de lo mismo.

En los primeros pasos del Nuevo Liberalismo, Galán estuvo acompañado de Rodrigo Lara Bonilla, a quien correspondió expulsar de las filas del grupo en Antioquia a un Pablo Escobar Gaviria que se mostraba como un hacendado de fortuna, presentado por un congresista liberal, Jairo Ortega Ramírez. En memorable discurso, Lara expulsó a Escobar de las filas del movimiento, y en seguida otro senador, Alberto Santofimio Botero, les abrió espacio en su propio grupo, con el que pretendía llegar a la Presidencia de la República.

Meses después, en el primer año del gobierno de Betancur, Lara Bonilla fue designado ministro de Justicia, y el propio Ortega le inició un debate con un cheque que afirmaba le había sido girado por el narcotraficante Evaristo Porras Ardila a su grupo político. El cheque en realidad fue entregado por un tercero en una operación comercial de una empresa familiar, donde había sido suplantada la firma de Rodrigo Lara por una persona cercana suya para posibilitar su consignación.

Pero Porras y Ortega lograron que un juez manejara el proceso a su favor, y finalmente Lara fue llamado a indagatoria, con el especioso argumento de que, como el cheque había sido girado para el Nuevo Liberalismo y había aparecido en una cuenta personal, se trataba de un caso de abuso de confianza.

El ministro Lara fue asesinado em Bogotá el 30 de octubre de 1984, cuando discutía con el gobierno de Betancur la extradición de Carlos Lehder Rivas.

Ese era el escenario político de Galán Sarmiento, cuando viajó a una manifestación organizada por sus tenientes políticos en Soacha, un municipio a pocos kilómetros de Bogotá, que ahora se sabe era controlado en buena parte por la mafia, pues debía constituir el más serio retén antes de llegar a la capital de la República, para filtro de tráfico de armas y cocaína.

Apenas Galán descendió de la camioneta donde lo transportaban y subió a una tarima de madera que le improvisaron, pese a que en el mismo parque del municipio había una construida en ladrillo a pocos metros, le hicieron una ráfaga de ametralladora, mientras que otras personas cuidadosamente distribuidas en la plaza hacían disparon al suelo para incrementar el pánico.

Una semana antes en una manifestación de un rival tradicional de Galán, el senador Alberto Santofimio Botero, apareció una pancarta que reclamaba la necesidad de asesinar al líder del Nuevo Liberalismo.

Lo investigación por el asesinato de Galán sólo tiene un calificativo, el de indignante. Los primeros cuadernos no son más que copias de oficios reclamando a los diarios que envíen copias de sus ejemplares, centenares de testimonios de personas que lo único que pueden, o se atreven a declarar, es sobre el pánico que sintieron, y la forma como se arrojaron al piso, y que por eso no les consta nada. Una bolsa contentiva de los casquetes de las balas halladas en el parque donde se cometió el homicidio desapareció sencillamente en el correo entre la policía de Soacha y el comando de la Policía en Cundinamarca; que fue la misma suerte que corrió el vehículo en que se transportó a Galán moribundo a la clínica donde lo atendieron. También se perdió una de las pruebas de guantelete practicadas a los sindicados iniciales del asesinato. Las primeras personas que fueron a la cárcel por el homicidio fueron un profesor de Soacha y dos de sus alumnos, un par de borrachos que estaban junto a un teléfono público en el centro de Bogotá, de donde se pensó se había hecho una llamada anunciando que si Galán sobrevivía, lo rema-

POLICIA NACIONAL

DEPARTAMENTO POLICIA DE CUNDINAMARCA

FECHA   03 JUN. 1992

Nº 2 9 1 7 .

CCCMD.

ASUNTO: Respuesta Oficio Nº 0925

AL   :   Señor Capitán
               JEFE UNIDAD INVESTIGATIVA DE ORDEN PUBLICO
               SECCIONAL CUNDINAMARCA.
               Gn.-

          En respuesta al oficio del asunto, calendado el 28 de Mayo del
corriente año, informo al señor Capitán que revisado el libro radicador de docu
mentación entrada al Departamento, no figura recibido el oficio Nº 1354 fechado
el 18 de Agosto de 1.989 procedente del primer Distrito Soacha, relacionado
con el caso sobre el atentado del que fué víctima el extinto Doctor LUIS CARLOS
GALAN SARMIENTO, por lo tanto tampoco se recibieron los elementos mencionados
en el oficio .

          Atentamente,

          Coronel JOSE JESUS RAMIREZ BUITRAGO
          Departamento Policia Cundinamarca

Facsímil del oficio donde se da cuenta de la pérdida de los casquetes de las balas con que asesinaron a Luis Carlos Galán Sarmiento.

tarían. Después se alteró un informe técnico para intentar incriminar a un vendedor de huevos como el autor de esas llamadas, pues un análisis con una máquina especial demostró que la voz estaba deformada.

El caso también sirvió para que no sólo las autoridades incriminaran inocentes, sino que una novia celosa puso a su compañero perdido por un par de días como autor intelectual, mientras que curiosamente todas las personas que tenían vínculos con el narcotráfico aparecían con coartadas que certificaban veintenas de personas, como un antioqueño que precisamente ese día había salido de viaje para Medellín en compañía de un hombre, tres mujeres y cuatro niños, porque temía que lo atracaran por el camino. Sí, es difícil pensar en una mejor escolta.

Después de varios años de sospechosos detenidos, liberados, escapados de la cárcel, o asesinados, la Fiscalía General de la Nación prácticamente reabrió la investigación por el asesinato de Galán Sarmiento en septiembre de 1994, cuando se ordenó la interceptación de los teléfonos en Bogotá de algunos jefes paramilitares ocultos en la capital, concentrándose por ahora en definir las responsabilidades de la organización de Rodríguez Gacha que funcionan en la zona cundinamarquesa de Rionegro, y en especial en los siguientes:

- Jaime Eduardo Rueda Rocha. Muerto
- José Evert Rueda Silva - hermano del anterior, fallecido
- Gallardo Rueda Silva - Fallecido
- Orlando Chávez Fajardo - testigo colaborador, con Juan Diego Ospina Baraya. El primero ya fallecido
- Enrique Chávez , primo del anterior, paradero desconocido
- El negro Chávez - sobrino de Orlando, al parecer se trata de Víctor Manuel Chávez
- Reynaldo N.- Jefe de las autodefensas de la región de Rionegro, con base en Pacho. No se le ha podido detener.-
- Chucho Cortés -. sin localizar
- Chucho Laverde - detenido

La investigación por el asesinato de Galán Sarmiento cobró rumbo en 1990 gracias a la colaboración de Juan Diego Ospina Baraya, cercano al grupo de los Moncada del cartel de Medellín, gracias a cuyo testimonio se alcanzó a acusar a Pablo Escobar en Medellín por terrorismo el 29 de diciembre del 92. Rodríguez Gacha ya había muerto para esa fecha.

Después, entre agosto y octubre, a raíz del sometimiento a la justicia de John Jairo Velásquez Vásquez, alias Popeye, uno de los sicarios más cercanos a Pablo Escobar, confesó su participación en un primer atentado que se debía cumplir dos semanas antes del asesinato, que fracasó por una denuncia ciudadana, y alegó tener conocimiento del segundo plan, cuya versión localiza en los paramilitares de Rodríguez Gacha de la zona de Rionegro la responsabilidad del asesinato del líder político.

La versión de Velásquez Vásquez es delirante y difamatoria en muchos aspectos, como cuando afirma que Escobar financió el nacimiento del Nuevo Liberalismo, hecho que desmiente hasta el propio Jairo Ortega Ramírez en declaración juramentada posterior, pero bien vale la pena leer la transcripción de la declaración, a la que sólo se le ha agregado puntuación para su más fácil lectura, porque sirve un poco para ver el mundo alucinado en que vivía Escobar, y que, como se verá, apoyaban de muy buen grado sus lugartenientes en la organización.

Esta es la parte pertinente de la declaración:

"Por mi absoluto sometimiento a la justicia, quiero aclarar otros hechos de los que tengo conocimiento, en algunos participé y en otros no. Primero, la muerte de Luis Carlos Galán Sarmiento. Segundo, la entrega del cadáver del senador Ospina, que fue secretario del gobierno de Belisario Betancur, esa entrega se la hice yo al señor Diego Londoño White. Tercero, también quiero contar sobre el homicidio de un sargento de la Dijin, y heridas al ex teniente de la Policía Hernán Darío Gallo. Cuarto, muerte de cinco personas en el Magdalena Medio, que estaban trabajando en una pista del señor Pablo Escobar Gaviria, pista llamada La Lechería. Quinto, secuestro y muerte del señor Hugo Hernán Valencia, junto con tres ciclistas, hechos ocurridos en la ciudad de Medellín. Sexto, secuestro y muerte del tío de Héctor Barrientos, ex administrador de la Hacienda Nápoles.

Séptimo, conocimientos de secuestros, extorsiones, robo de vehículos en cuyas actividades, detalladamente relataré de cuáles tuve conocimiento y en cuáles participé.

Primero. Homicidio Luis Carlos Galán Sarmiento. Todo comenzó por política, Pablo Escobar Gaviria, Luis Carlos Galán Sarmiento, Jairo Ortega, todos de la corriente del Nuevo Liberalismo, para esto se fundó Medellín sin Tugurios. Pablo Escobar le regalaba las casas de Medellín sin Tugurios a la gente pobre, y estas personas con su voto apoyaban sus aspiraciones políticas; para eso también financió la construcción de canchas de fútbol en los barrios populares de Medellín (en una de sus indagatorias, Popeye dice que "Pablo Escobar quería ser presidente de la República de Colombia, y un día me dijo que si él no podía, decía que su hijo fuera el presidente, Escobar era un visionario, le gustaba más el poder que el dinero").

Pablo Escobar empezó su campaña política respaldado por Luis Carlos Galán, Jairo Ortega, Alberto Santofimio Botero; el respaldo era político y a cambio Escobar financiaba el Nuevo Liberalismo y prestaba sus aviones para que estos señores hicieran sus campañas. Cuando Pablo Escobar se hizo representante a la Cámara, figuraba en el ámbito nacional muy poco, sólo se conocía de él que era un hombre muy rico y de gustos extravagantes, que tenía una finca con zoológico particular. Le hicieron un debate en el Congreso porque el ministro Lara Bonilla decía tener pruebas de que Escobar Gaviria era traficante de drogas; el ministro Lara era de la corriente del Nuevo Liberalismo y muy amigo de Luis Carlos Galán; éste, al ver que Pablo Escobar estaba metido en este escándalo, se separó de él y apoyó la pérdida de su investidura como congresista y apoyó al ministro Lara en su ataques contra Pablo Escobar, representante a la Cámara y lo expulsaron del Nuevo Liberalismo.

Pablo Escobar al ver esto se sintió traicionado y empezó a mostrar su capacidad de ataque al Estado y su fuerza militar al planear la muerte del ministro Lara Bonilla. Él se siente traicionado porque él financió el movimiento en sus comienzos y le dio muchos votos en Antioquia y lo hizo conocer a nivel nacional más que el mismo Galán Sarmiento.

Llega el día en que Pablo Escobar ordena la muerte del ministro de Justicia Rodrigo Lara; Galán y el país se dan cuenta de la verdadera peligrosidad de Pablo Escobar y de su poder al ser capaz de ordenar la muerte de un ministro de Justicia de un país; Galán se asusta y sabe que la única forma de quitarse ese enemigo es ser presidente de la República de Colombia para con las armas del Estado combatir a Pablo Escobar Gaviria. Esto lo afirmo porque Pablo Escobar me lo contó a mí porque se enteró por unos contactos políticos que él tenía y eran muy cercanos a Galán.

Galán acude a unas elecciones para presidente de la República, no recuerdo en qué cuatrienio y saca un puntaje muy bajo, y Pablo Escobar se dio cuenta que Galán no tenía fuerza política; pasaron los años y en el cuatrienio pasado él estaba aspirando a la Presidencia de la República; las encuestas lo daban como seguro ganador.

Pablo Escobar se asustó ya que Los extraditables llevaban varios años intimidando al país y estaban esperanzados en un gobierno flexible que diera fin a la extradición y si llegaba a la Presidencia Luis Carlos Galán, esto iba a ser imposible. Estos relatos que acabo de hacer son basados en palabras dichas por

189

el señor Pablo Escobar hacia mí y lo que voy a seguir relatando lo viví al lado del señor Escobar Gaviria.

Estando en furor la campaña a la Presidencia del señor Luis Carlos Galán para el cuatrienio entre el 90 y el 94, Pablo Escobar manda a llamar a El mejicano, Rodríguez Gacha, se reúnen en el Magdalena Medio en una finca suya, que queda en Puerto Boyacá, y no sé ubicarla porque a nosotros nos llevó la gente de El Mejicano.

Allí hubo una reunión entre El mejicano y Pablo Escobar, yo asistí a esa reunión para dar mi opinión de qué forma se podía llevar a cabo el atentado, buscando la muerte de Galán. En esa reunión se miraron los pros y los contras de matar a Luis Carlos Galán, ellos cuestionaron que si no lo mataban, de todas formas la persecución iba a ser a muerte, ya que en su campaña su bandera era la persecución a los narcos, y los antecedentes de la muerte de Lara Bonilla, la enemistad entre Pablo Escobar y Galán, el miedo que éste le tenía a Pablo Escobar. Inclusive públicamente lo expresó su familia ya que después de su muerte, en uno de los periódicos capitalinos la mamá comentaba que un día en una reunión de un hotel capitalino ella salió a la puerta y el hijo estaba adentro, vieron un Mercedes Benz muy lujoso y ella se puso muy nerviosa, que porque ese carro era de unos mafiosos y que seguro iban a matar a su hijo.

Todos estos antecedentes iban a hacer que la persecución fuera personal, e iban a tener todos los fusiles de las fuerzas del Estado apuntándole, y la DEA, ya que por palabras de Escobar e informaciones que él manejaba, la campaña política de Galán estaba siendo financiada por la DEA, porque la DEA necesitaba un gobierno que los apoyara para atacar a los dos grandes capos del mundo del narcotráfico, que eran Pablo Escobar y Gacha. Estos tomaron la decisión de matar a Galán, no personalmente a nombre de ellos, sino a nombre de Los extraditables, grupo que ya para esta época funcionaba con todo su poder y su fuerza. Lo que más rabia le daba al señor Escobar Gaviria fue que el ministro Lara recibió dineros del narcotráfico, para un ejemplo, el famoso cheque del millón de pesos girado por Evaristo Porras al ministro de Justicia: Yo no me llegué a enterar que Pablo Escobar le hubiera dado dinero al ministro de Justicia.

En esa reunión Escobar toma la decisión de que sea el grupo de él el que mate a Luis Carlos Galán: nosotros nos vamos de la finca de El mejicano y nos vamos a una caletica cerca a la Hacienda Nápoles. Pablo me comisiona que vaya a Medellín y le lleve a Ricardo Prisco, a los dos días regresé a la caleta con Prisco. No sé por qué medios Pablo Escobar sabía que Luis Carlos Galán iba a ir a la Universidad de Medellín a una charla política con los estudiantes. Escobar habla con Ricardo Prisco y le dice que mande a comprar un carro a nombre de Helmer Herrera Buitrago y le entregó una cédula igual a la de Helmer Herrera Buitrago para que con esa cédula compraran el carro en Armenia, con el fin de involucrarlo en el homicidio. Fue una camionetica Mazda Station Wagon. El atentado se llevó a cabo cerca a la Universidad de Medelllín, y una de las razones por las que Escobar eligió a Ricardo Prisco para dirigir estos hechos era porque Prisco en su grupo tenía unos ex soldados que sabían disparar los rocket.

La operación se frustró porque una señora de un segundo piso llamó a la Policía porque vio a unos tipos muy sospechosos camuflados en un lote al frente de su casa. La policía llegó hasta el lote y todos los que estaban ahí se volaron y capturaron no más las camionetas con unas armas. *Hubo un detalle que lo contaba con mucha fogocidad uno de los muchachos de Prisco, que había estado en el lote, contó cómo había logrado burlar la policía viéndose sorprendido en el lote y con armamento. Este muchacho era de los que sabía disparar los rocket, cuando él vio que era inminente su captura, se bajó los pantalones e hizo el ademán de que estaba haciendo una necesidad fisiológica. La policía le dijo "vos eras uno de los que estaba con la gente que huyó para atentar contra el doctor Luis Carlos", él dizque se puso a llorar copiosamente, y les decía que él era un gamín y que había entrado a ese lote a hacer una necesidad fisiológica, y que las armas que había ahí él había visto unos señores que las habían acabado de botar; lo tuvieron por espacio de cinco minutos y llegó un policía y le dijo: "perdéte de aquí gamín hijueputa".*

Este mismo muchacho, por orden de Los extraditables, se pintó la cara, se puso un camuflado y se tiró al río Medellín con un rocket en sus hombros y lo disparó contra la central de combustibles y gases que queda en el barrio Caribe en la ciudad de Medellín. Es un complejo gigantesco de bodegaje de combustible y de gas. El rocket no dio en el blanco. El mismo fue el que se metió por el río, por un ducto de aguas negras y le puso una bomba al comando de la Policía Antioquia que queda en las antiguas instalaciones de la fábrica Everfit. Esta bomba voló todos los baños de dicha institución policial.

Al haberse dañado este plan para asesinar a Luis Carlos Galán, todo lo que oliera a Medellín no se le podía arrimar; supe de una reunión, pero no estuve presente, entre El mejicano y el patrón, y ellos tomaron la decisión de que la "vuelta" la hiciera la gente de El mejicano, y que se pagaría por dicho homicidio $200 millones del fondo común de Los extraditables, que como ya lo he dicho, yo era el tesorero.

Después de la reunión, al mes y medio estaba yo con el patrón en la caleta llamada Marionetas, queda cerquita de la hacienda Nápoles, cuando dieron la noticia del atentado contra Luis Carlos Galán, y el patrón dijo "tenemos que estar muy pendientes de las noticias, porque si este hombre queda vivo es muy difícil volverlo a atacar"; fue una zozobra hasta que dieron la noticia de que había fallecido.

A los ocho días Pablo Escobar me hizo entregarle del fondo común de Los extraditables $200 millones a un trabajador de El Mejicano que fue a la ciudad de Medellín y allí le entregué la plata, se le pagó en dólares; recuerdo que eran $200 millones, no recuerdo exactamente cuántos dólares, ya que a mí me tocaba administrar grandes cantidades de dinero; recuerdo que éste mismo muchacho Pinina y yo le entregamos una ametralladora Mini Atlanta, porque la gente de El mejicano, por intermedio de él, nos dijeron que buscáramos esta ametralladora que era vital para este "negocio"; Pinina la consiguió en la ciudad de Medellín.

El contacto lo hicimos con este mismo muchacho las dos veces. Yo le di mi número de bíper a El Mejicano, con él cuadré que el muchacho me dejaba un número de teléfono y yo a ese número de teléfono a los dos últimos números le rebajaba dos. Me llamaban de parte del compadre, ya que Pablo y El Mejicano eran compadres.

Cuando el muchacho me llamó la primera vez, la mini Atlanta se la entregamos Pinina y yo en Envigado, a la entrada, en una venta de ostras; el que tenía *la metra era Pinina, que fue el que la consiguió, no sé dónde ni cómo; la llevábamos en una mochilita pequeña con un proveedor y con las balas, son balitas pequeñitas y se la entregamos a este muchacho, que era blanco, alto, por ahí de unos 30 a 32 años, con acento de bogotano, bien presentado.*

A este mismo muchacho le entregué yo después, por el almacén Éxito de la calle Colombia los $200 millones. Después de la muerte de Luis Carlos Galán, yo supe que el que había disparado directamente era Rueda Rocha y públicamente se supo, ya que Chávez Fajardo (sic) un trabajador de El Mejicano, delató a Rueda Rocha.

En la Cárcel Modelo había un hermano de Rueda Rocha que sabía todo el negocio y lo tenían olvidado, no le ayudaban con nada, y él estaba amenazando que si no le ayudaban con el abogado y plata para sostenerse en la Cárcel, contaba toda la vuelta. A este muchacho lo asesinaron en el pabellón de máxima seguridad de la cárcel Modelo con un revólver.

El que me contó que Rueda Rocha era el que había disparado contra Galán, fue Pablo Escobar, que tuvo un contacto con Rueda Rocha por carta, por intermedio de Hernán Henao, HH —muerto por el Bloque de Búsqueda—.

Después de muerto Henry Pérez, Rueda Rocha andaba con Ariel Otero, sucesor de Henry Pérez en el grupo de los paramilitares; Rueda Rocha estaba asustado porque mataron a Henry Pérez y quería colaborar con Escobar y sabía que Ariel Otero valía $500 millones.

HH me comentó en unos tragos que nos tomamos en mi pieza en La Catedral que Rueda Rocha le iba a entregar a Pablo Escobar a Ariel Otero y HH me dijo que él ya tenía una gente lista para esa "vuelta", para matar a Ariel Otero.

El contacto de Rueda Rocha con Ariel Otero era el alcalde de Puerto Boyacá. HH me contó que Rueda Rocha se arrepintió de entregar a Ariel Otero y que el mismo Rueda Rocha le puso una cita al alcalde de Puerto Boyacá a petición de Ariel, y en esta cita mataron al alcalde de Puerto Boyacá y lo despedazaron junto con sus escoltas; del alcalde sólo encontraron una pierna.

Esto motivó, según palabras de HH, que los paramilitares amigos del alcalde de Puerto Boyacá delataran a Rueda Rocha a la Policía y así fue que la Policía dio de baja a Rueda Rocha en Honda, Tolima.

Pablo Escobar se da cuenta de que fue Rueda Rocha el que mató a Galán por informaciones de HH, que era amigo de la gente de El Mejicano, él manejaba la hacienda Nápoles y fue quien dirigió la guerra con los paramilitares en el Magdalena Medio".

La anterior declaración de Alias Popeye carece por completo de algún asidero en la realidad con todo lo relacionado con su peculiar interpretación de los hechos políticos, y menos en cuanto al Nuevo Liberalismo, Luis Carlos Galán Sarmiento y Rodrigo Lara Bonilla. Su único valor es con relación a lo que le consta, vale decir, los atentados y matanzas del cartel, pero se la ha transcrito sólo como exhibición del mundo alucinado en que vivían Escobar y su gente más cercana.

Según el nuevo hilo conductor de la Fiscalía, Rodríguez Gacha tenía estructurada una cadena paramilitar, en varias poblaciones apoyada por miembros del Ejército y la Policía, que se iniciaba en Zipaquirá y llegaba hasta Pacho,

Pastor Perafán, a quien sus empleados tienen que llamar "El señor presidente", en su oficina del centro Santa Bárbara en Bogotá, con Bolívar y Napoleón a sus flancos.

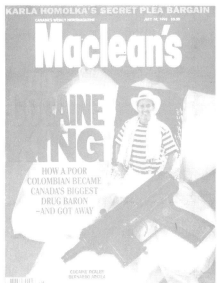

Bernardo Arcila, el "Rey de la coca" llegó al Canadá, se enriqueció y montó su macroimperio en Antioquia, según la portada de *Maclean's*.

El Padrino **"Don Efra"** **Efraín Hernández** —hoy asesinado— el día de su matrimonio con la modelo Sandra Murcia, detenida en París por posesión de cocaína.

DIRECCION NACIONAL DE ESTUPEFACIENTES

VEHICULOS TERRESTRES DECOMISADOS Y DEVUELTOS POR NARCOTRAFICO

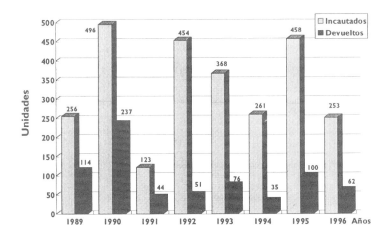

INMUEBLES RURALES DECOMISADOS Y DEVUELTOS POR NARCOTRAFICO

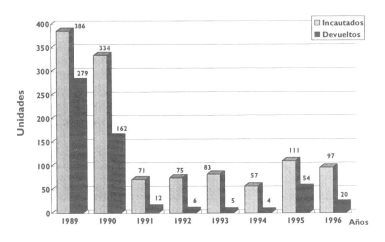

AERONAVES DECOMISADAS Y DEVUELTAS POR NARCOTRAFICO

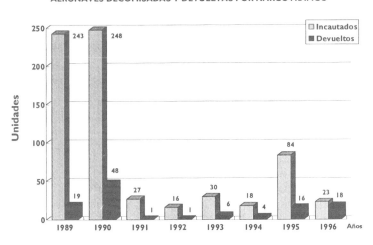

EMPRESA DE FACHADA DEL CARTEL DE CALI
EN EL EXTERIOR PARA CONTRABANDEAR COCAINA
Y/O LAVAR DOLARES

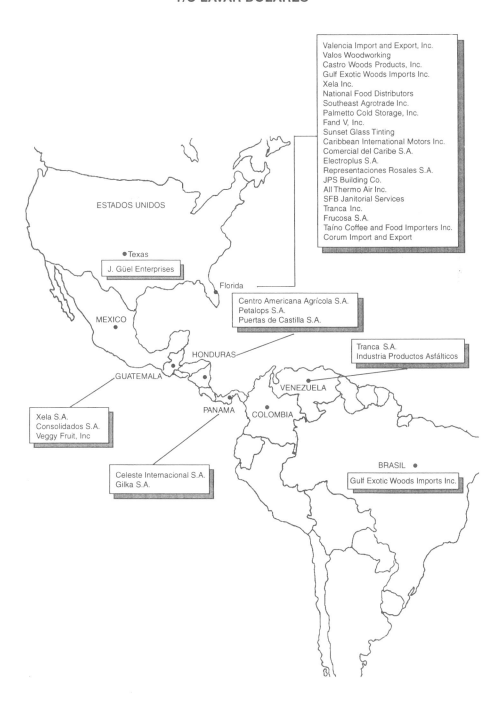

Valencia Import and Export, Inc.
Valos Woodworking
Castro Woods Products, Inc.
Gulf Exotic Woods Imports Inc.
Xela Inc.
National Food Distributors
Southeast Agrotrade Inc.
Palmetto Cold Storage, Inc.
Fand V, Inc.
Sunset Glass Tinting
Caribbean International Motors Inc.
Comercial del Caribe S.A.
Electroplus S.A.
Representaciones Rosales S.A.
JPS Building Co.
All Thermo Air Inc.
SFB Janitorial Services
Tranca Inc.
Frucosa S.A.
Taíno Coffee and Food Importers Inc.
Corum Import and Export

ESTADOS UNIDOS

• Texas
J. Güel Enterprises

Florida

Centro Americana Agrícola S.A.
Petalops S.A.
Puertas de Castilla S.A.

MEXICO

Tranca S.A.
Industria Productos Asfálticos

HONDURAS

GUATEMALA

VENEZUELA

Xela S.A.
Consolidados S.A.
Veggy Fruit, Inc

PANAMA   COLOMBIA

BRASIL •

Celeste Internacional S.A.
Gilka S.A.

Gulf Exotic Woods Imports Inc.

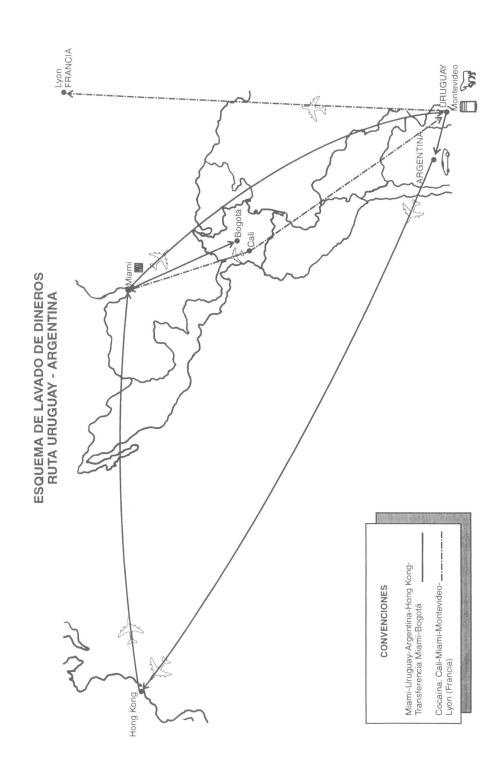

ESQUEMA DE LAVADO DE DINEROS
RUTA URUGUAY - ARGENTINA

Lyon
FRANCIA

URUGUAY
Montevideo

ARGENTINA

Bogotá
Cali

Miami

Hong Kong

CONVENCIONES

Miami-Uruguay-Argentina-Hong Kong-
Transferencia Miami-Bogotá

Cocaína. Cali-Miami-Montevideo-
Lyon (Francia)

EL ESQUEMA DE LAVADO DE DINEROS
RUTA - NEW YORK

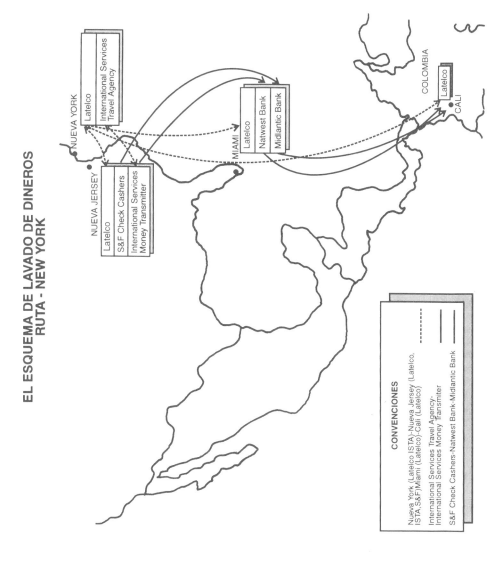

NUEVA YORK

Latelco
International Services
Travel Agency

NUEVA JERSEY

Latelco
S&F Check Cashers
International Services
Money Transmitter

MIAMI

Latelco
Natwest Bank
Midlantic Bank

COLOMBIA

Latelco
CALI

CONVENCIONES

- - - - - Nueva York (Latelco ISTA)-Nueva Jersey (Latelco, ISTA,S&F)Miami (Latelco)-Cali (Latelco)

———— International Services Travel Agency-
International Services Money Transmiter

———— S&F Check Cashers-Natwest Bank-Midlantic Bank

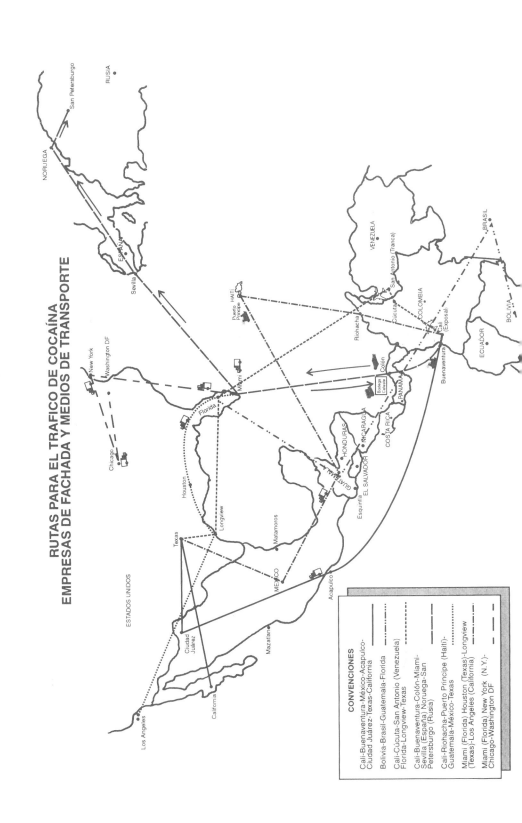

RUTAS PARA EL TRAFICO DE COCAÍNA
EMPRESAS DE FACHADA Y MEDIOS DE TRANSPORTE

CONVENCIONES

Cali-Buenaventura-México-Acapulco-
Ciudad Juárez-Texas-California

Bolivia-Brasil-Guatemala-Florida

Cali-Cúcuta-San Antonio (Venezuela)
Florida-Longview-Texas

Cali-Buenaventura-Colón-Miami-
Sevilla (España) Noruega-San
Petersburgo (Rusia)

Cali-Riohacha-Puerto Príncipe (Haití)-
Guatemala-México-Texas

Miami (Florida) Houston (Texas)-Longview
(Texas)-Los Angeles (California)

Miami (Florida) New York (N.Y.)-
Chicago-Washington DF

RUTAS PARA EL TRAFICO DE COCAÍNA DESCUBIERTAS AL CARTEL DE CALI

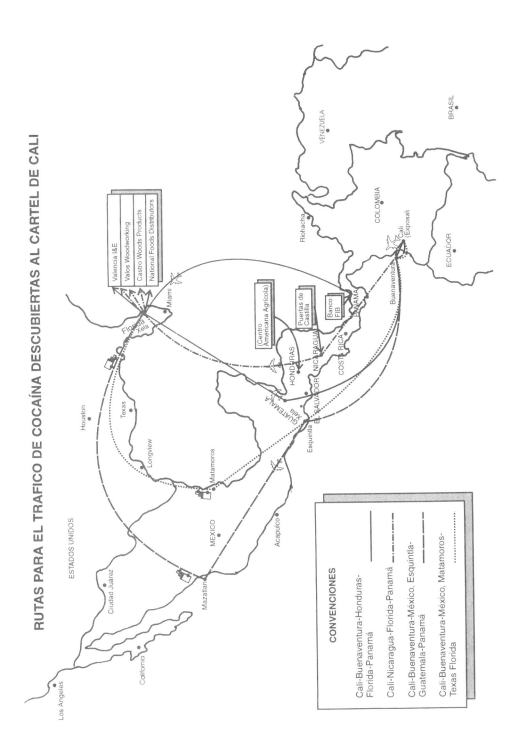

PRODUCCIÓN ILÍCITA DE DROGA
1987 - 1995

País	Producción neta (toneladas métricas)	
	1987	1995
Opio	113,123	123,123
Afghanistán*	600	1,250
India	-	-
Irán**	300	-
Pakistán	205	155
Burma	835	2,340
China	-	16
Laos	225	180
Tailandia	24	25
Colombia	-	65
Líbano	-	1.5
Guatemala	3	-
Total Opio	2,242	4,086
Hoja de Coca		
Bolivia	79,200	85,000
Colombia	20,500	40,800
Perú	191,000	183,600
Ecuador	400	-
Total Hoja de Coca	291,100	309,400
Cannabis		
México	5,933	3,650
Colombia	5,600	4,133
Jamaica	460	206
Belize	200	-
Otros	1,500	3,500
Total Cannabis	13,693	11,489

COLOMBIA: INGRESOS TOTALES POR DROGAS ILICITAS
(US$ MILLONES)

Año	INGRESO NETO			
	Nuevos Estimativos			
	Cocaína	Heroína	Marihuana	Total
1980	1386			1386
1981	1933		137	2070
1982	1819		65	1884
1983	1868		79	1947
1984	4093		79	4172
1985	2933		20	2953
1986	939		34	973
1987	1311		152	1463
1988	1395		290	1685
1989	2485		94	2579
1990	2341		48	2389
1991	1400	756	83	2239
1992	1822	756	89	2667
1993	1363	756	368	2487
1994	1176	756	329	2261
1995	1446	756	333	2535
TOTAL	29,710	3,780	2,200	35,690

FUENTE: Steigner Roberto: (Investigador asociado a Fedesarrollo). Los ingresos de Colombia producto de la exportación de drogas ilícitas. Agosto 1996.

su cuartel general de operaciones en Cundinamarca. El extinto narcotraficante tenía verdaderas estrategias militares en sus zonas de influencia, en las que soñaba con crear "corredores de seguridad" hacia Pacho y las fincas del Magdalena Medio, con la esperanza de abrirse camino al Urabá, de manera que intercomunicaran las haciendas de residencia, las que servían para el depósito de la cocaína, y las pistas de despegue de las avionetas dedicadas al contrabando de la droga. En esa operación le colaboraban otros dos narcotraficantes del Magdalena medio, Jairo Correa y Francisco Pacho Barbosa.

En sus inicios en el narcotráfico, Rodríguez Gacha tuvo un plan similar, pero en el extremo sur del país, que pensaba integrar regiones del Amazonas colombiano, brasileño y peruano con el nororiente del Ecuador, para organizar en esa zona los cuarteles de operaciones del cartel de Medellín.

Se calcula que entre Escobar y Rodríguez alcanzaron a tener más de dos mil hombres a su servicio. En ellos se concentra actualmente la investigación de la Fiscalía, en relación con la parte material del crimen de Galán Sarmiento, aunque como se vio antes contra quienes se hacen los cargos más directos ya están muertos.

Juan Diego Ospina Baraya hace claridad absoluta con respecto al crímen de Rodrigo Lara Bonilla, y menciona haber escuchado por lo menos cinco años antes de que se cometiera, la decisión de Escobar Gaviria y Rodríguez Gacha de asesinar a Galán Sarmiento.

Según los nuevos testimonios, el de Vásquez Velásquez, Popeye, y otro de un testigo con reserva de identidad que se cumplió en septiembre del 92, pero sólo se envió a la Fiscalía el 3 de noviembre del 94, los disparos contra Galán los hizo Jaime Eduardo Rueda Rocha, un ex guerrillero que hoy tendría 43 años, y que operaba en la zona del Magdalena Medio, y que luego se sumó a la organización paramilitar de Rodríguez Gacha, convirtiéndose en uno de sus más importantes hombres en el brazo militar. Un testigo también lo acusa de haber colocado el camión cargado de dinamita que explotó junto al diario El Espectador.

Según esas versiones, Rueda Rocha, oriundo de Yacopí, en Cundinamarca, y otra de las zonas ahora bajo control de los Rodríguez, se encargó de organizar todo el ataque terrorista con un grupo de siete personas, e incluso invitó a un familiar suyo, Orlando Chávez Fajardo, asesinado después de rendir una declaración jurada en la que confesó todos los hechos que le constaban, para que disparara al suelo mientras él hacía los disparos a Galán Sarmiento.

Lo sorprendente es que Rueda Rocha fue detenido con armamento de uso privativo militar el 21 de septiembre del 89, y en noviembre del 89 se le dictó auto de detención por el homicidio. Rueda Rocha estuvo preso en la cárcel de La Modelo, la cárcel de los sindicados, pero en julio del 90, al parecer sin notificar a ninguno de los directores de las cárceles, fue trasladado a la Penitenciaría Central de La Picota, donde sólo están los condenados.

La Picota, dado el índice de violencia terrorista que vivía el país en esa época, tenía un pabellón de alta seguridad denominado Los extraditables, donde se mantenía a todos los acusados de actos de terrorismo. Pero a Rueda Rocha, la Dirección General de Prisiones ordenó que se le ingresara en el Pabellón Lara Bonilla, para detenidos considerados de menor riesgo, mientras que los

FISCALIA REGIONAL DELEGADA –11A
CUERPO TECNICO DE INVESTIGACION

REPUBLICA DE COLOMBIA
CEDULA DE CIUDADANIA No. 16.787.777

DE _____ Cali(Valle)
APELLIDOS ___ GONZALEZ SANCHEZ
NOMBRES ___ Luis Alberto
NACIDO ___ 5-Mar-1956-Cali(Valle)
ESTATURA ___ 1-70 ___ COLOR ___ Trigue
SEÑALES ___ Ninguna
FECHA ___ 30-Jun-89

FOTOCEDULA DE LA CEDULA DE CIUDADANIA NUMERO 16.787.777
A NOMBRE DE GONZALEZ SANCHEZ LUIS ALBERTO EXPEDIDA EN
LA CIUDAD DE CALI (Valle) EL 30 DE JUNIO DE 1.989.

LA ANTERIOR CEDULA SUPUESTAMENTE LE FUE EXPEDIDA AL SEÑOR
CORTES GOMEZ LUIS JESUS, A QUIEN LE FUE EXPEDIDA CON ANTE-
RIORIDAD LA CEDULA DE CIUDADANIA NUMERO 4.268.929 DE SUTA-
TENZA BOYACA EL 20 DE SEPTIEMBRE DE 1976.-

NOTA: CORTES GOMEZ LUIS JESUS, ES CONOCIDO TAMBIEN COMO –
CHUCHO CORTES.-

En las nuevas pistas que investiga la Fiscalía, una pieza clave en esta foto de cédula, que figura expedida a Chucho Cortés y a un ciudadano de Cali.

demás acusados del mismos crimen estaban efectivamente detenidos en el pabellón de Los extraditables.

"Sólo después de un mes, aproximadamente, en una revista que hiciera al Pabellón Lara Bonilla, tuve conocimiento de la estadía de este señor en La Picota puesto que nadie me dio parte de la novedad y muchos menos la Dirección General de Prisiones, ni por oficio y menos aun siquiera una llamada telefónica me puso al tanto de la peligrosidad del detenido", diría después la directora de la Picota, Sandra María del Pilar Urazán de Correcha ante un juez de Bogotá.

Al mediodía del 18 de septiembre de 1990 se presentaron en la puerta principal de La Picota el abogado Lubín Bohada Ávila y un acompañante, de gafas gruesas, chivera y con la tarjeta de abogado a nombre de Carlos A. Caycedo Méndez. Lubín Bohada, de unos 40 años, tiene su oficina de abogado en Pacho, Cundinamarca, y también apoderaba a otro "detenido de alta seguridad" en La Modelo, Heibar López, natural de ese municipio.

Los dos, Bohada y Caycedo querían tener una reunión en su celda con Rueda Rocha. Fueron conducidos por los guardias hasta el pabellón Lara Bonilla, y media hora más tarde, el tiempo reglamentario de las visitas de abogado, salieron.

El pabellón estaba ese día más visitado que de costumbre, había llegado un viejo amigo de Rueda Rocha, Noé Cortés. Un grupo de cinco estudiantes de "estética y belleza" que, según sus palabras "aliviaban cariñosamente" a los presos a cambio de un poco de dinero, también estaban allí ese día. A una de ellas, Nubia Rocío Bobadilla, uno de sus amigos internos le había pedido que le cumpliera "un caprichito" y llevara su equipo de belleza para cortar y hacer rayitos en el pelo, a lo que accedió con su amiga Alicia Lozano.

Cuando a las dos de la tarde pasaron revista a los presos en el Pabellón Lara Bonilla, otra ironía, sólo Rueda Rocha no aceptaba salir de su celda, a presentarse con sus otros siete compañeros de prisión. Una voz respondía simplemente "aquí estoy, yo soy Jaime Eduardo".

Uno de los guardias fue a ordenar la apertura de las celdas desde un control interno, pero cuando regresó Jaime Eduardo Rueda Rocha ya no estaba, "y nos sobraba un preso, un muchacho ahí que no tenía nada que hacer". Era Saúl Antonio Pérez Díaz, quien había perdido la chivera.

Pérez, quince centímetros más alto y diez años menor que Rueda Rocha, lo había podido suplantar ante unos guardias penitenciarios que llevaban varios meses teniéndolo como única vista posible entre las altas paredes de la cárcel.

El medio hermano de Rueda Rocha, José Evert Rueda Silva, continuó en su celda del pabellón de alta seguridad de la Cárcel Modelo, pero empezó a protestar porque no le pagaban su abogado, y le habían dejado de enviar su mesada de manutención en la cárcel.

Rueda Rocha murió durante un extraño enfrentamiento con la Policía en abril del 92 cerca de Melgar, en el Tolima.

El hermano, José Evert Rueda Silva, fue acribillado a bala de revólver en el pabellón de "máxima seguridad" de la Cárcel Modelo, en junio del mismo año.

Tres meses después de muerto, el 8 de junio, el Tribunal Superior de Bogotá confirmaba la única condena que se le impuso a Rueda Rocha en toda su carrera delictiva, 24 meses de prisión, excarcelables, por fuga. Que fue la misma condena impuesta al abogado que sirvió de pantalla en la fuga.

Ese era aparentemente el fin de la investigación: Rodríguez Gacha estaba muerto, como la mayoría de los autores materiales del crimen de Galán Sarmiento. Pero todavía quedaba abierta otra ruta de investigación, la del fallido atentado contra Galán Sarmiento del 4 de agosto del 89, cuando en un lote contiguo a la Universidad de Medellín se hallaron dos bazucas de 66 milímetros listas para ser disparadas, una granada, tres revólveres, abundante munición, y el cuerpo de un agente de la Policía, César Augusto Cardona, atacado por los sicarios cuando se vieron descubiertos gracias a la llamada de una vecina de un piso alto, que pudo ver a los mismos antes de que el candidato llegara a su conferencia con los estudiantes.

En esa ocasión se abandonó en el mismo lote de Medellín un vehículo que había sido comprado en Armenia a nombre de Helmer Pacho Herrera Buitrago, el miembro de la cúpula del cartel de Cali.

La investigación arrojó que en la Residencia Los Andes y el Hotel San Francisco, de Armenia, en los meses de abril, mayo y agosto de 1989, se habían alojado varias personas con falsa identificación, bajo los nombres de Fernando Martínez, Johny y Henry Sánchez. Al mostrarles fotos de archivo a varios de los ocupantes, reconocieron a Jaime Rueda Rocha, y Henry Sánchez Castro, quien según parece tiene vínculos con el narcotráfico en Palmira y Pereira. Dos nombres que se mencionaron por un testigo sin rostro, Antonio Correa Molina y Alcides Arévalo, volvieron a desempolvarse en el expediente. Sánchez Castro se alojó en el Hotel Palatino de la misma ciudad, y desde allí llamó a tres empresas que figuran a nombre de tres de los más importantes testaferros de Pacho Herrera.

Para un crítico tal vez lo más sorprendente no es que la investigación pueda reanudarse, sino que, cuando se trata de aclarar hechos que les conviene, los narcotraficantes más buscados del país aparecen con una facilidad sorprendente.

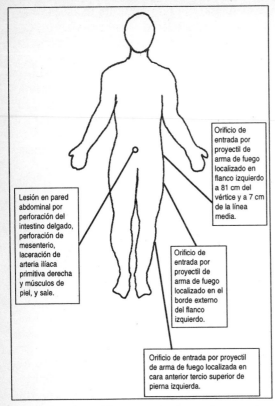

Orificio de entrada por proyectil de arma de fuego localizado en flanco izquierdo a 81 cm del vértice y a 7 cm de la línea media.

Orificio de entrada por proyectil de arma de fuego localizado en el borde externo del flanco izquierdo.

Lesión en pared abdominal por perforación del intestino delgado, perforación de mesenterio, laceración de arteria ilíaca primitiva derecha y músculos de piel, y sale.

Orificio de entrada por proyectil de arma de fuego localizada en cara anterior tercio superior de pierna izquierda.

A partir de este gráfico, que muestra un disparo sobre Luis Carlos Galán ajeno a los otros tres, se investiga una de las hipótesis del magnicidio.

En efecto, cuando el nombre de Pacho Herrera apareció en la investigación, un juez Tercero de Orden Público, cuyo nombre no ha trascendido pero está sujeto a investigación, localizó en Cali a uno de los narcotraficantes más buscados del país, le tomó declaración bajo la gravedad del juramento, donde dijo que era ajeno por completo al asesinato de Galán, y que acababa de formular denuncia penal en un juzgado de Cali para que se investigara a José Alfredo Fernández Castro, por el delito de falsedad y suplantación de persona.

La investigación busca ahora establecer la identidad completa de Chucho Cortés y Pedro Páez, cuyos nombres se vinculan con los de los sicarios de Escobar, El chopo, Otoniel, El mugre, La Kika, Tayson, Pinina y Rubén La yuca, todos presos o muertos.

Sin descartar desde luego el nombre de Herrera, la Fiscalía sigue la pista trazada por otro de los jefes paramilitares de Rodríguez Gacha, Guillermo Elí Muñoz, quien fue detenido en Ibagué, y por algún medio aun desconocido fue trasladado a Pacho, donde podía salir de la cárcel sin inconveniente, y en una de esas salidas fue acribillado.

Un familiar cercano de Muñoz está detenido por el asesinato de Galán, mientras se han expedido otras diez órdenes de captura contra otros posibles implicados en el asesinato, tres de ellos familiares de Rodríguez Gacha. Ya hay cuatro presos.

Al cierre de este libro se rumoraba la detención en Medellín de un primo de Gonzalo Rodríguez Gacha, al parecer uno que se identifica como el K-28, y quien manejaba una ruta de cocaína con el nuevo cartel de Antioquia.

La investigación de la Fiscalía también explora otras varias hipótesis sobre el mismo crimen. Una de ellas conjuga varios hechos que intrigan a los investigadores, primero, la misteriosa desaparición de dos de los carros que figuraron en la escena del crimen, uno de ellos en el que se transportó moribundo a Luis Carlos Galán hasta la clínica; un disparo en el abdomen que no guarda relación con los otros, que fueron hechos por el lado izquierdo del cuerpo del candidato. Según los diversos testimonios, sólo Rueda Rocha tenía la misión de disparar a Galán, y sus seis compañeros debían hacerlo al aire o al suelo, para crear confusión entre los manifestantes. De acuerdo con diversas investigaciones que se adelantan por el asesinato del ministro de Justicia Rodrigo Lara Bonilla, en su caso también desapareció el vehículo en que fue asesinado, hubo una tercera persona que disparó, que nunca fue investigado, y la confesión de los sicarios no permitió la exploración de esta hipótesis, de características bastante similares a las de John F. Kennedy.

La Fiscalía investiga a todo el personal del Das que hacía parte del equipo de seguridad del candidato.

Otro elemento incierto es si el asesinato con un carro bomba, ocurrido el mismo día de la muerte de Galán, del jefe de la Policía de Antioquia, Franklin Quintero, está relacionado de alguna manera con el atentado de Soacha. Un jefe de seguridad de Galán habría sido enviado a esa ciudad de forma sorpresiva.

Y por último la afirmación contenida en el libro Whitewash del periodista y latinoamericanista inglés Simon Strong, basada en una grabación. El párrafo pertinente (pág. 216) dice: "La familia más cercana de Galán estaba convencida que algunos políticos, incluidos conservadores, se habían unido con los traficantes de droga, y habían incitado al asesinato. Uno de ellos aseguró: 'Aproximadamente un año antes de su muerte, Luis Carlos supo de una reunión (en el departamento del) Tolima donde Alberto Santofimio Botero, Jairo Ortega (el congresista suplente de Escobar) y Eduardo Mestre (un ex banquero de Gilberto Rodríguez Orejuela) hablaron de la necesidad de eliminarlo. Luis Carlos dijo eso a sus colegas y a las autoridades, pero él nunca fue protegido adecuadamente; Maza Márquez (el jefe del Das) actuó de una manera muy extraña cuando yo le pregunté por la investigación del nuevo jefe de guardaespaldas (de Galán) que era muy impopular con los otros y desapareció inmediatamente después de la muerte de Luis Carlos".

Según algunas versiones en poder de las autoridades, el jefe de seguridad de Galán fue trasladado un par de días antes del asesinato del candidato.

El libro de Strong fue vetado por tres editoriales colombianas que antes se disputaban el privilegio de publicarlo en Colombia, coincidencialmente después de que Santofimio Botero hiciera un agrio debate en el Congreso en defensa de su honor, y negando de plano haber tenido algo que ver con el asesinato de Galán, y también la existencia de la presunta reunión en el Tolima.

La Fiscalía investiga también el hecho de que en una fotografía publicada en un quincenario de Ibagué, Reconquista Liberal, apareciera en una manifestación de Santofimio Botero una pancarta en la que según se afirma se invitaba "Al entierro de Galán".

Una copia del ejemplar fue entregado oficialmente por el procurador regional de Ibagué al jefe del Das en el Tolima, pero nunca llegó a la Fiscalía. En su momento se creyó se trataba de la "muerte política", por derrota, del candidato, pero cuando la fotografía del quincenario recobró actualidad, ya no se consiguieron ejemplares de él, dijo el jefe de Instrucción Criminal de la época.

Cuando la Mafia no asesina a los políticos, entonces los soborna. Eso por lo menos es lo que se deduce del llamado proceso 8.000, en el que la Fiscalía General de la Nación investiga unos 43.250 cheques girados a lo largo de dos años de unas doce cuentas corrientes de los Rodríguez Orejuela en seis bancos de Cali, que se abrieron con cédulas falsas, empresas de fachada o reales, pero cuyo capital no debería haber servido para respaldar sobregiros de centenares de millones de pesos, literalmente descubiertos, si no se supiera quién estaba en realidad detrás de las operaciones.

En la mayoría de esas operaciones participó la sucursal de Cali del Banco de Colombia. El sobregiro, como los préstamos bancarios, es una forma habitual de lavar dinero, pues con el pago de la obligación, se justifica el dinero que se posee.

La Fiscalía también investiga 308 invitaciones aceptadas por congresistas, abogados y periodistas al Hotel Intercontinental de la misma ciudad, con todos los gastos pagos por la empresa familiar Inversiones Ara, y que en su mayoría fueron hechas por los relacionistas del cartel, Alberto Giraldo y Mario Ramírez, y que en buena parte coinciden con las fechas en que se tramitaron importantes proyectos de ley, como los que establecieron y luego modificaron el Código de Procedimiento Penal.

Pero esa sería, como dicen los mismos Rodríguez en las claves de la contabilidad que les llevaba el chileno Guillermo Alfonso Pallomari, dinero para los pistachos, porque en la elección de Ernesto Samper Pizano invirtieron $6.000 millones, que es la cifra que el tesorero de la campaña, Santiago Medina Serna, siempre alegó enviaron los miembros del cartel de Cali, los hermanos Miguel y Gilberto Rodríguez Orejuela, Helmer Herrera y José Santacruz Londoño.

Esa cifra es también la que una auditoría de la Contraloría General de la República encontró habían autorizado en sobregiros varias sucursales del Banco de Colombia de Cali en un término de no más de tres meses a cinco empresas de fachada del cartel, y que sumaron $6.136 millones.

El manejo del dinero, con las cuentas de donde se lo tomó y la forma de las remesas fue luego ampliado en los Estados Unidos cuando el tesorero del cartel rindió una indagatoria ante una comisión de fiscales sin rostro, mientras que las afirmaciones hechas en varias reuniones por Miguel Rodríguez Orejuela ante sus abogados, en el sentido de haber contribuido a la campaña presidencial de 1994, forma parte de los cargos criminales hechos al cartel en la corte del distrito sur de la Florida. Por lo menos tres de los abogados de los Rodríguez y Santacruz Londoño en los Estados Unidos han aceptado rendir testimonio sobre estos y otros sobornos a políticos colombianos.

Pero el proceso 8.000 no es el mismo de Samper: mientras aquél arranca del allanamiento a las oficinas donde Pallomari conservaba buena parte de la contabilidad de los Rodríguez, el último empieza con unas interceptaciones telefónicas hechas por la Policía Nacional a los teléfonos de Alberto Giraldo López, cuya locuacidad hacía pensar sería la punta del hilo que permitiría establecer más fácilmente la forma como se intentaría hacer llegar el dinero a la campaña de Samper Pizano.

Un veterano político consentido de la sociedad capitalina, la misma que le facilitó todas las oportunidades de estudio y avance social, Samper Pizano se había visto involucrado como director de la campaña presidencial de Alfonso López Michelsen en la recepción de unos cheques que Pablo Escobar siempre aseguró sumaban $20 millones. Fue secretario y luego presidente de un gremio de banqueros, Anif, creado por Jaime Michelsen Uribe, cabeza del desaparecido Grupo Grancolombiano, para tener su propio grupo de presión.

Después sería elegido en una asamblea del Banco de los Trabajadores, controlado por Gilberto Rodríguez Orejuela, como miembro de su junta directiva, pero según parece deducirse de unas letras escritas al margen del acta de nombramiento, no tomó posesión del cargo. La elección fue hecha en el primer semestre del 84. Quien luego fuera el abogado de Samper en el juicio ante el Congreso, Luis Guillermo Nieto Roa, también aparece elegido en la junta directiva del mismo banco, y según el registro de la Superbancaria tomó posesión el 3 de mayo del 79. Gilberto Rodríguez se había posesionado dos meses antes en la misma junta.

Samper nunca ha explicado cómo fue elegido en esa junta, ni quién propuso su nombre en la asamblea de accionistas, que para ese momento era casi totalmente controlada por los Rodríguez.

Uno de los misterios del proceso era cómo las cintas de las conversaciones de Giraldo con los Rodríguez llegaron a la prensa y lo develó el jefe de la DEA en Colombia, Joe Toft, en reportaje concedido en The Washington Post al periodista Douglas Farah: la Policía colombiana le había entregado copias de las cintas, pero por alguna razón en el gobierno en Washington sólo se las había empleado para confrontar a Samper Pizano en diálogos oficiales, pero privados. Cuando ya era obvio que las grabaciones no iban a ser hechas públicas, Toft decidió filtrarlas a un periodista colombiano.

Las grabaciones son bastante impresionantes, pero en un primer momento resultaba sencillamente increíble que el candidato del partido mayoritario necesitara semejante inyección de dinero, sobre todo si se tenía en cuenta que a sus espaldas se encontraba el más poderoso grupo industrial del país, el Grupo Santodomingo, que según diversos rumores había invertido él solo más de $3.000 millones. Su oponente, Andrés Pastrana Arango, había rechazado recibir un solo peso de ese mismo grupo, por lo que una victoria del candidato conservador seguramente habría significado un tiempo difícil de manejar para Santodomingo.

Pastrana Arango entregó personalmente copia de las cintas al presidente Gaviria Trujillo, quien ya tenía experiencia en aquello que dijera cuando le entregaron el narcovideo: un presidente no tiene por qué enterarse de la integridad de unas pruebas recaudadas por los servicios de inteligencia en cumplimiento de sus deberes. Gaviria llamó a su ministro de Defensa (¿?), Rafael Pardo Rueda, quien se las pasó a un general, y éste, por fin, a la Fiscalía General de la Nación.

De manera hábil, el fiscal general de ese momento, Gustavo De Greiff Restrepo, cuya hija Mónica había sido tesorera de la campaña de Samper en el primer trayecto de su campaña, asumió la investigación preliminar perso-

SUPERINTENDENCIA BANCARIA

Directores de   BANCO DE LOS TRABAJADORES

Período de   Asamblea general ordinaria de acciones as del 21 de Marzo 1984 Acta No. 18

DIRECTORES	FECHA DE LA POSESIÓN	POSESIÓN ANOTADA CON TARTA DE	OBSERVACIONES
PRINCIPALES:			De Superintende (Sumes)
ERNESTO SAMPER PIZANO			1-011-84
PEDRO LÁZARO			
ALFONSO LOPEZ CABALLERO	21 VI 84		
RAFAEL FORERO FETECUA	21 VI 84		2919607
RAMON BRADFORD HERRERA	21 VI 84		
IVAN ALBERTO PUYO VASCO ✓	21 VI 84		
LUIS ALFONSO PERDOMO			
CARLOS EDUARDO MARTINEZ BARRIOS	20 XII 84		
SUPLENTES:			
GUILLERMO GARCIA RAMIREZ	21 VI 84		
JOSE IGNACIO MARTINEZ ALONSO	21 VI 84		
Jorge Eliecer PEÑUELA SANCHEZ	21 VI 84		
Carlos Jose ESCOBAR QUINTERO	21 VI 84		
MARGARITA PULIDO DE FORERO	21 VI 84		
JOSE TRINIDAD NIÑO RODRIGUEZ	18 X 83		
RODRIGO RAMIREZ OCAMPO	21 VI 84		

nalmente y contra todos los candidatos que habían participado en la contienda electoral, para establecer el "ingreso de dineros provenientes presuntamente de actividades del narcotráfico en las campañas presidenciales de los ciudadanos Ernesto Samper Pizano, Andrés Pastrana Arango y Miguel Alfredo Maza Márquez".

De Greiff no encontró ningún delito imputable a los candidatos, como se deduce de este memorable párrafo de la providencia en que se abstuvo de abrir investigación, del 15 de agosto de 1994:

"E. Las conversaciones contenidas en la cinta magnetofónica que hace parte del expediente, fueron obtenidas sin mandato previo de autoridad judicial competente, ya que como lo informó la Dirección Nacional de Fiscalías, al igual que los organismos respectivos del Ejército y la Policía Nacional, no existió orden judicial en tal sentido, con lo que se colige (sic) la total ilegalidad de tal medio de prueba sobre un hecho presuntamente coinstitutivo de infracción penal, como es la violación de comunicaciones. Quienes intervinieron en la interceptación y subsiguientes grabaciones, son pues unos delincuentes".

SUPERINTENDENCIA BANCARIA

Directores de: BANCO DE LOS TRABAJADORES
Período de: ASAMBLEA GENERAL EXTRAORDINARIA DE
Información corta F.274.85 de Junio 14 de 1985

DIRECTORES	FECHA DE LA POSESION			DIRECTORES	FECHA POS.	
PRINCIPALES:				**PRINCIPALES:**		
1. JORGE RUEDA SAENZ	27	VIII	81	1. LUIS ALBERTO VILLAMIL R.	14	11
2. CARLOS JOSE ESCOBAR QUINTERO	31	VI	84	2. VIRGILIO NUÑEARLE AILAR	3	
3. GUILLERMO VELEZ URRETA	5	XI		3. TULIO CUEVAS R.	11	11
4. SATURIA EUGENIA ESGUERRA PORTOCARRERO				4. DAGOBERTO CHARRY RIVAS	14	11
5. FELIO ANDRADE MANRIQUE				5. JOSE COTREROL JIMENEZ	3	
6. CARLOS EDUARDO MARTINEZ BARRIOS Alfonso	20	IV	84	6. GILBERTO RODRIGUEZ U.	14	11
7. NELSON VERGARA ENCISO	27	VIII	81	7. ANTONIO BELTRAN BALLESTEROS	14	11
SUPLENTES:				**SUPLENTES:**		
1. NICOLAS SALOM FRANCO				1. LUIS GUILLERMO NIETO M.	3	MAYO
2. JORGE ELIECER PEÑUELA SANCHEZ	21	VI	84	2. EDUARDO LOPEZ L.	14	11
3. GUILLERMO GARCIA RAMIREZ	23	VI	84	3. JORGE BULTRAGO	14	11
4. JOSE TRINIDAD NIÑO RODRIGUEZ	18	X	83	4. JAIME FRESNEDA	3	MAY
5. EDUARDO CABRERA DUSSAN	27	VIII	83	5. URIEL ESTRADA C.	14	11
6. RODRIGO RAMIREZ OCAMPO	21	VI	84	6. VICTOR ACOSTA V.	14	11
7. JORGE HUMBERTO RODRIGUEZ PINZON	4		84	7. CARLOS RESTREPO A.	14	11

Los renglones principales de la Junta Directiva del Banco de los Trabajadores, mientras fue controlado por los Rodríguez son todo un semillero de chisme político. Coinciden sindicado y defensor.

La providencia de De Greiff quería evitar malos entendidos, así que no sólo exculpó a los candidatos de haber recibido dineros de la mafia, sino a los intermediarios, de quienes dijo, no se habían tampoco embolsillado el dinero:

"K. En el transcurso de la indagación se efectuaron todas las pesquisas posibles para determinar no sólo si se habían materializado las pretensiones de aportes a las campañas presidenciales por parte de personas a quienes los medios de comunicación y el público consideran envueltas en actividades de narcotráfico y el origen de los ingresos registrados oficialmente por las organizaciones de las mismas campañas, sino también para establecer si algunas personas, las mencionadas en las grabaciones como posibles intermediarios u otras vinculadas con ellas, hubieran incorporado a su patrimonio o empleado en las susodichas campañas de manera irregular o sin registrarlas en los libros y para ello se indagaron cuentas corrientes y de ahorros, sin que tales indagaciones hubieran develado ingresos y gastos irregulares, para fortuna del país".

Pese a no haber abierto investigación penal, De Greiff convocó una rueda de prensa en la que dijo que su decisión hacía tránsito a cosa juzgada, y que nadie más podría remover ese caso.

La fiesta de celebración duró poco.

El 21 de abril de 1995 apareció en un allanamiento un cheque de $40 millones girado a Santiago Medina Serna por Alfredo Perlaza Zúñiga, gerente de Comercializadora Agropecuaria La Estrella, una empresa de fachada de los Rodríguez Orejuela que tenía su cuenta en la sucursal principal del Banco de Colombia en Cali, claro. Perlaza no existía, la empresa era de papel, y el cheque había sido enviado de Cali por un peculiar dirigente deportivo del Valle, Jorge Herrera Barona, más conocido por otros negocios. Medina endosó el cheque y lo devolvió al Comité Financiero de Occidente de la campaña, donde ingresó a las fluidas arcas que lograron la elección presidencial.

El 20 de julio se celebra el día de la independencia nacional, pero en 1995 significó todo lo contrario para Samper. A las seis de la tarde un funcionario diplomático en Miami a quien Samper había exigido la renuncia, Andrés Talero Gutiérrez, y que había estado en una cena privada en casa de Medina, se presentó a la Fiscalía General, y pidió ser escuchado en declaración jurada. Reveló todas las intimidades que Medina había contado, y que hacían expresa referencia a la aceptación de miles de millones de pesos de los Rodríguez Orejuela para financiar la campaña de Samper.

El 26 de julio Medina fue capturado y llevado a rendir indagatoria ante una comisión de fiscales especiales. En la primera sesión, acompañado por un abogado sugerido por el gobierno, Medina negó todos los hechos como había hecho en declaración jurada ante el fiscal De Greiff. Pero al día siguiente revocó el poder conferido a un abogado muy conocido en Cali, Ernesto Amézquita, pidió se le nombrara uno de oficio, y reveló a la Fiscalía cómo se había acordado toda la operación de encubrimiento y maquillaje de una campaña que había costado más de $11.000 millones, casi tres veces lo autorizado en la ley.

Según Medina, el dinero lo recibió en cajas envueltas en papel de regalo de manos de Alberto Giraldo y Eduardo Mestre Sarmiento, un ex congresista que estuvo a puntos de ser designado a la Presidencia, cercano a los Rodríguez que había tenido varias actuaciones conjuntas con ellos, comerciales y personales y más tarde fue encarcelado al descubrírsele pagos tan regulares de cuentas de los Rodríguez, que semejaban un salario mensual.

Donde empieza el testimonio de Medina, termina el relato que meses más tarde haría el tesorero del cartel, Guillermo Pallomari.

Miguel Rodríguez llevaba un riguroso control del dinero que le entraba, por un lado las empresas de apariencia legal que funcionan en Colombia, especialmente las cadenas de droguerías, e intentaba que el dinero que le "bajaban" de Estados Unidos ingresara como certificados de depósito a término en instituciones financieras, para lo que contaba con unas 200 personas que legalizaban las operaciones, por lo general empleados suyos. Los encargados de convertir en pesos los dólares del narcotráfico eran principalmente

D. A pesar de haber existido la intención manifiesta de los señores RODRIGUEZ OREJUELA para entregar dineros a las ya citadas campañas por intermedio del periodista GIRALDO LOPEZ, ello no sucedió, pues de acuerdo con la información financiera obtenida por este Despacho, se logró establecer que, en primer lugar, se verifico por parte de cada campaña un estricto auditaje de las aportaciones hechas, y, en segundo lugar, se tuvo certeza de la licitud de la procedencia de las donaciones recibidas, como se comprobó a través de las pruebas ordenadas por el Despacho y practicadas por el Cuerpo Técnico de Investigación de la Fiscalía General.

REPUBLICA DE COLOMBIA
FISCALIA GENERAL DE LA NACION
DESPACHO DEL FISCAL

Santafé de Bogotá D.C., quince (15) de agosto de mil novecientos noventa y cuatro (1.994).

I. OBJETO DEL PRONUNCIAMIENTO :

Dentro del término establecido en el artículo 324 del Código de Procedimiento Penal, decide este Despacho lo que en derecho corresponda dentro de la presente investigación previa adelantada respecto de grabaciones en las que se alude al ingreso de dineros provenientes presuntamente de actividades del narcotráfico en las campañas presidenciales de los ciudadanos ERNESTO SAMPER PIZANO, ANDRES PASTRANA ARANGO y MIGUEL ALFREDO MAZA MARQUEZ.

F. La investigación arroja la inequívoca conclusión de que en el caso concreto de la campaña adelantada por el Doctor ERNESTO SAMPER PIZANO, desde el inicio se establecieron severos controles de auditoría, con lo que resultó imposible que suma alguna de dinero de dudosa o ilícita procedencia ingresara a las arcas de dicha campaña. De los informes allegados por las campañas de los candidatos ANDRES PASTRANA ARANGO y MIGUEL ALFREDO MAZA MARQUEZ se colige idéntica conclusión. En uno y otro caso resultaba imposible que una alta suma de dinero fuera aportada a las campañas sin que se conociera su procedencia. Menos viable se hacía entonces que una suma cercana a los cinco mil millones de pesos fuera ingresada al patrimonio de aquellas, suma que además, llegaba al límite máximo admitido por las regulaciones electorales vigentes.

I. No constituye conducta penal el hecho descrito en las conversaciones en cuanto que personas que se encuentran sub-judice intente por interpuesta persona hacer aportes a campañas políticas. De aquí se desprende el inequívoco pronunciamiento de este Despacho en el sentido de que el hecho investigado es ATIPICO, pues tal postulado fáctico no se encuadra dentro de ninguna de las disposiciones penales vigentes.

El fiscal De Greiff se abstiene de abrir proceso contra Samper por el ingreso de dinero del narcotráfico para la campaña.

Fernando Arango, Salomón Prado, Diego y Henio Castro, Isaac Beckerman y Jairo Aparicio.

Todo el dinero proveniente del narcotráfico se llevaba a tres cuentas corrientes abiertas en la oficina principal del Banco de Colombia en Cali, identificadas en los libros de contabilidad como LTD1, de Agropecuaria La Estrella, que maneja principalmente dinero de Miguel Rodríguez; LTD2, de Comercializadora El Diamante, con dineros de los dos hermanos Rodríguez Orejuela, y LTD4 Especial, de Export Café. El banco le enviaba todas las chequeras a Miguel Rodríguez, quien las hacía firmar en blanco y de una sola vez por los empleados cuya firma se hubiera registrado en el banco, y las conservaba en su poder.

LTD4, o Export Café Ltda., se nutrió con unos $7.000 millones, un 60 por ciento de sus fondos provenientes de los hermanos Miguel y Gilberto Rodríguez Orejuela, José Santacruz Londoño y Helmer Herrera Buitrago. El 40 por ciento restante lo aportaron distintos narcotraficantes del Valle, de acuerdo con una lista confeccionada por El Historiador Miguel Rodríguez, y que según la opinión más generalizada entre los investigadores de la Fiscalía fue la que se halló en su poder cuando fue capturado en Cali. Los giros de esa cuenta, de donde también salió dinero para varias campañas de congresistas, sólo los hacía o autorizaba directamente Miguel Rodríguez.

Por alguna razón que no se ha dilucidado todavía en la investigación, se giraban tandas de tres cheques, dos por $200 millones y uno por $100 millones. Miguel Rodríguez llamaba el día anterior a una secretaria del Banco de Colombia para que le tuvieran listo el dinero en billetes de $10.000, que recogía Jesús Zapata, y lo metía en tulas.

Así lo describe Pallomari:

"El dinero se llegaba a las instalaciones donde estaba el señor Miguel Rodríguez y se empacaba en cajas envueltas en papel de regalo, yo personalmente participé en la organización de esas cajas; una vez que las cajas estuvieran empacadas en papel de regalo el señor Jesús Zapata trasladaba a un avión perteneciente al señor Helmer Herrera o Pacho Herrera, o a un avión del señor José Estrada Ramírez. Estos aviones estaban parqueados en una finca que tenía el señor Herrera en la ciudad de Jamundí. El que estaba encargado de pilotear esos aviones era un señor que le dicen Benitín, no conozco el nombre, en el avión estaban esperando esas cajas el señor Tulio Murcillo, hermano de Julián Murcillo; el dinero se trasladaba de Cali a Bogotá y en Bogotá lo estaba esperando el señor Alberto Giraldo. Una vez que Alberto Giraldo tenía el dinero en su poder se comunicaba con el señor Miguel Rodríguez para informarle que todo había salido bien. De esa manera se hacía la operación para la entrega de dinero".

Las coincidencias en los testimonios podrían seguir sacándose por cantidad, pero sólo valdría citarse una bien relevante. Santiago Medina y el director administrativo de la campaña, Juan Manuel Avella, coinciden en que a un proveedor de la campaña, Mauricio Montejo, Alberto Giraldo le pagó cuentas de papelería de la campaña por $190 millones.

Montejo aceptó, bajo la gravedad del juramento, que Giraldo, en presencia de Julián Murcillo Posada, le pagó los $190 millones en efectivo.

La representante a la Cámara María Izquierdo de Rodríguez, que había tenido otros negocios con los hermanos Rodríguez Orejuela, también reconoció que unos días antes de las elecciones recibió millones de pesos que Santiago Medina sacó de unas cajas envueltas en papel de regalo. Cuando la congresista hizo esta revelación en público, durante una sesión de la Cámara que estaba siendo transmitida en directo por la televisión a todo el país, el gobierno cortó en seco la transmisión.

Varios tesoreros regionales de la campaña de Samper también reconocieron en declaraciones bajo la gravedad del juramento sobre las gruesas cantidades de dinero en efectivo que se les entregaron en los días previos a las elecciones, entre ellas las de Guillermo Villaveces, tesorero de la campaña en Bogotá, y Belén Sánchez Cáceres, y ratificadas en la misma línea por otros empleados de la misma campaña, como Leonardo García Suárez, Luz Esmeralda Peñaloza Buenhombre, y Alba Patricia Pineda de Castro. De todos los tesoreros que recibieron dinero en efectivo, sólo el de Boyacá regresó unos millones, que todavía se emplearon en pagar otras deudas pendientes.

Cotización en la campaña Samper para comprar 500.000 botellas de ron para las elecciones en la costa Atlántica.

En el documento de cargos criminales aprobado por un Gran Jurado de la Corte del Distrito Sur de la Florida, también se acusa a los miembros del cartel de Cali de haber pagado sobornos a políticos colombianos, y se proporcionan varios hechos adicionales, que no se habían publicado en Colombia.

Según la acusación, a nombre de un Hernán Gutiérrez se abrió una cuenta en el Banco de Colombia de Cali, representante de Export Café, en los primeros días de 1994. Esa cuenta se alimentó con dineros provenientes de Miguel y Gilberto Rodríguez, José Santacruz Londoño y Helmer Herrera Buitrago, y de ella se tomaron en marzo siguiente US$2 millones, o $2.000 millones, se empacaron y fueron enviados bajo supervisión de Miguel Rodríguez, a varios candidatos colombianos, que no individualiza.

La operación física de ese dinero estuvo a cargo, dice el documento, de Jorge Castillo, el conductor y guardaespaldas desde 1985 de Miguel Rodríguez; Jesús Zapata, también su guardaespaldas, y quien abrió la cuenta de Export Café en el Banco de Colombia con el nombre de un Hernán Gutiérrez, y Sonia Domínguez, la contadora personal de Miguel Rodríguez, y quien además se encargaba de traducirle los Indictments o pliegos de cargos criminales que se le formularan a miembros del cartel, y que le enviaban sus abogados de los Estados Unidos.

Los tres, Castillo, Zapata y Domínguez, tienen juicio pendiente en los Estados Unidos como miembros operativos del cartel de Cali.

En mayo del 94, Miguel Rodríguez invitó a Francisco A. Laguna, su abogado en Miami y socio de la oficina de abogados de Michael Abbell en Washington, a una reunión privada en Cali, en la que ante varias personas se ufanó de haber aportado US$3 millones a una sola campaña política colombiana, y aseguró que su hermano Gilberto haría contribuciones adicionales a la misma campaña.

En junio del 94 Jorge Castillo, Jesús Zapata y Sonia Domínguez prepararon bajo la dirección de Miguel Rodríguez el último envío de dinero a la campaña, para totalizar US$6 millones, que fueron transportados de Cali a Bogotá por Tulio Murcillo Posada.

SAMPER
PRESIDENTE

RELACION GIROS TESORERIAS

DEPARTAMENTO		TOTAL
ANTIOQUIA	$	320.450
ATLANTICO		140.000
BOLIVAR		240.000
BOYACA		50.000
CALDAS		60.000
CAUCA		95.000
CESAR		50.000
CORDOBA		80.000
C/MARCA		90.000
BOGOTA		97.800
CHOCO		40.000
NARIÑO		60.000
CAQUETA		10.000
RISARALDA		40.000
NTE. DE SANTANDER		80.000
QUINDIO		40.000
SANTANDER		60.000
SUCRE		100.000
TOLIMA		52.500
VALLE		225.000
ARAUCA		15.000
CASANARE		20.000
GUAJIRA		63.000
GUAINIA		10.000
META		24.000
GUAVIARE		10.000
AMAZONAS		9.000
VICHADA		10.000
VAUPES		10.000
MAGDALENA		50.000
HUILA 1		22.200
HUILA 2		20.000
MVTO INDIGENA COLOMBIANO		15.000
NEGRITUDES 1		12.000
NEGRITUDES 2		5.000
PUTUMAYO		15.000
SAN ANDRES		5.000
SAMUEL MORENO ROJAS		10.000
TOTAL		2.285.950.000.00

Relación de los giros en dinero efectivo hecho por la Tesorería de la campaña Samper presidente, y que en su mayoría aceptaron haber recibido.

En esa misma época, prosigue la acusación, Miguel Rodríguez Orejuela envió representantes del cartel para negociar un compromiso con el mismo político candidato para acordar el sometimiento a la justicia de los cuatro cabecillas miembros del cartel, en un acuerdo que les garantizara pasar no más de cinco años en una cárcel que ellos mismos construirían, o ya existente, pero que se la permitiera adecuar con dineros del mismo cartel.

Esos mismos delegados visitaron luego al candidato de la campaña financiada por los Rodríguez Orejuela, Santacruz y Herrera, para celebrar un pacto que los protegiera de la extradición.

A finales del 94, afirma la acusación, Miguel Rodríguez Orejuela redactó un borrador de proyecto de ley que contemplaba el desmonte parcial del delito de enriquecimiento ilícito en Colombia, para ser discutido en el Congreso.

En ese momento, evidentemente, el Senado aprobó en dos sesiones y casi anónimamente, un artículo que apareció como adición a un proyecto de ley. Cuando el artículo se iba a aprobar, casi todos los ministros habían sido citados a otras comisiones como maniobra distractiva. Infortunadamente para

```
118.  In or about 1990, MIGUEL RODRIGUEZ-OREJUELA, on behalf of
himself, GILBERTO RODRIGUEZ-OREJUELA, Jose Santacruz-Londoño and
HELMER HERERRA-BUITRAGO, solicited members of the Colombian
Constitutional Assembly willing to accept payment in exchange for
voting against the inclusion of provisions permitting the
extradition of Colombian nationals in the Colombian Constitution.

120.  In or about early 1991, MIGUEL RODRIGUEZ-OREJUELA caused
the delivery of a number of payoffs to members of the 1990-1991
Colombian Constitutional Assembly for their votes against the
inclusion of a provision permitting the extradition of Colombian
nationals in the Colombian Constitution.

222.  On or about November 29, 1991, MIGUEL RODRIGUEZ-OREJUELA
directed Harold Ackerman to provide a courier with $86,000 to
transport to a member of the 1990-1991 Colombian Constitutional
Assembly.

223.  On or about November 29, 1991, the courier employed by
Harold Ackerman at the direction of MIGUEL RODRIGUEZ-OREJUELA,
delivered approximately $86,000 to a member of the 1990-1991
Colombian Constitutional Assembly.
```

Facsímil del indictment contra Miguel Rodríguez, donde lo acusan de redactar el proyecto para acabar con el delito de enriquecimiento ilícito.

ellos, la que citó al entonces ministro de Justicia, Néstor Humberto Martínez, no pudo hacer quórum y el funcionario abandonó la comisión. Un par de periodistas que se lo cruzaron en el camino le preguntaron extrañados que si no iba a oponerse a lo que en los corrillos del Congreso ya denominaban el narcomico.

Martínez se dirigió a la plenaria, pidió ser escuchado, mientras algunos congresistas lo increpaban y le preguntaban qué hacía ahí en ese momento, si todo ya estaba acordado. El ministro Martínez llamó al fiscal Alfonso Valdivieso Sarmiento, quien hizo una enérgica intervención, que ocasionó el aplazamiento de la discusión.

Samper Pizano intentó restarle importancia al artículo, diciendo que si se llegara a aprobar él se comprometía a objetarlo, lo que no garantiza su hundimiento, pues el Congreso puede insistir en su validez.

Al final la Cámara no soportó el escándalo que se estaba generando por el artículo, porque los periodistas empezaron a indagar por el nombre del autor del proyecto, que nunca apareció, y decidieron rechazarlo.

478. In or about May 1994, Francisco Laguna attended a meeting with MIGUEL RODRIGUEZ-OREJUELA, wherein MIGUEL RODRIGUEZ-OREJUELA stated that he and GILBERTO RODRIGUEZ-OREJUELA would make additional contributions towards the campaign of a politician.

479. In or about June, 1994, the final portion of cash contributions totalling $6,000,000 from MIGUEL RODRIGUEZ-OREJUELA, GILBERTO RODRIGUEZ-OREJUELA, Jose Santacruz-Londoño, HELMER HERRERA-BUITRAGO was withdrawn from a Banco de Colombia bank account in the name EXPORT CAFE, LTDA, counted and packaged for delivery to a Colombian political campaign by JORGE CASTILLO, JESUS ZAPATA and SONIA DOMINGUEZ, under the supervision of MIGUEL RODRIGUEZ-OREJUELA.

480. In or about June, 1994, the last in a series of Colombian campaign contributions from MIGUEL RODRIGUEZ-OREJUELA, GILBERTO RODRIGUEZ-OREJUELA, Jose Santacruz-Londoño and HELMER HERRERA-BUITRAGO and other traffickers was transported to Bogota, Colombia by TULIO MURCILLO-POSODA from Cali, Colombia.

481. In or about June, 1994, MIGUEL RODRIGUEZ-OREJUELA sent representatives of the Enterprise to negotiate an agreement with a political candidate, for the surrender of MIGUEL RODRIGUEZ-OREJUELA, GILBERTO RODRIGUEZ-OREJUELA, Jose Santacruz-Londoño and HELMER HERRERA-BUITRAGO in exchange for five-year jail terms at a jail to be built or an existing jail to be improved with Enterprise money.

482. In or about June, 1994, MIGUEL RODRIGUEZ-OREJUELA sent representatives of the Enterprise to negotiate an agreement with a political candidate, on behalf of MIGUEL RODRIGUEZ-OREJUELA, GILBERTO RODRIGUEZ-OREJUELA, Jose Santacruz-Londoño and HELMER HERRERA-BUITRAGO for protection from extradition.

Facsímil del indictment contra el Cartel, por la financiación de la campaña de Samper.

Una curiosa relación de aportes a la campaña Samper presidente.

A las pocas semanas, varios congresistas y ex congresistas acusados de recibir dinero del cartel de Cali empezaron a ir a la cárcel, y otros a perder su investidura por haber intentado legislar en causa propia.

El indictment, de 207 páginas, no menciona el nombre del candidato de los sobornos, pero la coincidencia en los hechos conocidos por los demás testimonios, no se presta a dudas: son cargos hechos a Ernesto Samper Pizano, el presidente que nos merecimos los colombianos luego de décadas de no ser conscientes de la gravedad interna que nos significa el problema del narcotráfico.

Según se afirma, el gobierno norteamericano cuenta con varios testigos secretos hasta ahora en relación con estos hechos, como un abogado de Armenia que participó en varias reuniones.

Esos fueron los hechos más sobresalientes de la campaña política de 1994, pero no los únicos. En una de sus largas sesiones de indagatoria, Santiago Medina Serna entregó fotocopia de un fax en el que un conocido lavador de dólares del cartel, Nelson Urrego Cárdenas, enviaba US$100.000 a la campaña de Samper. Urrego era cercano a Elizabeth Montoya de Sarria, asesinada el primero de febrero del 96, y quien habría entregado US$30.000 a la campaña para la celebración de la victoria en el exterior, y que, según confesiones del edecán del Palacio presidencial, el mayor Osorio, debieron repartirse entre todos los escoltas para prevenir cualquier problema en la Aduana. Por una grabación entre Samper y Elizabeth Montoya, en la que también interviene Medina, la Sarria habría donado un anillo de diamantes a la primera dama, Jacquin Strouss de Samper, el día de su cumpleaños. A través de empleados de un hotel de los Sarria en San Andrés, habrían hecho aportes a la campaña en varios cheques girados contra el Banco del Estado, que superan el centenar de millones de pesos.

El jefe de debate de la campaña, Horacio Serpa Uribe, viajó en una ocasión a San Andrés en un avión de los Sarria a llevar dinero en efectivo para la tesorería regional, aunque el ministro lo niega y asegura que sólo asistió a un mitin político en la isla. Otros testimonios lo vinculan en una relación estrecha con Ignacio Londoño, un viejo político del Valle del Cauca que habría hecho importantes aportes económicos a la campaña, provenientes del cartel del Norte del Valle.

En la actualidad la Fiscalía investiga unos nuevos hechos de financiación ilegal de la campaña de Samper, que compromete a nueve congresistas de la Costa Atlántica, y de acuerdo con la cual el Pallomari del cartel de Medellín, Eduardo Martínez Romero, condenado en los Estados Unidos por lavado de dinero, pero que ya está en Colombia con una identidad diferente, habría aportado más de $400 millones en efectivo a la campaña. Un hermano de Martínez Romero fue gobernador de Sucre.

Víctor Patiño Fómeque, el transportador del cartel, asistió también a una cena en el restaurante de Casa Medina, en Bogotá, donde habría pagado unos veinte millones de pesos por él y los amigos que lo acompañaron.

El 22 de enero del 96, cuando llevaba seis meses preso, el director general de la campaña Samper Presidente, Fernando Botero Zea, decidió colaborar parcialmente con la justicia, porque jamás reconoció que le constara que él hubiera participado en la recepción de dineros del narcotráfico, aunque reconoció explícitamente que sí ingresaron dineros del cartel a la campaña. Y en esencia justificó la financiación en el hecho de que la campaña de Ernesto Samper Pizano era un imposible político y un exabrupto metafísico. Esa era la conclusión de resumen a que los llevaba el último sondeo contratado, a un costo de US$250.000, a los mismos asesores que habían hecho la jugada imposible, derrotar a George Bush en sus aspiraciones por la reelección, cuando podría reclamarse como el vencedor de la guerra fría y el soldado victorioso de la madre de todas las batallas, la librada contra Sadam Huseein en territorio iraquí.

Hacía una semana que Peter de Hart les había entregado el sondeo más amplio jamás realizado en el país, y que les demostraba que: la clase política era vista por el 60 por ciento de los colombianos como el problema más grave del país, seguidos por la guerrilla con el 22 por ciento y el narcotráfico, con sólo el 16% de los colombianos que lo asumían como un problema. Pero si eso era grave, más lo era la segunda conclusión, que Samper era visto como parte de esa clase política, y en consecuencia más como parte del problema que como eventual factor de solución. En resumen, que el 60% de los colombianos no estaba dispuesto a hacer presidente a Samper, y el margen restante era tan leve por distribuirse entre los grupos políticos distintos al suyo, que su candidatura sencillamente no era viable.

El conocimiento de estas cifras, con todo y los márgenes de error que se les quisiera adjudicar, aunque la muestra no reconocía más de un dos por ciento, provocó verdadero pánico entre los miembros del staff, que resolvieron plantear la necesidad de una precampaña de imagen lo suficientemente fuerte como para contrarrestar a cualquier rival.

Y eso cuesta mucho dinero. La campaña de Samper se basó en publicidad de radio y televisión, a nivel nacional y regional, pero la Fiscalía nunca indagó por las órdenes de emisión y de pago a la empresa que manejó esa función, la comercializadora Radiodifusores Unidos, que habría arrojado resultados con el cruce entre las órdenes de trabajo recibidas en las estaciones de emisión y las expedidas por Radiodifusores.

El gerente de la comercializadora, Roberto Prieto Uribe, aseguró cuando le pedí esos papeles que "los había botado" porque se había pasado a una oficina más pequeña. Los comerciantes están obligados a guardar sus facturas durante diez años. También me aseguró que la Fiscalía no se los había pedido, ni inquirido por ellos.

La investigación fue trasladada a la Cámara de Representantes, donde Samper fue absuelto por una mayoría absoluta, sobre la base de que no se había demostrado que el candidato se hubiera enterado de los movimientos de la campaña, y que, como él lo dijo, si entró dinero de la mafia de Cali fue a sus espaldas.

En el expediente de la Cámara figuraba, aparte de la completa investigación de la Fiscalía, el pliego de cargos formulado por el Consejo Electoral a Samper, en el que se asegura que *"de los apartes extractados textualmente de los distintos medios de prueba se puede inferir que el doctor Ernesto Samper Pizano inauguró, perteneció y dirigió el Comité Financiero Nacional, dependencia al parecer encargada de orientar la parte financiera de la campaña Samper Presidente por lo cual, es posible deducir que el candidato era conocedor de algunas operaciones de tipo financiero tanto de ingresos como de egresos, al igual que la situación de liquidez e iliquidez de su campaña; máxime cuando sus más inmediatos colaboradores Fernando Botero Zea y Santiago Medina Serna, al igual que algunos testigos como el caso del señor Javier Alfredo Ortiz, afirman que existían personas que enteraban al candidato mediante relación semanal sobre las captaciones y gastos de la campaña".*

Con base en esa afirmación, el Consejo Electoral, que es el organismo de control financiero de las campañas pues le compete ordenar los reintegros por gastos en las elecciones, le formuló los siguientes cargos hace más de seis meses, y que al cierre de esta edición todavía no se han resuelto:

Uno de los comités financieros de la campaña Samper, a los que asistió el candidato, con todos sus asesores.

"1. Haber permitido en su condición de Candidato a la Presidencia de la República, que en los informes públicos y en la rendición de cuentas, presentadas ante el Consejo Nacional Electoral, no se relacionara la totalidad de ingresos y egresos pertenecientes a la campaña.

La anterior conducta, puede ser constitutiva de infracción al artículo 109 de la Constitución, y los artículos 18, literal c), 20 (incluido el parágrafo) y 21 de la Ley 130 de 1994.

2. Haber sobrepasado los topes de gastos fijados por el Consejo Nacional Electoral para la campaña presidencial de 1994. En efecto, hay prueba de que los egresos de la Campaña ascendieron a $11.287'625.118, cuantía que superó el tope legal de $4.000'000.000.

Esta conducta puede ser constitutiva de infracción al artículo 14 de la Ley 130 de 1194".

El Consejo Electoral no hace sin embargo referencia en su investigación a los dineros que se movieron a través de la Asociación Amigos del Medio Ambiente, que también apoyó a la campaña bajo la dirección de la esposa del candidato.

Santiago Medina fue condenado a 64 meses de prisión y Fernando Botero a 63, ambos como responsables del delito de enriquecimiento ilícito en favor de un tercero.

Ambos fueron hallados culpables de hacer "parte de toda una organización que ideó, planificó, y ejecutó la consecución de millonarias sumas (de dinero) ilícitas con el fin de financiar la pasada campaña presidencial, en una división funcional de tareas".

Botero Zea aceptó "paladinamente el ingreso de importantes sumas de dinero provenientes del cartel de Cali, a la campaña del hoy presidente Ernesto Samper Pizano, quien no solamente sabía de ello sino que adicionalmente estaba seriamente comprometido en tales acontecimientos".

El proceso 8.000 propiamente dicho, el relacionado con los congresistas vinculados con los pagos de los Rodríguez Orejuela, partió de la identificación de las cuentas corrientes que tenían los Rodríguez Orejuela, por sí mismos, a través de testaferros o de empresas de fachada abiertas con documentos de identidad que conseguía Julián Murcillo, y que se hallaron principalmente en los bancos de Colombia, Andino, Ganadero, Nacional del Comercio, Cafetero, del Estado e Industrial Colombiano.

Los bancos entregaron los cheques por solicitud de la Fiscalía, y como medida para acabar con las amenazas que los miembros del cartel empezaron a ejercer sobre los empleados a quienes antes pagaban comisiones, para que desaparecieran las fichas de las cuentas.

Esos cheques fueron clasificados y guardados en una bóveda blindada, en cajas como las de guardar zapatos, para facilitar su consulta. A continuación el equipo de fiscales sin rostro hizo una especie de árbol genealógico de cada cheque, para establecer origen, a favor de quién se giraba, y en qué cuenta terminaba finalmente consignado, pues en muchos casos figuraban a nombre de secretarias, familiares o empleados, o se empleaban en pagar proveedores de empresas personales, con lo cual la labor se convertía en titánica.

Algún día se les podrá conocer el rostro a estos siete fiscales anónimos, que han cumplido la labor de destape de la corrupción política más importante de la historia del país, aunque la pasión maniaca de Miguel Rodríguez por conservar hasta las colillas de las chequeras ya vacías contribuyó en buena parte a descubrir los giros de "champaña", como llamó las cuentas de donde salió el dinero para los políticos del 8.000.

Otra contribución notable a su trabajo provino del tesorero Pallomari, quien enumeró a los congresistas y hombres públicos que solían tener un contacto más frecuente con Miguel Rodríguez: Armando Holguín Sarria, María Izquierdo de Rodríguez, Rosemberg Pabón, Carlos Abadía, Orlando Vásquez Velásquez, Samuel Moreno Rojas, Carlos Espinoza Facio-Lince, Gustavo Espinoza, Miguel Mottoa, Francisco José Jattin, Gustavo Rodríguez, Alberto Santofimio, Alonso Lucio, Rodolfo González, Tiberio Villarreal, David Turbay, Manuel Francisco Becerra, Rodrigo Garavito, Hugo Castro Borja, Ana Pechtalt, Roberto Gerlein y Jaime Lara Arjona.

Gustavo Rodríguez niega haber recibido dinero de los Rodríguez, y afirma que su único contacto con ellos se debió a una labor de intermediación para impedir una guerra que podría haber enfrentado al cartel con las organizaciones más conocidas de los esmeralderos, como la de Víctor Carranza.

Por los más de 40.000 cheques girados por los Rodríguez Orejuela, cursan en la Fiscalía unas 800 investigaciones, de las cuales ya han surgido unos 60 procesos penales. Ante la contundencia de los sumarios, algunos de los políticos procesados aceptaron los cargos y han solicitado la sentencia anticipada, para hacer menos gravosa la condena.

El senador tolimense Alberto Santofimio Botero renunció primero a su curul luego de ser detenido el 15 de diciembre del año pasado, y fue condenado en primera instancia a pagar 54 meses de cárcel y una multa equivalente a su enriquecimiento ilícito, $100 millones, en dineros que habían recibido personas cercanas suyas y que terminaron en buena parte desviados a financiar la construcción de un hotel.

La senadora María Izquierdo de Rodríguez, vinculada a un proceso por figurar recibiendo $57 millones de las empresas de los Rodríguez Orejuela, y que asegura empleó para pagar el rescate de su marido, así como en la campaña presidencial de Samper. Esta fogosa política boyacense decidió colaborar con la justicia, y fue condenada a 56 meses de prisión por enriquecimiento ilícito y al pago de una multa por el mismo valor de lo recibido. Lleva detenida más de seis meses.

Gustavo Espinoza Jaramillo, senador liberal del Valle del Cauca, defensor en el Congreso de controvertidos proyectos que podían redundar en beneficios penales para la mafia, está acusado de haber recibido más de $30 millones. Ya aceptó los cargos, y espera la sentencia condenatoria, pero se le adelanta otra investigación en diligencias preliminares. Lleva preso ocho meses.

A Armando Holguín Sarria, también senador liberal por el Valle, ex embajador en Bulgaria y miembro de la comisión de la Constituyente que propuso prohibir la extradición, le aparecen girados seis cheques provenientes de empresas de los Rodríguez Orejuela. Fue detenido el 22 de abril del 96 por decisión de la Corte Suprema de Justicia.

Rodrigo Garavito Hernández, representante a la Cámara por Caldas, renunció a su curul para conservar el escaño en su lista. Ha sido el más controvertido de todos los detenidos, pues a pesar de aparecer su nombre en varios cheques y listas de los Rodríguez, en uno de ellos en un extraño viaje a México todavía por dilucidar, libra una batalla con el apoyo indirecto del contralor general David Turbay, para que se conozca el papel jugado por los bancos de Cali, que permitieron más de 2.500 operaciones de lavado de algo más de $64.000 millones. La Fiscalía ante la Corte le formuló resolución acusatoria por un enriquecimiento ilícito de más de $400 millones, y falsedad en documentos públicos. A raíz del reciente descubrimiento de otra cuenta de los Rodríguez, la Fiscalía tiene su nombre pendiente para decidir si se configura otro caso que amerite otra investigación. David Turbay maneja un maletín vinotinto en cuyo interior guarda centenares de fotografías y copias de registros de Cámara de Comercio con sociedades de políticos y narcotraficantes. Turbay es a esta altura practicamente el único de todos los investigados en el proceso 8.000 que no ha rendido indagatoria.

Tiberio Villarreal Ramos, detenido, es un representante a la Cámara por Santander que aparece haciendo varias transacciones con empresas de los Rodríguez, mientras que una declaración jurada lo vincula con el funcionamiento de los grupos paramilitares que operan en su departamento.

José Guerra de la Espriella, representante liberal de Sucre, fue uno de los defensores más aguerridos del narcomico que pretendía limitar el delito de enriquecimiento ilícito. Ahora está detenido con una doble incriminación, la hecha en su contra por el controvertido empresario César Villegas, también detenido por nexos con los Rodríguez, y que asegura recibió dinero del cartel para su campaña política, y otra derivada de la minuciosa contabilidad de los Rodríguez.

El ex presidente de la Cámara de Representantes Alvaro Benedetti Vargas, está detenido desde abril pasado a disposición de la Corte Suprema, a la que no pudo explicar ingresos por $45 millones, que le figuran como hechos llegar por el cartel de Cali . La representante de San Andrés Ana García de Pechtalt se encuentra detenida desde junio pasado, bajo cargos de haber recibido más de $30 millones en cheques de los Rodríguez Orejuela. La isla se había convertido en los últimos años en el auténtico paraíso de los miembros del cartel de Cali, que habían descubierto sus hoteles como la fuente más rentable y segura de lavar centenares de millones de pesos.

José Ramón Elías Náder, era un senador liberal de Córdoba, que renunció a la curul tan pronto se inició en el Senado de la República la discusión del controvertido proyecto de reforma constitucional para reinstaurar la extradición. La Corte lo investigaba por haber recibido un cheque de $20 millones del cartel, pero a raíz de su renuncia el proceso pasará a la justicia regional, que resolverá su situación jurídica.

Carlos Herney Abadía Campo, senador del Valle, aparece recibiendo varios cheques del cartel de Cali, y está siendo procesado en la Corte por esos hechos. Los conservadores Hugo Castro Borja y Alvaro Mejía López, del Valle, son investigados por haber recibido también pagos de cuantía todavía no plenamente establecida de empresas de los Rodríguez. El primero aparece también en la relación de amigos frecuentes de Miguel Rodríguez que entregó Pallomari a la Fiscalía, transcrita antes.

Castro Borja acaba de ser detenido.

También son investigados por la Corte, en una etapa inicial, Francisco José Jattin, Miguel de la Espriella Burgos, Freddy Sánchez Arteaga y Carlos Augusto Celis.

Eduardo Mestre Sarmiento, liberal de Santander, está pendiente de que se le dicte sentencia, luego de no haber podido desvirtuar que una serie de pagos periódicos de $5 millones de empresas de los Rodríguez Orejuela fueran un salario.

El del controvertido ex procurador general de la Nación Orlando Vásquez Velásquez ha sido uno de los casos más difíciles de investigar en la Fiscalía, pues desde varios años atras había cancelado todas sus cuentas en la banca y las corporaciones de ahorro. Los cheques girados a su nombre eran monetizados en las ventanillas de los bancos, donde obviamente se perdía el rastro del dinero. Un veterano profesor de derecho penal en Antioquia, la mayoría de sus compañeros resultaron asesinados, incluidos algunos de sus socios políticos, en quienes quiere hacer recaer la responsabilidad de los dineros que aparecen girados a su movimiento. Su hija vivía con un conocido mafioso de Fredonia, Antioquia, que huye de la justicia desde hace varios meses. Fue ministro de Barco Vargas por un breve tiempo, pero el mismo presidente le pidió la renuncia al cargo un par de meses después de posesionado. En esos momentos se libraba una gran batalla contra el cartel de Medellín.

La Corte decidió suspenderlo en sus funciones, y luego destituirlo, pero de todas maneras Vásquez Velásquez siguió manejando una soterrada operación jurídica que inútilmente buscaba minar la credibilidad del fiscal Valdivieso Sarmiento, mientras que se formulaban pliegos de cargos continuos a la comisión de fiscales sin rostro por presuntas moras en el trámite de los procesos, supuesto desconocimiento de los derechos de sindicados de narcotráfico, y otro tanto se intentaba hacer con el vicefiscal Adolfo Salamanca.

La Fiscalía identificó finalmente varios pagos indirectos a Vásquez, mientras que le exigió acreditar pagos de muchos de sus consumos, como un apartamento en Bogotá, que era de propiedad del narcotraficante Guillermo Ortiz, y así por primera vez en la historia del país un procurador, cuya misión teórica es la defensa de la sociedad frente al Estado, terminó en la cárcel por aprovecharse de esa institución en provecho propio. La fortaleza de Vásquez Velásquez en la Procuraduría no puede explicarse sino en el hecho de que sus agentes eran los únicos que podían participar en la investigación en el Congreso contra Samper Pizano, y en efecto lo hicieron para coadyuvar la petición de absolución del abogado de Samper.

Manuel Francisco Becerra Barney, ex contralor, ex ministro y ex gobernador del Valle, y ex miembro de la junta directiva del club de fútbol América, controlado por los Rodríguez, también se encuentra detenido y sujeto a resolución acusatoria por haber manejado dinero del cartel en la campaña de Samper, siendo funcionario público, unos $300 millones según Pallomari, y en cinco departamentos del sur del país, según Santiago Medina, quien aportó como prueba un manuscrito de Samper en el que se leen los nombres de los departamentos a su cuidado.

El representante Sergio Chavarriaga figura en varios documentos de inteligencia como hombre cercano al cartel del Norte del Valle, como el también representante Carlos Alberto Oviedo, quien reconoció en público haber representado intereses de José Santacruz Londoño. Los congresistas hablan de otro representante, a quien no aceptan identificar, pero lo llaman en confianza Cartelo, porque era el encargado de hablar a nombre de Pacho Herrera.

El senador Mario Uribe y el representante William Vélez, ambos antioqueños y de la misma corriente política, que gira en torno de los movimientos políticos que respaldan al gobernador de Antioquia y al alcalde de Medellín, están en la Comisión Primera de cada cámara, el filtro por donde debe pasar todo proyecto de interés para los carteles de la droga. William Vélez afirma haber sido atacado por Pablo Escobar y nunca su aliado.

El presidente Samper, antes de posesionarse, dijo en una entrevista a la revista Time que los congresistas con vínculos con la mafia "eran cinco o seis", pero la cifra ni siquiera representa a los de la Costa Atlántica, entre los que hay sobrinos de mafiosos condenados, como los Dávila, contrabandistas de cigarrillos, la forma más socorrida de lavar dinero, como Santa López Sierra. La Fiscalía adelanta además las investigaciones contra otros narcotraficantes, como Pastor Perafán Homen, Guillermo Ortiz Gaitán y Jesús Amado Sarria, quienes mantenían bajo control buena parte de los políticos de Bogotá y Cundinamarca, su área de influencia.

Perafán lleva oculto varios meses en una población de Cundinamarca, bajo protección de algunos de esos políticos, especialmente conservadores, que lo convencen de no entregarse a la justicia más por provecho propio que del mismo narcotraficante. Ortiz aparece en una foto con Samper Pizano en una manifestación en Girardot, la zona que logró penetrar gracias al apoyo de Marta Catalina Daniels, la representante a la Cámara por esa región de Cundinamarca. Sarria manejaba una infraestructura de políticos liberales y conservadores en Quindío, Caldas y Cundinamarca, pero la investigación de la Fiscalía ha debido concentrarse en unos pagos periódicos de US$7.000 y US$10.000 hechos a lo largo de cinco años a un político de renombre nacional, pero cuyo nombre no ha podido ser confirmado.

Los miembros del cartel del Norte del Valle son especialmente de filiación política conservadora, como en el caso de Efraín Hernández, quien hizo importantes donaciones que se investigan actualmente a los políticos de ese partido que aspiraron a distintas corporaciones.

A nivel regional y local, en Asambleas y Concejos, que ejercen cierto control sobre la Policía que se les asigna, la penetración de la mafia es todavía más notoria, mientras que se calcula que al menos el 30 por ciento de los alcaldes elegidos popularmente, en todo caso más de 300, lo han sido con el apoyo de barones de la droga que también hacen las veces en esos municipios de caciques políticos.

Esa es la situación que afronta hoy Colombia en el tema del narcotráfico y los peligrosos vínculos con la política y, por eso mismo, sobre la democracia. De su capacidad de enfrentar esa forma de corrupción, depende buena parte su futuro próximo, si se está dispuesto a respaldar la acción de la Fiscalía en su operación a la colombiana de manos limpias.

Capítulo IX

La internacionalización del problema

El rumbo que tomará cada año la lucha contra el narcotráfico en los países del área andina es siempre inesperado, porque por lo general no corresponde a una estrategia propia, a una visión global del conjunto de sus peculiaridades, y por eso mismo a la adopción de unas herramientas autóctonas para enfrentar ese flagelo. Muy al contrario de eso, lo que con más frecuencia se puede hallar es la implementación de una política reactiva o consecuente, según el gobierno de turno, a la política diseñada en los Estados Unidos.

Y los Estados Unidos no es que lo tenga precisamente claro con respecto a la estrategia que debe implementar para combatir el tráfico de cocaína y heroína en el hemisferio, y también es frecuente que cada año la cambie, y desmonte en consecuencia la que, dos pasos atrás, intentaban llevar los países andinos.

Colombia, por ejemplo, nunca ha tenido una política integral de lucha contra el cultivo, procesamiento y tráfico de las drogas que se producen en el país. En julio del 95, por primera vez, la Dirección Nacional de Estupefacientes, entonces a cargo de Gabriel de Vega Pinzón, diseñó con un equipo multidisciplinario un plan nacional contra las drogas que se producen y consumen en Colombia, llamado "Compromiso colombiano frente al problema mundial de la droga", que comprende diversas estrategias a corto, mediano y largo plazo, y que posiblemente contiene la información más actualizada y fiable sobre el sector.

Por el motivo que sea, sin embargo —falta de dinero, carencia de personal especializado, o las usuales trabas burocráticas—, el plan no ha empezado a ejecutarse, y apenas algunas de las herramientas legales que sugería con respecto a la propiedad de los bienes de los narcotraficantes y el lavado de dinero se presentaron al Congreso.

Estados Unidos sí implementa las políticas de inmediato, pero las cambia también en seguida. Una rápida mirada a los informes anuales sobre narcotráfico en los últimos años, revela que en unas ocasiones se privilegia la concentración de esfuerzos en los países de origen de la droga, en otras los países andinos integralmente, a la siguiente su preocupación son los países de

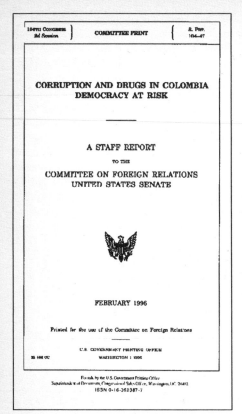

104TH CONGRESS
2d Session } COMMITTEE PRINT { S. Prt.
104-47

CORRUPTION AND DRUGS IN COLOMBIA
DEMOCRACY AT RISK

A STAFF REPORT

TO THE

COMMITTEE ON FOREIGN RELATIONS
UNITED STATES SENATE

FEBRUARY 1996

Printed for the use of the Committee on Foreign Relations

U.S. GOVERNMENT PRINTING OFFICE
25-484 CC   WASHINGTON : 1996

For sale by the U.S. Government Printing Office
Superintendent of Documents, Congressional Sales Office, Washington, DC 20402
ISBN 0-16-052387-7

El Comité de Relaciones Internacionales del Senado de los Estados Unidos preparó este informe sobre Colombia, de 20 páginas, que describe la grave situación política del país.

tránsito o bodega, o la interdicción en las fronteras, y ese cambio de retórica, especialmente por la dependencia de Colombia frente a su política, afecta en consecuencia el desarrollo de las que aquí se inician.

En la política estadounidense de 1996 se favorecen las estrategias domésticas, porque, pese a que las incautaciones se habían incrementado durante los años anteriores en un 67% en promedio, se considera más útil concentrar los procesos en educación y disuasión, y un incremento notable en la vigilancia de fronteras, especialmente México, el gran nuevo actor en el tráfico de cocaína. Por contraste, un esfuerzo en la reducción de la oferta más que en la demanda es lo que se refleja en la distribución del presupuesto, pues dos terceras partes de los US$15.300 millones de presupuesto de drogas se invierten en el control de la oferta, y un tercio en la demanda.

Un estudio que fue desestimado, "An empirical examination of Counterdrug Interdiction Program effectiveness", rechazado por considerarlo ingenuo, afirma que la disminución del uno por ciento del consumo de drogas en los Estados Unidos por medio de la incautación en los países de origen (Colombia, Perú o Bolivia), puede costar US$738 millones/año, y no más de US$34 millones/año por tratamiento a los adictos a la cocaína (Rand Corporation), mientras el Institute for Defence Analyses fija la primera cifra en US$8 millones.

La verdad es que para esa valoración hay que entender que todos, norteamericanos y colombianos, los más de 30 organismos involucrados en la lucha anti drogas manejan estadísticas diferentes para áreas de cultivo y erradicación, y la falta de un auditaje sobre las áreas efectivamente fumigadas, impide una evaluación de impacto de esas políticas, y después de fumigado un terreno, nadie regresa a confirmar las consecuencias de la acción. Eso sin tomar en cuenta los casos de amenazas, como al sobrino de un piloto que secuestraron para que no fumigara determinados cultivos de amapola, con la oferta de los dos metales de la mafia, plata o plomo, o los casos de corrupción, como otro piloto de fumigación que cambiaba regularmente los barriles de desfoliantes por otros llenos de agua, con lo cual más contribuía al cultivo que a la erradicación.

En ese contexto, el futuro de las relaciones internacionales de Colombia con los Estados Unidos parece destinado a variar poco, esencialmente porque el Congreso de ese país cuenta con tres varas para medir a Ernesto Samper: su carta de junio del 94, cuando virtualmente pidió una certificación para posesionarse y ofreció una política anti drogas de la cual sólo ha cumplido con un punto, el de tener a los capos del cartel de Cali tras las rejas. La segunda es su propio decálogo anunciado el 16 de febrero del 95, y por último el marco jurídico de análisis para otorgar o negar la certificación a Colombia por su lucha contra la droga, que es el Convenio de Viena contra el narcotráfico del 89.

La política de los Estados Unidos dependía de tres factores, ya dilucidados cuando este libro entra en prensa: la reelección de Bill Clinton, la prioridad del narcotráfico en su agenda, que no será difícil de prever luego de una campaña en la que los dos candidatos parecían más candidatos a jueces que a presidentes, pues los temas inseguridad en las calles y consumo de drogas fueron dos de los debates más candentes, y por último la continuación en el cargo del subsecretario de Asuntos Latinoamericanos Robert Gelbardt, que según todo parece indicar se hará coincidir con el fin de la misión diplomática del embajador Myles Frechette hasta junio del 97.

En ese contexto hay pocas probabilidades de una variación de políticas, sobre todo si Samper Pizano vuelve a manejar la política de choque con Gelbardt y el senador Jesse Helms, cuando no cuenta con una demostración objetiva de que el cartel de los Rodríguez en efecto han desmontado su infraestructura del narcotráfico.

La posibilidad de una descertificación es alta en ese contexto, y la imposición de sanciones, que representarían de forma directa una pérdida en las exportaciones colombianas entre los US$250 y los US$500 millones y de forma indirecta el no acceso a múltiples líneas de crédito multilateral, depende de una extradición para la que hacen falta siete rondas de votación en el Congreso, y de la aplicación de normas sobre extinción del dominio de propiedades de los narcos e interdicción efectiva al lavado de dinero.

Mientras el rey del desvío de precursores químicos para la cocaína, los talleres que manejan los aviones para el transporte de droga y las redes "legales" de lavado de dinero se mantengan intactas, poco se podrá alegar, incluso así se detenga a los grandes testaferros pero no se desmonten sus empresas. Mientras tanto lo único que se hace es crear una "frontera gris" en los problemas, para intentar ganarse el beneficio de la duda, pero no para someter a un control real los factores de desestabilización que representan clanes como los de los Rodríguez, los Grajales, los Urdinola o los Henao.

Lamentablemente, no es un escenario muy propicio el que se tiene al frente, si se tiene en cuenta que el gobierno de Samper Pizano renunció, de pronto caso único en el mundo, a tener un interlocutor diplomático en Washington, sólo explicable de pronto porque nadie quiera asumir la previsible derrota de una segunda descertificación.

Ese es el escenario internacional, pero en el plano local colombiano, que es donde en realidad se sienten los efectos del narcotráfico, lo único cierto es que de tiempo en tiempo el país se sacude con el descubrimiento de un nuevo capo del narcotráfico, un nuevo clan o un nuevo cartel, pero casi nunca lo hace porque se le encuentre un laboratorio de procesamiento de droga, se detenga alguno de sus lugartenientes que lo cuente todo, o porque se "someta a la justicia" y como buen arrepentido devele los misterios del mundo oculto de los jinetes de la cocaína.

Hasta hace un par de años, lo que solía suceder era lo contrario, que algún grupo de campesinos decidía comunicarse con la prensa o los organismos de derechos humanos, porque el mafioso de la región o sus hombres asesinaban a los vecinos que no le querían vender su finca, o secuestraba a los jóvenes que no accedían a trabajar para su organización, o las mujeres más jóvenes del pueblo vecino empezaban a descubrir la vida fácil de la prostitución.

Siempre por las consecuencias, casi nunca por las causas.

Ese esquema también ha variado, y con la multiplicación de las rutas del narcotráfico y la participación de otras organizaciones tipo mafioso, especialmente las europeas, sus utilidades se multiplican, y ahora el grito lo dan los industriales tradicionales, que no pueden competir con esa especie de "subsidio" en que se convierte la cocaína para quien penetra a una industria sólo con el propósito de lavar dinero, o porque algún sector específico, como sucedió con el mundo del cuero, establecen monopolios por fuerza de los precios que fijan para el mercado.

De acuerdo con un reciente informe de la Policía Nacional, el cartel de Cali, sólo en su ciudad, cuenta con 1.214 propiedades avaluadas en 32 billones de pesos, en su mayoría abandonadas, o controladas desde las dos inmobiliarias que trabajan en la operación de sus inmuebles.

Se cuenta en muchos círculos que el clan Ochoa celebró en la cárcel con una gran fiesta la compra de un millón de hectáreas que acababan de adquirir, mientras la cadena de droguerías y laboratorios (los legales) de los Rodríguez sacan literalmente del camino a los farmaceutas de todo pueblo, donde primero montan una droguería, a la semana un supermercado y al poco tiempo cuentan con una red de lavado de dinero que ninguna organización podría imitar en muchos años.

Eso no constituye más que una afrenta gravosa en cada pueblo donde funcionan, una exhibición de poder que recuerda a todo joven que pasa al frente o entra a comprar un remedio, que el trabajo digno, el cumplimiento de un horario, y las horas pasadas halando de un azadón, es un tiempo perdido, porque hay rutas intermedias y atajos que otorgan no sólo lo mismo, sino multiplicado en varios enteros.

Otro tanto podría decirse con respecto a los políticos, y aspirantes a serlo, que no ven solución distinta a la corrupción y a venderse a las ávidas garras del narcotraficante de turno, con unas campañas de Senado que pueden costar hasta $1.000 millones, lo que demanda el montaje de toda una empresa que, por su fuente de financiación y la cadena de falsificaciones de contabilidad que deben hacer para ocultar ingresos y gastos, más bien termina semejando una asociación para delinquir.

Este panorama aparece demasiado dramático, y Colombia mejor que ningún otro país lo sabe, con una generación de hombres que fueron sacrificados, y centenares de jóvenes que ni siquiera tuvieron la oportunidad de probarse en el mundo de las posibilidades. Por conveniencia de los sectores más reaccionarios de la sociedad, grupos políticos que pretendían airear la forma de hacer y ejercer política en el país, como el Nuevo Liberalismo o la Unión Patriótica, fueron literalmente borrados del mapa por los grupos paramilitares que financió la mafia, con el ánimo de ganarse por esa vía la aceptación de un Establecimiento ambivalente, que un día amnistía sus capitales, y al siguiente los acusa de enriquecimiento ilícito (Jorge Luis Ochoa justificó por ejemplo sus bienes en el hecho de que con el narcotráfico "se benefició de un incremento patrimonial proveniente directamente de ese negocio ilícito, incremento que en manera alguna influyó en el monto de su patrimonio lícito inicial, que ha manejado separadamente y manteniéndolo a la luz pública declarando renta, amnistiándose y pagando impuestos").

Pero los coletazos violentos que da la mafia no son más que exhibiciones de su propia incapacidad de defender con un solo argumento su estrategia del soborno o del terror.

Ese dilema no lo puede tolerar ninguna sociedad, que tiene el derecho a reclamar una protección y a poder salir a disfrutar del país que le tocó en suerte vivir, y que es además el único que tiene.

¿Por qué el país no se entera de esos mafiosos, sino cuando ya manejan un emporio difícil de controlar? Las políticas erráticas y la continuación de una propia, pero coherente, que comprenda el ataque y prevención de sus manifestaciones, es desde luego un inicio.

Pero será siempre de poca utilidad, si no se toman en cuenta las características transnaciones del problema del narcotráfico, no como disculpa, sino para implementar programas de colaboración judicial, de inteligencia y trabajo en equipos "multinacionales", como ya opera por ejemplo la Europol en la Unión Europea. Las manifestaciones de soberanía no se encuentran en la protección de delincuentes, sino en la defensa de la sociedad frente a quienes intentan aprovechar su dinero en la consecución de beneficios y privilegios legales con los cuales controlar más tarde una sociedad.

El cartel de Cali no financia campañas enteras de congresistas porque ve candidatos promisorios, sino porque necesita cancerberos que atajen los proyectos de ley que presenta el gobierno para luchar contra la mafia, o que presente las normas de su conveniencia, como se vio antes en las reformas a la Constitución, al Código de Procedimiento Penal o que incluya "narcomicos" redactados por ellos mismos, como el que pretendía limitar la cobertura del delito de enriquecimiento ilícito.

En ese contexto lo que el país necesita es en primer plano respaldar una Fiscalía General de la Nación que investigue, para evitar remedos de juicios como el seguido al Clan Ochoa, en el que la acusación de la Fiscalía del 11 de junio del 93 se limitó a repetir los cargos contenidos en los indictment de la justicia norteamericana, y procesarlo por los delitos que el narcotraficante confeso se dignó aceptar, porque no había una sola prueba distinta a esos documentos para oponerle, y la diligencia de la Fiscalía consistió en recibir declaraciones y testimonios de Gonzalo Mejía Sanín (¡¡!!) de un expresidente y de Orlando Henao Montoya(¡¡¡!!!), una condena ya cumplida, una sociedad burlada, y un juez sin rostro investigado por haber intentado ocultar la sentencia que dictó, y que a él mismo le apena pero, dijo, "el juez debe aplicar las leyes, ya que no es quien las crea, sino quien las aplica".

Adicionalmente, siendo el móvil económico el que anima en el narcotráfico, la concepción y desarrollo de unos equipos también multinacionales que hagan inteligencia económica es una alternativa, para lo cual Colombia debe empezar por unificar, al menos por redes de computador, la información de registro, existencia, representación legal, miembros de juntas directivas y socios, de todas las empresas que se registren en la Cámara de Comercio de cualquier ciudad del país, para impedir que esos compartimientos estancos que son hoy cada cámara, sirvan para trasladar continuamente la sede de una sociedad, a fin de eludir cualquier investigación, como se hace en la actualidad.

En ese contexto, la reinstauración en la Superintendencia Bancaria del monitoreo periódico de las cuentas de grandes movimientos es una clara opción contra el lavado de dinero, una vez que la Corte Constitucional advirtió en reciente providencia que la adopción de cualquier nueva amnistía de carácter tributario sería inconstitucional.

Y por último está el tema de la extradición, que no es una pena adicional ni un agravamiento de la que se pueda imponer, sino una simple herramienta administrativa de colaboración internacional para defenderse de un flagelo que tiene la misma extensión.

Pero mientras el Congreso continúa en la discusión del proyecto de reforma constitucional, que si no es enterrada antes tomará su aprobación hasta finales del 97, se pueden buscar soluciones intermedias que posibiliten el real encarcelamiento de los capos. Una fórmula sencilla, y práctica, pues no existe prohibición legal de hacerlo, consistiría en celebrar un convenio con algún país con una infraestructura suficiente para contener el poder de los capos condenados, a fin de que purgaran su pena en una cárcel de ese país, en un contrato cuyo coste pagarían todas las naciones directamente involucradas en el consumo y la producción de drogas.

No existe ninguna norma legal o constitucional colombiana que establezca en qué país se debe cumplir una condena, y por el contrario se ha visto cómo la Cancillería colombiana ha celebrado diversos convenios con Ecuador, Venezuela y España, entre otros, de acuerdo con los cuales los colombianos condenados allí, pueden pagar su condena en Colombia. Se trataría así de una reciprocidad diplomática, sin reproche jurídico, pues se garantizaría que el narcotraficante sea juzgado por su "juez natural", con las normas nacionales y en su propio idioma. Esta forma de cumplir la condena en el exterior, y la cárcel que se escogiera podría tener un estatus como el de un consulado, representaría una garantía para los derechos humanos de los condenados, lo que no se puede hacer hoy con el hacinamiento que se vive en sus cárceles, con más de 10.000 personas por encima de su capacidad real en términos de celdas.

El aislamiento de los capos servirá para que al menos puedan ser identificados con certeza para conocer Los Nuevos Jinetes de la Cocaína, a fin de que la historia de la próxima década no sea una copia al calco de lo ya vivido, pero con proyecciones al nuevo siglo.

Indice onomástico

224

Nota: No se incluyeron los nombres de los máximos jefes de los carteles detenidos o muertos.

Fuentes y Bibliografía

Fuentes

Introducción
Velandia, Roberto. Compilador. Sesquicentenario de la Estatua de Bolívar en la Plaza Mayor de Bogotá. Concejo de Santafé de Bogotá, D.C. 20 de julio de 1996; Esmeraldas de Colombia . Rodríguez Vargas, Gustavo. Editorial Retina, 1995; Counterpunch; The Times; The Observer; The Financial Times

Capítulo I
Documento Coca y Relaciones Internacionales, compilación personal; The New York Times; Sumario 26744 contra Luis Enrique y Francisco Ramírez Murillo y Oscar Vallejo Rodríguez; Resolución sin número de la Fiscalía General de la Nación, del 26 de julio de 1993.

Capítulo II
Indictments contra el cartel de Cali en la Corte del Distrito Sur de la Florida, Tercera y Cuarta versiones; Indictments contra el cartel de Cali en cortes de Louisiana, New York y Washington; Documentos incautados por el CEC y la Fiscalía General de la Nación en allanamientos a miembros del cartel de Cali; Los Angeles Times, The Washington Post, El Espectador, Tribunal Supremo de España

Capítulo III
CEC-Lista hallada en poder de MRO; Newsweek; Fiscalía General de la Nación - varias providencias; Proceso 26925- FGN; Proceso 25386-FGN; Jim McGee, The Washington Post; Mary Beth Sheridan; The Miami Herald; Tribuna, Madrid; La Vanguardia, Barcelona; Ministerio Público, Panamá; Paul Kaihla, Maclean's , Canadá; Fiscalía General de la Nación, sumario a Ramírez Murillo; Lintner, Bertl. Territory Briefing. Cross-border drug trade in the golden triangle. International Boundaries Research Unit. Londres; Lintner, Bertl. Fields of Dreams. Far East economic review, febrero 1992; Elliot, Dorinda. Hostile Takeover. Newsweek, octubre 1995; Duteil, Mireille. Drogue. Comment le traffic inonde La France. Le Point, agosto 1993; Los costos del prohibicionismo de las drogas. Compilación. Congreso del Partido Radical, 1989; Report of the International Narcotics control board for 1995. Interrnational Narcotics Control Board. Vienna, 1996; Padgett, Tim. He's America's Problem. Newsweek, enero 1996; Agendas encontradas a Miguel y Gilberto Rodríguez Orejuela en Cali y Madrid.

Capítulo V
Escritura Sociedad Portuaria de Santa Marta; Indagatorias sucesivas de Guillermo Pallomari; Cámara de Comercio, varias. Certificados de existencia y Representación legal; Gómez , Hernando José. La economía ilegal en Colombia. Economía Colombiana, 1990; Colombian economic reform, DIR. Septiembre 1994; Gallego Flórez, Teresa. El narcotráfico en las cuentas nacionales de Colombia.; El Espectador; El Tiempo; Sermana; Cambio 16; Cromos.

Capítulo VI

Gilinski, documento privado; Compañías de aviación, Aerocivil; Estatuto Anticorrupción; Directiva presidencial No 4 y 5; Bingos y casinos - Loterías del lavado, compilación personal; Money Laundering Alert; Los Angeles Times; El Mundo, Madrid; El Espectador; El Tiempo

Capítulo VII

Consejería para el Desarrollo de la Constitución. Presidencia de la República. Desgrabaciones, consulta textual y referencial, sistema sesiones; Biblioteca Luis Ángel Arango. Ponencias para eliminarla (Armando Holguín Sarria, Alfredo Vázquez Carrizosa y Aída Abella Esquivel, Hernando Londoño Jiménez); Gaceta Constitucional - sesiones de la Asamblea Nacional Constituyente, varios tomos; Ballén M., Rafael Constituyente y Constitución del '91; El Espectador; El Tiempo; Semana; Diario Oficial; Nuevo Foro Penal, No. 42. Temis, 1988; Holguín Holguín, Carlos. Aspectos Generales de la Extradición. Ediciones Rosaristas, 1986; Marco G. Monroy Cabra- Regimen jurídico de la extradición. Monografías jurídicas. Temis, 1987; Sentencias Corte Suprema de Justicia y Corte Constitucional.

Capítulo VIII

Proceso 8000; Contrato 039-91- IFI; El Espectador; Reyes, Gerardo - El Nuevo Herald; Varios procesos en la Corte Suprema de Justicia; Cámara de Comercio de Villavicencio; Fiscalía General de la Nación, providencia del 15 de agosto de 1994.

Capítulo IX

The White House. Office of the Press Secretary. The President's speech at the United Nations 50th Anniversary; Department of the Treasury. Office of Foreign Assets Control. Specially Designated Narcotics Traffickers.

Bibliografía

Aparte de la mencionada como fuente en cada capítulo, se emplearon otros libros, principalmente los siguientes:

Candia, Celso Canelo, Romero, Elizabeth, Orozco B., Roberto, Irías, Noel. Compilación artículos de Barricada, Tribuna y La Prensa, de Nicaragua. Managua, 1995.

Cárdenas S., Mauricio y Perry R., Guillermo. Diez años de reformas tributarias en Colombia. CID-Fedesarrollo. Bogotá, 1986.

Castillo, Fabio. Los jinetes de la cocaína. Editorial Documentos Periodísticos. Bogotá, 1987.

Castillo, Fabio. La coca nostra. Editorial Documentos Periodísticos. Bogotá, 1991.

Cetina, Eccehomo. Jaque a la reina. Mafia y corrupción en Cartagena. Planeta. Bogotá, 1994.

Constitución Política de Colombia. Ediciones Emfasar. Bogotá, 1992.

Dávila L. de Guevara, Carlos. El empresariado colombiano. Oficina de Publicaciones, Pontificia Universidad Javeriana. Bogotá, 1986.

Duzán, María Jimena. Crónicas que matan. Tercer Mundo Editores. Bogotá, 1993.

La Rotta M., Jesús E. Las finanzas de la subversión colombiana: una forma de explotar la Nación. Ediciones Los Últimos Patriotas. Bogotá, 1996.

Medina Gallego, Carlos. ELN: una historia contada a dos voces. Rodríguez Quito Editores. Bogotá, 1996.

Pasquini, Gabriel y De Miguel, Eduardo. Blanca y Radiante. Mafias, poder y narcotráfico en la Argentina. Planeta - Espejo de la Argentina. Buenos Aires, 1995.

Robinson, Jeffrey. The Laundrymen. Inside the world's third largest business. Simon & Schuster Ltd. Londres, 1995.

Rodríguez Vargas, Gustavo. Esmeraldas de Colombia. Compañía Litográfica Nacional. Bogotá, 1992.

Roth, Jürgen y Frey, Marc. Europa en las garras de la mafia. Un holding criminal al que pertenecemos sin saberlo. Anaya & Mario Muchnik. Madrid, 1995.

Strong, Simon. Whitewash. Pablo Escobar and the Cocaine wars. MacMillan. Londres, 1995.

Thoumi, Francisco. Economía política y narcotráfico. Tercer Mundo editores.

Vademécum Financiero. Revista Dinero. Bogotá, 1995.

Velásquez, Jorge Enrique. Cómo me infiltré y engañé al Cartel. Editorial Oveja Negra. Bogotá, 1993.

Ziegler, Jean. La Suisse Lave Plus Blanc. Éditions du Seuil. París, 1990.

Agradecimientos

El autor desea dejar constancia de su agradecimiento para con las numerosas personas que aceptaron mis largas entrevistas, las rondas de preguntas y confirmaciones con que las incomodé, así como a los funcionarios públicos que respondieron mis derechos constitucionales de petición, con información que fue útil para apoyar los temas de este libro. A los periodistas que, con sus trabajos, reabrieron la posibilidad de volver a escribir sobre temas de narcotráfico en Colombia, y en especial a Mary Beth Sheridan de Los Angeles Times, Simon Strong autor de Whitewash, Douglas Farah de The Washington Post, David Marckus, de The Chicago Tribune, y Gerardo Reyes, en El nuevo Herald. En Colombia, al siempre recursivo Ignacio Gómez, y a la insuperable reportera Julia Navarrete, ambos de El Espectador y a Luis de Castro, el maestro de todos. También a los dos periodistas que colaboraron en el tedioso proceso de documentación del libro.

En el plano personal, a los míos, que supieron comprender mi aislamiento, y apoyar mi decaimiento, cuando se confirmaban hechos que sencillamente parecían increíbles horas antes; y a mis amigos, que demuestran seguir siendo el patrimonio más importante cosechado en mi vida.

El autor
Bogotá, noviembre 18 de 1996

LIBRERIA
NACIONAL
CALI - BOGOTA - B/QUILLA - PALMIRA - CARTAGENA

Luis Carlos Galán Sarmiento
Fundador del Nuevo Liberalismo